Allemand

lonely planet

guide de conversation

Guide de conversation *Allemand 3*
Traduit de l'ouvrage *German Phrasebook 3, March 2008*

Traduction française : © Lonely Planet 2011, place des éditeurs
12 avenue d'Italie, 75627 Paris cedex 13
☎ 01 44 16 05 00
lonelyplanet@placedesediteurs.com
www.lonelyplanet.fr

Dépôt légal
Février 2011 - N° 201012.0211
ISBN 978-2-81610-792-0

Illustration de couverture
Éric Giriat

Imprimé par Chirat
Saint-Just-La-Pendue, France

Ce guide de conversation *Allemand* est l'œuvre de Lonely Planet et Emma Koch, secrétaire d'édition. Gunter Muehl s'est chargé de la traduction en allemand, des transcriptions et de l'aspect culturel.

Responsable éditorial : Didier Férat
Coordination éditoriale : Cécile Bertolissio
Coordination graphique : Jean-Noël Doan
Traduction et adaptation en français : Sabine Frefield
Adaptation graphique : Alexandre Marchand
Illustrations : Éric Giriat

La maquette du livre et de la couverture a été créée par Daniel New, Patrick Marris, Sally Morgan et Yukiyoshi Kamimura. Gudrun Fricke a réalisé la maquette et Alexandre Marchand la couverture pour l'édition française. Natasha Velleley, Paul Piaia et Wayne Murphy ont créé la carte de répartition de la langue. Aude Gertou l'a adaptée en français.

Un grand merci à Sophie Sénart pour sa contribution au texte. Nos plus vifs remerciements vont à Émilie Esnaud qui a apporté une aide précieuse à la réalisation de ce guide, à Jean-Noël Doan, à Dominique Spaety, à Clare Mercer, Tracy Kislingbury et Mark Walsh du bureau londonien, ainsi qu'à Glenn van der Knijff, Chris Love et Craig Kilburn du bureau australien.

Sachez tirer parti de votre guide...

Nous pouvons tous parler une langue étrangère ! Tout est question de confiance en soi. Peu importe si vous n'avez rien gardé de vos cours de langue à l'école, ou si vous n'en avez jamais eu. Si vous assimilez aujourd'hui ne serait-ce que les expressions de base reproduites sur la couverture de ce guide, votre voyage en sera métamorphosé. N'hésitez pas, profitez de cette porte ouverte sur l'Allemagne, lancez-vous dans l'aventure de la communication !

comment se repérer

Ce guide est divisé en sections, matérialisées par des onglets de couleur. Le chapitre **basiques** expose les bases de l'allemand. Il sera votre référence permanente. La partie **pratique** présente les situations de la vie quotidienne. Celle intitulée **en société** vous offre les clés des rapports sociaux : comment engager une conversation, tester son pouvoir de séduction ou exprimer une opinion. Une section entière, **à table**, est consacrée à l'alimentation, avec des rubriques gastronomie, plats végétariens et spécialités locales. La partie **urgences** aborde les problèmes de sécurité en voyage et de santé. Un index détaillé situé en fin d'ouvrage répertorie les différentes questions abordées. Il est précédé d'un dictionnaire bilingue.

pour vous exprimer

Chaque phrase et expression de ce guide est présentée en allemand, accompagnée de sa transcription phonétique (matérialisée par des phrases de couleur dans la partie droite de chaque page) et de sa traduction en français. Notre système de transcription est expliqué en détail dans le chapitre **prononciation** de la partie **basiques**. Il ne requiert pas d'apprentissage spécifique.

les petits plus

Les encadrés *expressions courantes* vous offrent un aperçu de l'allemand tel qu'il est parlé dans la rue. N'hésitez pas à vous en inspirer. Ceux intitulés *parler local* réunissent des phrases qui reviennent souvent dans une situation spécifique. Pour faciliter votre compréhension, la phonétique est alors employée avant l'allemand.

introduction 6

carte 6
en bref 7

basiques 9

prononciation 9
grammaire de A à Z 13
phrases-clés 25
nombres et quantités 27
heure et date 29
questions d'argent 33

pratique 35

transports 35
passer la frontière 47
se loger 49
orientation 59
achats 61
poste et communications 69
voyage d'affaires 75
banque 77
visite touristique 79
voyageurs handicapés 83
enfants 85

en société 87

rencontres 87
loisirs 97
sentiments et opinions 101
sortir 107
vie amoureuse 111
religion et culture 119
art 121
sports 123
activités de plein air 133

à table 139

se restaurer 139
cuisiner 155
végétariens/régimes spéciaux 159
lexique culinaire 163

urgences 173

sécurité 173
santé 177

tourisme responsable 187

dictionnaires 191

dictionnaire français/allemand 191
dictionnaire allemand/français 223

index 253

allemand

langue officielle
langue très souvent comprise
Voir également l'**introduction**.

INTRODUCTION
Einleitung

Romantisme, littérature, musique, philosophie… Ces notions viennent spontanément à l'esprit lorsque l'on évoque l'Allemagne. Nul doute également que vous connaissiez *Achtung* (Attention !) et *schnell* (vite). Mais saviez-vous que "bourgeois", "jardin", "kitch" et "valse" sont également des mots d'origine allemande ?

Avec 100 millions de germanophones en Europe, cette langue réputée (injustement) difficile, y est plus parlée que le français et l'anglais. L'allemand ne s'est pas répandu dans le reste du monde comme le français, l'espagnol ou l'anglais, car l'Allemagne n'existe en tant que nation unie que depuis 1871. Avant cette date, le territoire allemand était morcellé en plus de 300 royaumes et principautés souveraines. Cette absence de puissance centralisée et la perte de ses colonies dès la Première Guerre mondiale expliquent notamment la très courte durée de son passé colonial. Aujourd'hui, peu d'Allemands savent que Tsing Tao, la Namibie et Zanzibar furent des colonies allemandes.

L'allemand est la langue officielle en Allemagne, en Autriche et au Liechtenstein. Elle est également l'une des langues officielles de la Belgique, de la Suisse et du Luxembourg. Elle est souvent comprise en Alsace et en Lorraine, mais également en

en bref…

nom de la langue : allemand

allemand en allemand : *Deutsch* doytch

famille linguistique : langues germaniques

pays : Allemagne

nombre approximatif de germanophones : 100 millions

langues proches : afrikaans, néerlandais, anglais, frison, yiddish

apports au français : aspirine, chromosome, frichti, kaputt, leitmotiv, loustic, vasistas, etc., mais aussi l'inversion du sujet et du verbe dans la phrase interrogative

Pologne, en République Tchèque et dans d'autres pays de l'Est. À l'origine langue orale des tribus germaniques, elle a ensuite été fixée à l'écrit sur le modèle de la grammaire latine. Le rejet du verbe en fin de phrase en est l'une des explications.

La langue allemande se distingue par deux parlers toujours en vigueur : le *Hochdeutsch* (haut allemand) et le *Plattdeutsch* (bas allemand). Martin Luther choisit son propre dialecte pour traduire la bible, donnant ainsi à celui-ci toutes ses lettres de noblesse. Aujourd'hui considéré comme la langue classique allemande par excellence, le *Hochdeutsch* est parlé dans sa forme la plus pure dans la région de Hanovre et au nord du pays.

Le bas allemand, ou *Plattdeutsch*, est un terme générique pour désigner la diversité des dialectes régionaux non conformes au *Hochdeutsch*. Concrètement, un frison ne parlant que son dialecte aura peu de chances d'être compris par un compatriote souabe ou bavarois. Mais rassurez-vous, il est très rare de rencontrer une personne ne maîtrisant pas le *Hochdeutsch*, la langue enseignée à l'école et utilisée par la presse et la télévision.

Ce guide de conversation s'est donné pour mission de vous permettre de communiquer, que vous soyez sur les pistes des Alpes suisses, à la *Love Parade* de Berlin, dans un café de Vienne, ou à un concert donné par le philarmonique de Munich. Vous trouverez tous les mots et les phrases utiles pour vous faire comprendre, mais aussi nombre d'expressions idiomatiques et amusantes destinées à mieux vous faire connaître l'Allemagne et ses habitants. Chaque phrase, chaque expression et chaque mot des dictionnaires bilingues sont suivis d'une transcription phonétique simplifiée. Alors, lancez-vous !

> abréviations utilisées dans cet ouvrage

f féminin
fam familier
m masculin
n neutre
pl pluriel
pol politesse
sg singulier

La prononciation de l'allemand est assez simple pour les francophones car la plupart des sons se prononcent comme ils s'écrivent.

voyelles

Il est essentiel de distinguer une voyelle courte d'une voyelle longue, qui modifient le sens d'un mot. De plus, les voyelles e et ä sont très proches. Par exemple, si vous ne vous attardez pas sur le ä de *wählt* (élisez), on pourra confondre avec *Welt* (le monde). Dans ce guide, les voyelles longues sont surmontées d'un accent circonflexe. Retenez également qu'il n'existe pas de nasales en allemand : *an* ann (sur) se prononce comme le prénom "Anne". Les symboles nn ou mm après une voyelle indiquent qu'il faut les prononcer séparément.

symbole	équivalent français	exemple allemand
a	ch**a**t	*h**a**t*
â	p**â**te	*h**a**be*
ay	f**ai**lle	*k**ei**n/H**ai***
ao	L**ao**s	*H**au**s*
ê	b**ê**te	*l**e**ben*
è	fr**è**re	*M**ä**nner/kauf**e**n*
é	cam**é**lia	*w**e**nn*
i	c**i**té	*m**i**t*
î	**î**le	*fl**ie**gen*
euh	bl**eu**	*sch**ö**n*
o	c**o**t-c**o**t	*K**o**ffer*
ô	C**ô**me	*S**o**hn*
oy	cow-b**oy**	*L**eu**te/H**äu**ser*
ou	c**ou**teau	*Sch**uh**e*
u	f**u**tile	*zur**ü**ck/Ph**y**sik*

consonnes

Le consonnes b, d, k, l, m, n, p, r, t ne posent pas de problèmes. Elles se prononcent comme en français.

C'est probablement le ch qui vous donnera le plus de difficulté. Il se prononce comme un "r" raclé après les voyelles a, o et u. Donc si vous aimez Bach, ne dites pas *bak* mais Ba*Rch*. Dans les autres cas, pour prononcer ch dites "*cheese*" et maintenez la grimace, puis produisez un ch mouillé. Pour le *isch libé disch* ("je t'aime"), dites en vrai pro : ic*H* libé dic*H* avec votre plus beau (et large) sourire.

Le h en début de mot se prononce : imaginez faire de la buée sur un miroir.

symbole	équivalent français	exemple allemand
cH	aucun - souriez !	*i***ch**
Rch	aucun - raclez !	*a***ch***t*, Ba**ch**
ks	**X**avier	*E***ch***se*
h	aucun - soufflez !	***h****elfen*/**H***otel*
tch	**tch**atche	***Tsch****üss*
f	**f**ée	***V****ater*/***f****allen*
ng	période Mi**ng**	*si***ng***en*
gué	tan**guer**	***g****enug*
gui	**Gu**y	***G****ilde*
kv	aucun	***Qu****ark*
ss	a**s** de pique	*hei***ß**
ch	**ch**at	***sch****ön*
chp	aucun	**sp***ät*
cht	fri**cht**i	**st***ellen*
ts	**ts**é-**ts**é	***Z****eit*, **C***elsius*
v	**v**ouloir	***w****ollen*
y	**y**acht	***j****a*
z	ro**s**e	**S***onntag*

accent tonique

En principe, l'accent tonique tombe sur la première syllabe. En principe..., car les mots empruntés à d'autres langues maintiennent leur accent tonique d'origine, comme *Organisation* or·ga·ni·za·*tsi·ôN* (organisation) et *Student* chtou·*dent* (étudiant).

Les particules (que l'on colle devant un verbe de base pour en varier le sens) comme *ver-*, *miß-*, *ge-*, *zer-*, *be-*, *er-*, *emp-*, *ent-* ne sont pas accentuées. L'accent tombe alors sur la deuxième syllabe : *verstehen* fer·*chté*·ênn (comprendre).

Pour vous éviter l'apprentisage des règles (et vous l'avez compris, leurs nombreuses exceptions), nous avons indiqué en *italique* la syllabe qui porte l'accent tonique. Attardez-vous sans vergogne.

intonation

L'intonation de la phrase allemande diffère de celle du français. Elle a une mélodie bien distincte. Pour poser une question, votre voix doit monter, puis retomber à la fin de la phrase : *Bist du fertig?* bist du *fer*·tik (Es-tu prêt ?). Si vous introduisez votre question par un adverbe interrogatif, l'intonation doit être descendante : *Woher kommst du*? vo·hér *komst* dou (D'où viens-tu ?).

Bon à savoir : une intonation ascendante indique que vous n'avez pas fini votre phrase. Par exemple, si quelqu'un vous demande d'où vous venez, vous pouvez dire *Aix... eine Stadt... in Südfrankreich ex aill* ne chtat in sud·frânk·raill·cH (Aix... une ville... dans le sud de la France). Montez la voix sur les deux premières syllabes, et tout le monde sera suspendu à vos lèvres.

lire et écrire

L'orthographe et la prononciation de l'allemand sont très similaires et ne devraient pas poser (trop) de problèmes une fois les règles de prononciation assimilées. Les noms, qu'ils soient propres ou communs, s'écrivent sans exception avec une majuscule : *Essen* est le repas et *essen* veut dire manger. Facile, non ?

L'allemand ne connaît pas (vraiment) de lettres muettes. Le h de *Hotel* *hô·tél* ("hôtel") et le e à la fin de *ich verstehe* icH fér·*chté*·eu ("je comprends") se prononcent. Les seules exceptions, en fin de mot, sont le -er , qui finit presque comme un très bref a : Teller *tél*·la ("assiette") et le -en qui a tendance à être avalé : *Guten Morgen* *gou*·t'n *mor*·g'n ("bonne matinée").

Les tableaux des pages précédentes indiquent la transcription de chaque son dans la 1re colonne, un exemple en français dans la 2e colonne et un mot allemand contenant ce son dans la 3e colonne. Noter néanmoins les particularités suivantes:

- la lettre ß (appelée "esstset") remplace en fait les 2 s. Après maintes réformes et contre-réformes, semant le doute parmi les Allemands eux-mêmes, le ß est désormais utilisé après une voyelle longue comme dans *Fuß* ("pied") et les ss après une voyelle courte comme dans *Fass* ("tonneau").

- les lettres sp et st au début d'un mot se prononcent chp et cht. Par exemple : *Sport* ("sport") se prononce chport.

- d, g, et b en fin de mot se prononcent plutôt t, k et p. Par exemple : *Geld* ("argent") se prononce gelt.

Ne vous laissez pas impressionner par la longueur des mots allemands. Si le français utilise plusieurs mots pour exprimer une seule idée ou notion, l'allemand réunit le tout dans un seul mot. Vous allez vite reconnaître des mots à l'intérieur d'un de ces "termes à rallonge". Par exemple, *Haupt-* haopt veut dire "principal", ainsi *Hauptpost* *haopt*·post veut dire "poste principale" et *Hauptstadt* *haopt*·chtat (litt : ville principale) veut dire "capitale".

Ce chapitre a pour but de vous aider à construire vos phrases. Nous avons listé par ordre alphabétique quelques points de grammaire indispensables. Mais si vous ne trouvez pas la phrase que vous souhaitez dire dans ce guide, laissez aller votre créativité et ne craignez pas d'avoir recours aux gestes. La communication ne passe pas forcément par une grammaire parfaite.

adjectifs voir aussi **déclinaison** et **possessifs**

L'adjectif précède toujours le nom auquel il se rapporte. Il s'accorde avec lui en genre, mais change également selon l'article et la déclinaison : *das kalte Essen* ("le repas froid"), *ein kaltes Essen* ("un repas froid") ou *wegen dem kalten Essen* ("à cause du repas froid"). Voir également les tableaux figurant à la rubrique **déclinaison**.

Les adjectifs attributs du sujet, rejetés après le verbe, ne s'accordent ni en genre, ni en nombre.

Mon repas est froid.
Mein Essen ist kalt. — mayn è·sénn isst kalt

Ma sangria est froide.
Meine Sangria ist kalt. — may·ne *sanng*·gri·â isst kalt

articles voir **genre**, **déclinaison** et **adjectifs**

En plus des articles féminins et masculins, l'allemand possède un article neutre défini : *das* ("le/la"), et indéfini : *eines* ("un/une"). Par exemple, *das Kind* ("l'enfant") ou *ein Tier* ("un animal").

avoir voir aussi **être** et **passé**

Le verbe "avoir" se dit *haben* en allemand. Voici sa conjugaison au présent de l'indicatif.

Avez-vous une chambre plus calme ?

Haben Sie ein ruhigeres Zimmer? — *ha*·ben zî ayn *rou*·i·gué·rés *tsi*·mer

(litt : avez-vous une plus calme chambre ?)

avoir		haben		
j'	ai	*ich*	*habe*	icH *hâ*·beu
tu	as	*du*	*hast*	dou hasst
il/elle/il m/f/n	a	*er/sie/es*	*hat*	er/zî/es hat
nous	avons	*wir*	*haben*	vîr *hâ*·ben
vous	avez	*ihr*	*habt*	îr hapt
ils/elles	ont	*sie*	*haben*	zî *hâ*·ben
vous sg et pl de politesse	avez	*Sie*	*haben*	zî *hâ*·ben

Remarque : pour la forme de politesse "vous", l'allemand utilise la 3e personne du pluriel.

cas voir **déclinaison**

c'est...

Ne vous occupez ni du genre, ni du nombre, dites simplement *das ist…* ("c'est…") pour le singulier et *das sind…* ("ce sont…") pour le pluriel.

C'est mon sac et ce sont ses bagages.

Das ist meine Tasche und das sind ihre Koffer. — das isst *may*·ne *ta*·che ount das zint *î*·re *ko*·fer

(litt : ceci est mon sac et ceux-ci sont ses bagages à elle)

déclinaison voir aussi **adjectifs** et **pronoms personnels**

Ce que l'on désigne par "déclinaison" ou "les quatres cas", en allemand, est tout simplement une autre façon de désigner les fonctions grammaticales. Ceux qui ont fait du latin reconnaîtront les cas du *Nominativ* (sujet), de l'*Accusativ* (complément d'objet direct), du *Dativ* (complément d'objet indirect) et du *Genitiv* (complément du nom). Pour exprimer ces différentes fonctions grammaticales, les articles, les adjectifs, les noms et les pronoms subissent une flexion, c'est-à-dire que leurs terminaisons changent selon leur fonction dans la phrase.

Il est à noter également que le choix de la déclinaison du groupe nominal se fait en fonction de l'article. Pour savoir quelle déclinaison utiliser, consultez les tableaux ci-dessous, qui mentionnent les flexions de l'article (à gauche) et de l'adjectif (à droite).

Tableau 1 : déclinaison de l'article et de l'adjectif lorsque le groupe nominal est introduit par l'article défini *der/die/das* ("le/la") et le démonstratif *dieser/diese/dieses* ("celui/celle") :

cas	masculin		neutre		féminin		pluriel	
nominatif	*der*	*-e*	*das*	*-e*	*die*	*-e*	*die*	*-en*
accusatif	*den*	*-en*	*das*	*-e*	*die*	*-e*	*die*	*-en*
datif	*dem*	*-en*	*dem*	*-en*	*der*	*-en*	*den*	*-en*
génitif	*des*	*-en*	*des*	*-en*	*der*	*-en*	*der*	*-en*

Tableau 2 : déclinaison de l'article et de l'adjectif lorsque le groupe nominal est introduit par l'article indéfini *ein/eine/eines* ("un/une"), la négation *kein/keine/keines* (voir aussi la rubrique **négation**), et l'adjectif possessif *mein/meine/meines* ("mon/ma") :

cas	masculin		neutre		féminin		pluriel	
nominatif	*ein*	*-er*	*ein*	*-es*	*eine*	*-e*	-	*-e*
accusatif	*einen*	*-en*	*ein*	*-es*	*eine*	*-e*	-	*-e*
datif	*einem*	*-en*	*einem*	*-en*	*einer*	*-en*	-	*-en*
génitif	*eines*	*-en*	*eines*	*-en*	*einer*	*-en*	-	*-en*

Astuce : la majorité des terminaisons étant en *-en*, il est donc plus facile de les retenir en apprenant uniquement celles qui changent.

La belle femme donne un biscuit délicieux au petit bébé.

Die schöne Frau gibt	die cheuh·nè frao gîpt
dem kleinen Baby	démm klay·nénn bé·*bî*
einen leckeren Keks.	ay·*nénn* lé·ké·ren kêks

(litt : la belle femme donne au petit bébé un délicieux biscuit)

Dans l'exemple ci-dessus, le sujet de la phrase : "la belle femme", utilise l'article défini *der/die/das* qui relève du tableau 1. L'adjectif *schön* ("beau") devient donc *schöne*. Même chose pour "le bébé", au génitif (complément d'objet indirect), dont l'adjectif *klein* ("petit") devient *kleinen*.

Le nom *Keks* ("biscuit") est à l'accusatif (complément d'objet direct). Employé avec l'article indéfini *ein/eine/eines*, il relève du tableau 2. L'adjectif *lecker* ("délicieux") devient donc *leckeren*. Sachez cependant que l'on vous comprendra quand même sans cet effort de mémorisation.

être voir aussi **avoir** et **passé**

Comme en français, le verbe *sein* "être" est irrégulier et mérite d'être appris par cœur, au moins au présent de l'indicatif.

être		*sein*		
je	suis	*ich*	*bin*	icH binn
tu	es	*du*	*bist*	dou bisst
il/elle/il **m/f/n**	est	*er/sie/es*	*ist*	er/zî/es isst
nous	sommes	*wir*	*sind*	vîr zinnd
vous	êtes	*ihr*	*seid*	îr zayt
ils/elles	sont	*sie*	*sind*	zî zinnd
vous **sg et pl de politesse**	êtes	*Sie*	*sind*	zî zinnd

futur

Demain, je vais à Berlin.

Ich fahre morgen nach Berlin.	icH *fah*·re *mor*·guénn naRch ber·*lîn*

(litt : je vais par voie terrestre demain à Berlin)

La façon la plus simple d'exprimer le futur, est d'utiliser des mots indiquant une notion de temps, comme *morgen* ("demain"), *nächste Woche* ("la semaine prochaine"), ou *um drei Uhr* ("à 3 heures"). Ainsi, tout en gardant le verbe au présent, la phrase exprimera le futur.

Si vous souhaitez utiliser la forme verbale du futur, sachez que sa construction est bien plus simple qu'en français. Elle est similaire à la forme "je vais…", suivie d'un verbe à l'infinitif. En allemand, elle se construit avec le verbe *werden* ("devenir"), utilisé comme auxiliaire. Il suffit donc de mémoriser la conjugaison du présent du verbe *werden* et d'y ajouter l'infinitif du verbe souhaité.

J'irai à Berlin.

Ich werde nach Berlin fahren.	icH *ver*·de naRch ber·*lin fah*·ren

(litt : Je deviens vers Berlin aller par voie terrestre)

Nous y mangerons des beignets berlinois.

Wir werden dort Berliner essen.	vîr *vér*·dénn *dort* *bér*·li·nér *éss*·énn

(litt : nous devenons là-bas beignets berlinois manger)

je	vais	*ich*	*werde*	icH ver·deu
tu	vas	*du*	*wirst*	dou vîrst
il/elle/il m/f/n	va	*er/sie/es*	*wird*	er/zî/es vîrt
nous	allons	*wir*	*werden*	vîr ver·dénn
vous	allez	*ihr*	*werdet*	îr ver·déte
ils/elles	vont	*sie*	*werden*	zî ver·dénn
vous sg et pl de politesse	vont	*Sie*	*werden*	zî ver·dénn

genre voir aussi **déclinaison** et **articles**

La cathédrale, la galerie et le musée sont rue Möhl.

Der Dom, die Galerie	dér dôm die ga·lé·*rî*
und das Museum sind	ount das mou·*zé*·oum zint
in der Möhlstraße.	in dér *meuhl*·chtra·sseu

(litt : la cathédrale, la galerie et le musée sont dans la rue Möhl)

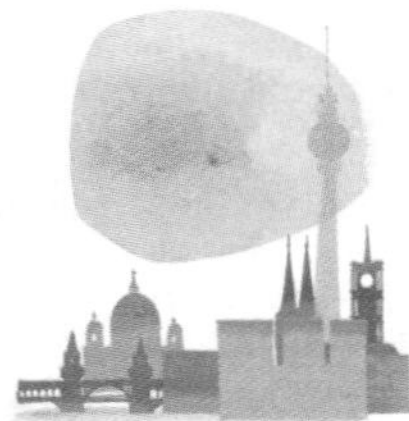

En allemand, les noms se répartissent en 3 genres : masculin, féminin et neutre. Les noms sont faciles à reconnaître, car tous – noms propres et noms communs – prennent une majuscule.

Les règles régissant l'attribution du genre sont multiples, tout comme leurs exceptions. Par exemple : *der Mond* ("la lune") est masculin, tandis que *die Sonne* ("le soleil") et *die Butter* ("le beurre") sont féminins, et *das Mädchen* ("la fille") est neutre !

Voici quelques règles pour vous aider à déterminer le genre :

- les noms se terminant en *-er* sont en général masculins, par exemple : *der Lehrer* dér *lér*·rér ("l'instituteur")
- les noms se terminant en *-in* sont féminins, par exemple : *die Lehrerin* *dî lé*·rè·rinn ("l'institutrice")
- les noms se terminant en *-chen* et *-lein* sont des diminutifs et tous neutres, par exemple : *das Mädchen* das *mèd*·cHénn ("la fille"), *das Fräulein* das *froy*·laynn ("la demoiselle", litt : petite femme)

Le genre détermine en partie l'accord de l'adjectif et de l'article (voir la rubrique **déclinaison**). Mais encore une fois soyez tranquille, on vous comprendra même si vous vous trompez sur le genre.

masculin, féminin et neutre

Les abréviations **m**, **f** et **n**, placées après chaque nom dans le **dictionnaire**, en indiquent le genre. Pour les besoins de ce livre, nous avons présenté le vocabulaire de la façon suivante : *Lehrer(in)* **m/f** signifie que *Lehrer* (l'instituteur) en est la forme masculine et *Lehrerin* (l'institutrice), qui se forme en ajoutant la terminaison *-in*, la forme féminine.

Quand la différence est plus importante qu'une simple terminaison, les deux formes du mot sont mentionnées, séparées par une barre oblique, comme suit : *Hausmann/ Hausfrau* signifie "homme au foyer/femme au foyer".

La forme neutre, lorsqu'elle existe, sera placée en troisième position : *der/die/das* ("le/la").

négation

Il suffit d'ajouter le mot *nicht* nicHt ("ne… pas") après le verbe conjugué :

Je ne fume pas.
Ich rauche nicht. — icH *rao*·Rcheu nicHt
(litt : je fume ne pas)

Je ne veux pas dormir.
Ich will nicht schlafen. — icH will *nicHt* chla·fénn
(litt : je veux ne pas dormir)

Attention, on ne peut pas utiliser *nicht* lorsque le nom est précédé par l'article indéfini *ein/eine/eines* ("un/une"). Dans ce cas, on ajoute à ce dernier le préfixe *k-* qui a valeur de négation (*kein/ keine/keines*).

Veux-tu un verre de vin ? Non, je ne veux pas de verre de vin.
Willst du ein Glas Wein? — vilst dou ayn glass vaynn ?
Nein, ich will kein Glas Wein. — nayn icH vill *kayn* glass vaynn
(litt : veux-tu un verre vin ? non je veux ne pas verre vin)

ordre des mots

Je vais à Berlin.

Ich fahre nach Berlin. — icH *fâ*·re naRch bér·*lên*

(litt : Je vais par voie terrestre vers Berlin)

Demain, je vais à Berlin.

Morgen fahre ich nach Berlin. — *mor*·gen *fâ*·re icH naRch bér·*lîn*

(litt : Demain je vais par voie terrestre vers Berlin)

En allemand, le verbe est toujours le deuxième élément de la phrase (voir l'exemple 1). Attention : ceci ne veut pas nécessairement dire qu'il s'agit du deuxième mot.

Ainsi, si vous placez en tête de phrase un adverbe de temps comme "demain" (voir l'exemple 2), vous devrez inverser l'ordre du sujet et du verbe pour que ce dernier reste en deuxième position.

passé

Pour exprimer le passé, l'allemand emploie le *Perfekt*, qui se construit comme le passé composé en français. Reprenez la conjugaison des verbes *haben* (voir la rubrique **avoir**) et *sein* (voir la rubrique **être**), au présent de l'indicatif, pour former l'auxiliaire. Vous y ajouterez le participe passé du verbe souhaité. Pour le construire, partez de l'infinitif de ce verbe, auquel vous accolerez le préfixe *ge-*. Par exemple, *waschen* (laver) devient *gewaschen* (lavé).

Il existe bien sûr des exceptions. Certains verbes forment leur participe passé en remplaçant la terminaison du verbe à l'infinitif en *-en* par un *-t* (par exemple : *spielen* devient *gespielt*). D'autres verbes sont parfaitement irréguliers comme *gehen* (aller), qui devient *gegangen* (allé). Cependant, n'ayez pas d'inquiétude, on vous comprendra dans la majorité des cas, même si vous vous contentez du préfixe *ge-*.

Hier, nous sommes allés au cinéma.

Gestern sind wir ins Kino gegangen — *guéss*·térnn zinnt vir inns *ki*·nô gué·guang·guénn

(litt : hier sommes nous dans le cinéma allé)

pluriel des noms

Je voudrais deux tickets, s'il vous plaît.

Ich möchte zwei Fahrkarten, bitte.	icH *meuhcH*·teu tsvay *far*·kar·ténn *bi*·te

(litt : Je souhaite deux tickets, s'il vous plaît)

Parmi les multiples terminaisons du pluriel en allemand, retenez les plus courantes :

- *-n* pour les noms se terminant en *-e*
  Fahrkarte ("ticket") devient *Fahrkarten* ("tickets")
- pour les noms se terminant par une consonne,
  le pluriel peut être en *-en*, en *-e* ou en *-e* avec un tréma sur la dernière voyelle :
  Bahn ("chemin de fer") devient *Bahnen* ("chemins de fer")
  Tag ("jour") devient *Tage* ("jours")
  Zug ("train") devient *Züge* ("trains")

Voir également le chapitre **nombres et quantités** p. 27.

présent voir aussi **avoir** et **être**

Pour former le présent, il suffit de remplacer la terminaison de l'infinitif en *-en*, par les terminaisons du présent (voir tableau ci-dessous). Par exemple, pour dire "Je t'aime", prenez le verbe *lieben* (aimer), et appliquez à la forme *lieb*, la terminaison *-e* de la 1re personne du singulier. Vous obtiendrez ainsi *Ich liebe*.

Tous les verbes réguliers (et beaucoup de verbes irréguliers) forment le présent selon le schéma suivant :

aimer		lieben		
je	*ich*	*lieb*	*-e*	icH li·beu
tu	*du*	*lieb*	*-st*	dou lîpst
il/elle/il **m/f/n**	*er/sie/es*	*lieb*	*-t*	er/zî/es lîpt
nous	*wir*	*lieb*	*-en*	vîr lî·bénn
vous	*ihr*	*lieb*	*-t*	îr lîpt
ils/elles	*sie*	*lieb*	*-en*	zî lî·bénn
vous **sg/pl de politesse**	*Sie*	*lieb*	*-en*	zî lî·bénn

pronoms personnels voir aussi **déclinaison**

En allemand, les pronoms personnels, comme les articles, les adjectifs et les noms, se déclinent selon leur fonction dans la phrase (voir la rubrique **déclinaison**). Ils sont employés comme sujet (*Nominativ*), complément d'objet direct (*Accusativ*) ou complément d'objet indirect (*Dativ*).

Il le leur donne.
Er gibt es ihnen. ér gipt éss *î*·nénn
(litt : il (sujet) donne ça (COD) à eux (COI))

Nominativ (sujet)			*Accusativ* (COD)			*Dativ* (COI)		
je	*ich*	icH	me	*mich*	micH	me	*mir*	mir
tu	*du*	dou	te	*dich*	dicH	te	*dir*	dir
il **m**	*er*	ér	le **m**	*ihn*	înn	lui **m**	*ihm*	îmm
elle **f**	*sie*	zî	la **f**	*sie*	zî	lui **f**	*ihr*	îr
il **n**	*es*	es	le **n**	*es*	éss	lui **n**	*ihm*	îmm
nous	*wir*	vîr	nous	*uns*	ouns	nous	*uns*	ouns
vous **pl**	*ihr*	îr	vous	*euch*	oycH	vous	*euch*	oycH
ils/elles	*sie*	zî	les	*sie*	zî	leur	*ihnen*	înnénn
vous **sg/pl politesse**	*Sie*	zî	vous	*Sie*	zî	vous	*Ihnen*	înnénn

possessifs

Comme en français, les adjectifs possessifs s'accordent en genre et en nombre avec le nom auxquels ils se rapportent. En allemand, l'adjectif prend en plus le genre de la personne qui possède.

C'est son manteau.
Das ist sein Mantel. dass isst *saynn* mann·tél
(litt : c'est son manteau à lui)

C'est son manteau.

Das ist ihr Mantel. dass isst *îr* mann·tél

(litt : c'est son manteau à elle)

	masculin		neutre		féminin	
mon/ma	*mein*	mayn	*mein*	mayn	*meine*	*may*·neu
ton/ta	*dein*	dayn	*dein*	dayn	*deine*	*day*·neu
son **m**	*sein*	sayn	*sein*	saynn	*seine*	*say*·ne
son **f**	*ihr*	îr	*ihr*	îr	*ihre*	*î*·re
son **n**	*sein*	sayn	*sein*	saynn	*seine*	*say*·ne
notre	*unser*	*oun*·zer	*unser*	*oun*·zér	*unsere*	*oun*·ze·re
votre **pl**	*euer*	*oy*·er	*euer*	*oy*·ér	*eure*	*oy*·re
leur	*ihr*	îr	*ihr*	îr	*ihre*	*î*·re
votre **sg/pl de politesse**	*Ihr*	îr	*Ihr*	îr	*Ihre*	*î*·re

possession voir **avoir** et **possessifs**

questions

Comme en français, l'ordre des mots dans une phrase interrogative peut rester le même que dans une phrase affirmative. Seule l'intonation qui monte en fin de phrase marque l'interrogation : *Er ist Franzose*? ("Il est français ?").

La phrase interrogative peut également être formée en inversant le sujet et le verbe : *Haben Sie verstanden?* ("Avez-vous compris ?").

Vous pouvez enfin utiliser les adverbes interrogatifs (*Fragewörter*), ci-contre, qui introduisent des questions généralement plus complexes :

mots interrogatifs		
combien ?	*Wieviel?*	vî·*fîl*
combien de ?	*Wie viele?*	vî *fî*·leu
Combien de temps dure cela ?	*Wie lange dauert es?* (litt : comment long dure ceci)	vî *lanng*·gué dao·ert éss
comment ?	*Wie?*	vî
Comment dit-on en allemand	*Wie sagt man das auf deutsch?* (litt : comment dit-on cela sur allemand)	vî zagt mann dass aof doytch
où ?	*Wo?*	vô
Où se trouve la gare ?	*Wo ist der Bahnhof?* (litt : où est la gare)	vô ist dér *bahn*·hawf
pourquoi ?	*Warum?*	va·*roum*
Pourquoi est-ce fermé ?	*Warum ist es geschlossen?* (litt : pourquoi est il fermé)	va·*roum* isst éss gué·*chlo*·sén
quand ?	*Wann?*	van
Quand ouvre-t-il/elle ?	*Wann öffnet er/sie/es?* (litt : quand ouvre il/elle)	van *euhf*·nét ér/sî/ess
quel ? m quelle ? f quel ? n	*Welcher?* *Welche?* *Welches?*	*vél*·cHér *vél*·cHé *vél*·cHéss
Quelle gare est-ce ?	*Welcher Bahnhof ist das?* (litt : laquelle gare est ceci)	*vél*·cHér *bân*·hôf ist das
qui ?	*Wer?*	vér
Qui est-ce ?	*Wer ist das?*	vér ist das
quoi ?	*Was?*	vas
Qu'est-ce ?	*Was ist das?* (litt : quoi est-ce)	vas isst das

vouvoiement

Pour la forme de politesse "vous", l'allemand utilise la 3e personne du pluriel, à laquelle il met une majuscule.

Pour la forme de politesse, l'allemand recourt à la 3e personne du pluriel, à laquelle il met une majuscule. Si vous vous adressez à un inconnu (ou à plusieurs, la forme reste identique), dites *Sie zî*. Sachez cependant que le tutoiement est commun entre personnes du même âge.

Parlez-vous français ?
Sprechen Sie Französisch? — *chpré*·cHén zî *frann*·tseuh·zich

Est-ce que quelqu'un parle français ?
Spricht hier jemand Französisch? — chpricHt hîr *yé*·mannt *frann*·tseuh·sich

(Me) Comprenez-vous ?
Verstehen Sie (mich)? — fer·*chtay*·énn zî (micH)

Oui, je (vous) comprends.
Ja, ich verstehe (Sie). — yâ icH fer·*chté*·e (zî)

Non, je ne (vous) comprends pas.
Nein, ich verstehe (Sie) nicht. — nain icH fer·*chté*·e (zî) nicHt

Je (ne) comprends (pas).
Ich verstehe (nicht). — icH fer·*chté*·e (nicHt)

Je parle un peu l'allemand.
Ich spreche ein bisschen Deutsch. — icH *chpré*·cHe ayn *bis*·cHen doytch

Comment… ?	*Wie...?*	vî...
prononce-t-on ceci	*spricht man dieses Wort aus*	chpricHt mann *dî*·zés vort aos
dit-on "ticket" en allemand	*sagt man 'Ticket' auf Deutsch*	zagt mann *ti*·ket aof doytch
s'écrit *"Schweiz"*	*schreibt man 'Schweiz'*	chraypt mann chvayts

Que signifie *"Kugel"* ?
Was bedeutet 'Kugel'? — vas be·*doy*·tét *kou*·guél

Pourriez-vous…, s'il vous plaît ?	*Könnten Sie ...?*	*keuhnn*·ténn zî...
répéter cela	*das bitte wiederholen*	das *bi*·te vî·dér·*hô*·lénn
parler plus lentement	*bitte langsamer sprechen*	*bi*·te *lanng*·za·mer *chpré*·cHénn
me l'écrire	*das bitte aufschreiben*	dass *bi*·te *aof*·chray·ben

attention aux faux amis

L'allemand compte beaucoup de "vrais amis" comme *Tomate*, *Konversation* ou *Café*. D'autres mots, qui ont totalement ou partiellement changé de sens, peuvent vous entraîner sur un terrain glissant, suscitant la surprise ou déclenchant des rires :

Baiser — *bé*·zé — meringue
et non "bisou" qui se dit *Kuss*, *kouss*

Chef — chéf — patron
et non "cusinier" qui se dit *Koch*, koRch

Jealousie — *jâ*·lou·sî — persienne
et non "jalousie" qui se dit *Eifersucht*, *ay*·fer·souRcht

komisch — *kô*·miche — étrange, bizarre
et non "comique" qui se dit *lustig*, *lous*·tik

lustig — *lous*·tik — drôle, comique
et non "loustic" qui se dit *Scherzbold*, *chérts*·bolt

Parfüm — par·*fum* — eau de toilette
et non "saveur" (par exemple pour une glace) qui se dit *Geschmack*, gué·*chmak*

Politesse — *po*·li·téss·e — pervenche (police)
et non "politesse" qui se dit *Höflichkeit*, *heuhf*·licH·kayt

nombres et quantités
Zahlen und Mengen

nombres cardinaux

Kardinalzahlen

1	*eins*	aynts
2	*zwei*	tsvay
3	*drei*	dray
4	*vier*	fîr
5	*fünf*	funf
6	*sechs*	zeks
7	*sieben*	*zî*·ben
8	*acht*	acHt
9	*neun*	noyn
10	*zehn*	tsén
11	*elf*	elf
12	*zwölf*	tsveuhlf
13	*dreizehn*	*dray*·tsênn
14	*vierzehn*	*fîr*·tsênn
15	*fünfzehn*	*funf*·tsênn
16	*sechzehn*	*zeks*·tsênn
17	*siebzehn*	*zîp*·tsênn
18	*achtzehn*	*acHt*·tsênn
19	*neunzehn*	*noyn*·tsênn
20	*zwanzig*	*tsvan*·tsikh
21	*einundzwanzig*	*ayn*·ount·tsvan·tsikh
22	*zweiundzwanzig*	*tsvay*·ount·tsvan·tsikh
30	*dreißig*	*dray*·tsikh
40	*vierzig*	*fîr*·tsikh
50	*fünfzig*	*funf*·tsikh
60	*sechzig*	*zecH*·tsikh
70	*siebzig*	*zîp*·tsikh
80	*achtzig*	*acHt*·tsikh
90	*neunzig*	*noyn*·tsikh
100	*hundert*	*houn*·dért
1 000	*tausend*	*tao*·zénnt
1 000 000	*eine Million*	*ay*·né mil·*yônn*

nombres ordinaux

Ordnungszahlen

1er	*erste*	*ers*·te
2^{e}	*zweite*	*tsvay*·te
3^{e}	*dritte*	*dri*·te
4^{e}	*vierte*	*fîr*·te
5^{e}	*fünfte*	*fûnnf*·te

fractions

Brüche

un quart	*ein Viertel*	ayn *fir*·tél
un tiers	*ein Drittel*	ayn *dri*·tél
un demi/une moitié	*eine Hälfte*	ay·*né hélf*·te
trois-quarts	*drei Viertel*	dray *fir*·tél
tout	*alles*	*a*·léss
aucun	*nichts*	nicHtss

expression de la quantité

Mengen

Combien ?	*Wieviel?*	wî·*fîl*
Combien de… ?	*Wie viele ... ?*	wî *fî*·le
(100) grammes	*(100) Gramm*	(*houn*·dért) gramm
une demi-douzaine	*ein halbes Dutzend*	ayn *hal*·béss *dou*·tsénnt
un kilo	*ein Kilo*	ayn *kî*·lo
un paquet	*eine Packung*	*ay*·né *pa*·kounng
une tranche	*eine Scheibe*	*ay*·né *chay*·bé
une boîte	*eine Dose*	*ay*·ne *dô*·ze
moins	*weniger*	*wé*·ni·guère
(juste) un peu	*(nur) ein bisschen*	(nour) ayn *bis*·cHénn
beaucoup	*viel*	fîl
beaucoup de	*viele*	*fî*·leu
plus	*mehr*	mer
quelque	*einige*	*ay*·ni·gué

heure

die Uhrzeit

Quelle heure est-il ?	*Wie spät ist es?*	vî chpét isst éss
Il est (10)h.	*Es ist (zehn) Uhr.*	éss isst (tsén) our
1h15.	*Viertel nach eins.*	*fîr*·tél naRch ayns
1h20.	*Zwanzig nach eins.*	*tsvânn*·tsicH naRch ayns
1h30.	*Halb zwei.* (litt : demi deux)	halp tsvay
1 heure moins 20.	*Zwanzig vor eins.*	*tsvan*·tsicH fôr ayns
1 heure moins le quart.	*Viertel vor eins.*	*fîr*·tél ô ayns
Il est 2h12.	*Es ist 12 nach 2.*	ess isst tsveulf nach tsvay
Il est 1h…	*Es ist ein Uhr.*	éss isst ayn our
… du matin	*vormittags*	*fôr*·mi·tâks
… de l'après-midi	*nachmittags*	*naRch*·mi·tâks
… du soir	*abends*	*â*·bénnts

il est à ma montre…

En allemand, le mot *die Stunde*, dî chtoun·de, "l'heure", est utilisé pour exprimer la durée. Pour désigner une heure précise, on aura recours au mot *die Uhr*, dî our, qui signifie également "la montre". Ainsi, à la question *Wieviel Uhr ist es?* (Quelle heure est-il ?), on répondra : *Es ist ein Uhr* (Il est 1 heure.).

les jours de la semaine

die Wochentage

lundi	*Montag*	*môn*·tâk
mardi	*Dienstag*	*dîns*·tâk
mercredi	*Mittwoch*	*mite*·voRch
jeudi	*Donnerstag*	*do*·nérss·tâk
vendredi	*Freitag*	*fray*·tâk
samedi	*Samstag*	*zamms*·tâk
dimanche	*Sonntag*	*zon*·tâk

mois

die Monate

janvier	*Januar*	*yânn*·ou·âr
février	*Februar*	*fé*·brou·âr
mars	*März*	mérts
avril	*April*	a·*prile*
mai	*Mai*	may
juin	*Juni*	*you*·ni
juillet	*Juli*	*you*·li
août	*August*	ao·*gouste*
septembre	*September*	zépe·*témm*·bér
octobre	*Oktober*	ok·*tô*·bér
novembre	*November*	no·*vemm*·bér
décembre	*Dezember*	dé·*tsémm*·bér

saisons

die Jahreszeiten

automne	*Herbst*	hérpst
hiver	*Winter*	*vînn*·ter
printemps	*Frühling*	*fru*·linng
été	*Sommer*	*zôm* mer

dates

das Datum

Quelle est la date d'aujourd'hui ?
Welches Datum? — *vél*·cHes *dâ*·toum

Quel jour sommes-nous ?
Der Wievielte ist heute? — dér *vî*·fîl·té isst *hoy*·te

Nous sommes le 18 décembre.
Heute ist der 18. Dezember. — *hoy*·té isst dér *aRch*·tsénn·te dé·*tzemm*·ber

présent

die Gegenwart

aujourd'hui	*heute*	*hoy*·te
maintenant	*jetzt*	yetst
tout de suite	*jetzt gerade*	yetst gué·*râ*·de
ce matin	*heute Morgen*	*hoy*·té *mor*·guén
cet après-midi	*heute Nachmittag*	*hoy*·te *naRch*·mi·tâk
ce soir	*heute Abend*	*hoy*·té *â*·bent
cette semaine	*diese Woche*	*dî*·ze *vo*·Rche
ce mois-ci	*diesen Monat*	*dî*·zenn *mô*·nat
cette année	*dieses Jahr*	*dî*·zes yâr

passé

die Vergangenheit

hier	*gestern*	gué·stérn
la veille	*vorgestern*	*fôr*·guéss·tern
la nuit dernière	*vergangene Nacht*	fer·*guang*·é·né naRcht
la semaine dernière	*letzte Woche*	*léts*·té *vo*·Rche
le mois dernier	*letzten Monat*	*léts*·ténn *mô*·nat
l'année dernière	*letztes Jahr*	*léts*·tés yâr
depuis (mai)	*seit (Mai)*	zayt (may)
depuis quelques semaines	*seit einigen Wochen*	zayt ay·*nî*·guénn *vo*·Rchénn
depuis quelques mois	*seit einigen Monaten*	zayt ay·*nî*·guénn *mô*·na·ténn
il y a quelque temps	*vor einer Weile*	fôr *ay*·nér *vay*·le
il y a (3) jours	*vor (drei) Tagen*	fôr (dray) *tâ*·guén
il y a une (demi-)heure	*vor (einer halben) Stunde*	fôr (*ay*·nér *hal*·bén) *chtoun*·dé
il y a (5) ans	*vor (fünf) Jahren*	fôr (funf) *yâ*·ren
hier…	*gestern ...*	*gués*·terne ...
matin	*Morgen*	*mor*·guénne
après-midi	*Nachmittag*	*naRch*·mi·tâk
soir	*Abend*	*â*·bént

futur

die Zukunft

après-demain	*übermorgen*	*u*·bér·mor·guén
dans (6) jours	*in (sechs) Tagen*	inn (zeks) *tâ*·guén
dans (5) minutes	*in (fünf) Minuten*	inn (funnf) mi·*nou*·tén
le mois prochain	*nächsten Monat*	*néchss*·tén *mô*·nat
la semaine prochaine	*nächste Woche*	*nécHs*·te *vo*·Rche
l'année prochaine	*nächstes Jahr*	*nécHs*·tès yâr
demain…	*morgen …*	*mor*·guén …
matin	*früh*	fru
après-midi	*Nachmittag*	*naRch*·mi·tâk
soir	*Abend*	*â*·bennt
jusqu'à (juin)	*bis (Juni)*	bis (*you*·ni)
dans un mois	*in einem Monat*	in *ay*·némm *mô*·nat
dans une heure	*in einer Stunde*	in *ay* nér *chtoun*·de

pendant la journée

während des Tages

Il est tôt.	*Es ist früh.*	es ist frû
Il est tard.	*Es ist spät.*	es ist chpêt
jour	*Tag* m	tâk
aube	*Morgen-dämmerung* f	*mor*·guénn-*dê*·mé·rung
matin	*Morgen* m	*mor*·guénn
midi	*Mittag* m	*mi*·tâk
après-midi	*Nachmittag* m	*naRch*·mi·tâk
crépuscule	*Dämmerung* f	*dê*·mé·roung
soir	*Abend* m	*â*·bennt
minuit	*Mitternacht* f	*mi*·ter·naRcht
nuit	*Nacht* f	naRcht
lever du soleil	*Sonnenaufgang* m	*zo*·nénn·aof·gang
coucher du soleil	*Sonnenuntergang* m	*zo*·nénn·oun·tér·ganng

Combien cela coûte-t-il ?
Wie viel kostet es? — vî fîl *kos*·tét éss

Pouvez-vous m'écrire le prix ?
Können Sie den Preis aufschreiben? — *keuh*·nénn zî dén prays *aof*·chray·ben

Acceptez-vous… ?	*Nehmen Sie ...?*	*né*·ménn zî ...
les cartes de crédit	*Kreditkarten*	kré·*dît*·kar·ténn
les chèques de voyage	*Reiseschecks*	*ray*·ze·chéks
J'aimerais…	*Ich möchte ...*	icH *meuhcH*·te...
encaisser un chèque	*einen Scheck einlösen*	*ay*·nénn chék *ayn*·leuh·zen
changer de l'argent	*Geld umtauschen*	gelt *oum*·tao·chénn
changer des chèques de voyage	*Reiseschecks einlösen*	*rayze*·chèks *ayn*·leuh·zen
retirer de l'argent au guichet	*eine Barauszahlung*	*ay*·ne *bâr*·aos·tsâ·loung
retirer de l'argent au distributeur	*Geld abheben*	gelt *ap*·hé·ben
Où est le … le plus proche ?	*Wo ist der/die nächste ...?* **m/f**	vô isst dér/dî *nécHs*·te ...
guichet automatique	*Geldautomat* **m**	*gelt*·ao·to·mât
bureau de change	*Geldwechsel-stube* **f**	*gelt*·vék·sel·chtou·be

À combien s'élève(nt)… ?	*Wie …?*	vî …
les frais à acquitter	*hoch sind die Gebühren dafür*	hôRch zint dî gué·*bu*·rén da·*fur*
la commission	*hoch ist die Kommission*	hôRch isst dî ko·mi·*siönn*
le taux de change	*ist der Wechselkurs*	isst dér *vek*·sel·kours

C'est gratuit.
Das ist umsonst. dass ist oum·*zonst*
Cela coûte (30) euros.
Das kostet (30) Euro. das *koss*·tét (*dray*·tsicH) *oy*·rô

parlons argent

En allemand, le nom de la monnaie qui accompagne un prix ne s'accorde pas. Pour 1 ou 20 dollars (*zwanzig Dollar*), on écrira toujours *Dollar*. Voici quelques monnaies courantes pour vous mettre dans le bain :

cent	*Cent*	ssént
dollar	*Dollar*	*do*·lâr
euro	*Euro*	*oy*·rô
franc	*Franc*	fraNk
pence	*Pence*	péns
livre	*Pfund*	pfount
rouble	*Rubel*	*rou*·bel
yen	*Yen*	yén

circuler

herumreisen

À quelle heure part le... ?	*Wann fährt ... ab?*	van fairt ... ap
bateau	*das Boot*	dass bôt
bus	*der Bus*	dér bous
train	*der Zug*	dér tsouk

À quelle heure décolle l'avion ?
Wann fliegt das Flugzeug ab? vânn flîkt das *flouk*·tsoyk ab

À quelle heure part le ... bus ?	*Wann fährt der ... Bus?*	van fért dér ... bous
premier	*erste*	*ers*·té
dernier	*letzte*	*lets*·té
prochain	*nächste*	*néRchs*·té

J'aimerais bien un siège...	*Ich hätte gern einen ...*	icH *hé*·té guerne *ay*·nén ...
côté couloir	*Platz am Gang*	plats aM ganng
côté fenêtre	*Fensterplatz*	*féns*·ter·plats
fumeur	*Raucherplatz*	*rao*·Rcher·plats
non fumeur	*Nichtraucher-platz*	*nicHt*·rao·Rcher·plats

Combien y a-t-il de retard ?
Wie viel Verspätung wird es haben? vî fil fer·*chpé*·toung virt ess *hâ*·ben

expressions courantes

... isst gué·*chtri*·cHen *... ist gestrichen.*	**Le/la ... est annulé.**
... hat fer·*chpé*·toung *... hat Verspätung.*	**Le/la ... est en retard.**

Cette place est-elle libre ?
Ist dieser Platz frei? — ist *dî*·zér plats fray

C'est ma place.
Dies ist mein Platz. — *dîz* isst mayn plats

Pourriez-vous me dire quand nous arriverons à (Kiel) ?
Könnten Sie mir bitte sagen, wann wir in (Kiel) ankommen? — *keun*·tén zî mir *bi*·te *zâ*·gén vann vîr in (kîl) *ann*·ko·mén

Je descends ici.
Ich möchte hier aussteigen. — icH *meuhcH*·te hir *aos*·chtay·guén

acheter des billets

Fahrkarten kaufen

Où puis-je acheter un billet ?
Wo kann ich eine Fahrkarte kaufen? — vô kann icH *ay*·ne *fâr*·kar·te *kao*·fén

Faut-il réserver ?
Muss ich einen Platz reservieren lassen? — mouss icH *ay*·nén plats ré·zer·*vî*·ren *la*·ssen

Un billet ... pour (Berlin).	*Eine ... nach (Berlin).*	*ay*·né... naRch (ber·*lîn*)
1re classe	*Fahrkarte erster Klasse*	*fâr*·kar·té *ers*·ter *kla*·sse
2e classe	*Fahrkarte zweiter Klasse*	*fâr*·kar·té *tsvay*·ter *kla*·sse
enfant	*Kinderfahrkarte*	*kinn*·dér·fâr·kar·té
aller simple	*einfache Fahrkarte*	*aynn*·fa·Rché *fâr*·kar·té
aller-retour	*Rückfahrkarte*	*ruk*·fâr·kar·té
étudiant	*Studenten-fahrkarte*	chtou·*dén*·ténn·fâr·kar·té

PRATIQUE

Deux (aller-retour), s'il vous plaît.
Zwei (Rückfahrkarten) bitte. tsvay (*ruk*·fâr·kar·tén) *bi*·te

Combien ça coûte ?
Was kostet das? vass *kos*·tét dass

C'est complet.
Es ist ausgebucht. es isst *aos*·gué·bouRcht

Combien de temps dure le trajet ?
Wie lange dauert die Fahrt? vî *lanng*·é *dao*·ert dî fârt

Est-ce direct ?
Ist es eine direkte Verbindung? isst es *ay*·né di·*rek*·té fer·*bin*·doung

Puis-je avoir un billet en stand-by ?
Kann ich ein Standby-Ticket bekommen? kann icH ayn chténd·*baî*·ti·ket be·*ko*·mén

J'aimerais ... mon billet, s'il vous plaît.	*Ich möchte meine Fahrkarte bitte ...*	icH *meuhRch*·té *mai*·ne *fâr*·kar·té *bi*·te ...
annuler	*zurückgeben*	tsou·*ruk*·gé·bén
modifier	*ändern lassen*	*én*·dern *la*·ssén
confirmer	*bestätigen lassen*	bé·*chté*·ti·guén *la*·ssén

voyager, oui mais comment ?

En allemand, le mot "voyage" est adapté au moyen de transport utilisé :

Fahrt **f**	fârt	**par chemin de fer ou de terre**
Flug **m**	flouk	**par avion**

On retrouve également cette distinction dans le mot "billet" :

Fahrkarte **f**	*fâr*·kar·té	**billet de train, bus ou métro**
Flugticket **n**	*flouk*·ti·két	**billet d'avion**

Ainsi, si vous allez à Berlin en train, dites *Ich fahre nach Berlin.* Si vous y allez en avion, dites *Ich fliege nach Berlin.* Et si vous y allez à pied, *Ich gehe nach Berlin.*

bagages

Gepäck

Mes bagages ont été...	*Mein Gepäck ist ...*	mayn gué·*pek* isst ...
endommagés	*beschädigt*	bé·*ché*·dikt
perdus	*verloren gegangen*	fer·*lô*·ren gué·*ganng*·én
volés	*gestohlen worden*	gué·*chtô*·lén *vor*·dén

Mes bagages ne sont pas arrivés.
Mein Gepäck ist nicht angekommen. — mayn gué·*pék* isst nicHt *ann*·gué·ko·mén

Y-a-t-il une consigne automatique ?
Gibt es hier ein Gepäckschließfach? — gîpt ess *hîr*·ayn gué·*pék*·chlîss·facH

Pouvez-vous me faire de la monnaie ?
Können Sie mir dies in ein paar Münzen wechseln? — *keuh*·nén zî mir dîs inn ayn pâr *mun*·tsén *vék*·séln

avion

Flugzeug

Quand est le prochain vol pour... ?
Wann ist der nächste Flug nach ...? — vann isst dér *néRchs*·té flouk naRch...

À quelle heure est l'enregistrement ?
Wann muss ich einchecken? — vann mouss icH *ayn*·tché·kén

Pour les phrases utiles lors d'un passage en douane, voir le chapitre **passer la frontière**, p. 48.

bus

Bus

Quel bus	*Welcher Bus*	*vél*·cHér bouss
va...?	*fährt ...?*	fért...
à Cologne	*nach Köln*	naRch keuhln
à la gare	*zum Bahnhof*	tsoum *bân*·hôf
à l'auberge de jeunesse	*zur Jugend-herberge*	tsour *you*·guént·hér·bér·gué
au centre-ville	*zum Stadt-zentrum*	tsoum *chtat*·tsén·troum

Celui-ci.	*Dieser hier.*	*dî*·zér hîr
Celui-là.	*Der da.*	dér dâ
Bus n°...	*Busnummer ...*	bouss *nou*·mér ...

Voir également le chapitre **nombres et quantités** p. 27.

voyager, oui mais où ?

L'allemand utilise deux mots différents : *nach* et *zu*, pour exprimer le lieu. Le premier, *nach*, s'emploie avec les noms de lieu :

en Allemagne	*nach Deutschland*	nacH *doytch*·lant
à Salzburg	*nach Salzburg*	nacH *zalts*·bourg

Pour toutes les autres destinations utilisez *zu*, qui se décline en *zum/zur/zum* **m/f/n**, selon son cas :

vers/à la gare	*zum Bahnhof* **m**	tsoum *bân*·hôf
vers/à l'auberge de jeunesse	*zur Jugend-herberge* **f**	tsour *you*·guénnt·her·ber·gué
vers le/au centre-ville	*zum Stadt-zentrum* **n**	tsoum *chtat*·tsénn·trum

train

Zug

Quelle gare est-ce ?
Welcher Bahnhof ist das? — *vèl*·cHer *bânn*·hôf isst dass

Quel est le prochain arrêt ?
Welches ist der nächste Halt? — *vèl*·cHés isst dér *nècHs*·té halt

Ce train s'arrête-t-il à (Freiburg)?
Hält dieser Zug in (Freiburg)? — hélt *dî*·zer tsouk in (*fray*·bourg)

Dois-je prendre une correspondance ?
Muss ich umsteigen? — mouss icH *oum*·chtay·guén

Quel est le wagon... ?	*Welcher Wagen ...?*	*vél*·cHér *vâ*·guén ...
restaurant	*ist der Speisewagen*	isst dér *chpay*·zé·vâ·guén
pour Munich	*geht nach München*	gét naRch *munn*·cHénn
1re classe	*ist erste Klasse*	isst *ers*·té *kla*·ssé

PRATIQUE

bateau

Boot

Y a-t-il des gilets de sauvetage ?
Gibt es Schwimmwesten? gipt es *chvimm*·vés·tén

Comment est la mer aujourd'hui ?
Wie ist das Meer heute? vî isst dass mér *hoy*·té

J'ai le mal de mer.
Ich bin seekrank. icH binn *zê*·kranngk

taxi

Taxi

J'aimerai un taxi pour…	*Ich hätte gern ein Taxi für ...*	icH *hé*·té guérn ayn *tak*·si fur ...
tout de suite	*sofort*	zo·*fort*
demain	*morgen*	*mor*·guén
(9h)	*(9 Uhr)*	(noyn our)

Êtes-vous libre ?
Sind Sie frei? zint zî fray

Pourriez-vous mettre le compteur ?
Schalten Sie bitte den Taxameter ein. *chal*·tén zî *bi*·te dén tak·sa·*mé*·ter ayn

Combien coûte la course jusqu'à...?
Was kostet es bis...? vas *kos*·tét ess biss ...

Veuillez me conduire à (cette adresse).
Bitte bringen Sie mich zu (dieser Adresse). *bi*·te *brinng*·énn zî micH tsou (*dî*·zer a·*dré*·seu)

Je suis terriblement en retard.
Ich bin wirklich spät dran. icH bin *virk*·licH chpêt drann

Pourriez-vous ralentir.
Fahren Sie bitte langsamer. *fâ*·rén zî *bi*·te *lanng*·za·mer

Pourriez-vous m'attendre ici.
Bitte warten Sie hier. *bi*·te *var*·tén zê hîr

Arrêtez-vous...	*Halten Sie ...*	*hal*·tén zî ...
au coin	*an der Ecke*	an dér *é*·ké
ici	*hier*	hîr

voiture et moto

Auto und Motorrad

> location de voiture et moto

Où puis-je louer… ?	*Wo kann ich ... mieten?*	vô kan icH ... *mî*·tén
Je souhaiterais louer un(e)…	*Ich möchte ... mieten.*	icH *meuhcH*·té ... *mî*·tén
voiture	*ein Auto*	ayn *ao*·to
4x4	*ein Allradfahrzeug*	ayn *al*·rât·fâr·tsoyk
moto	*ein Motorrad*	ayn *mô*·tor·rât
voiture	*ein Fahrzeug*	ayn *fâr*·tsoyk
automatique	*mit Automatik*	mit ao·to·*mâ*·tik
manuelle	*mit Schaltung*	mit *chal*·toung
voiture décapotable	*ein Cabriolet*	ayn *ka*·bri·o·lé·

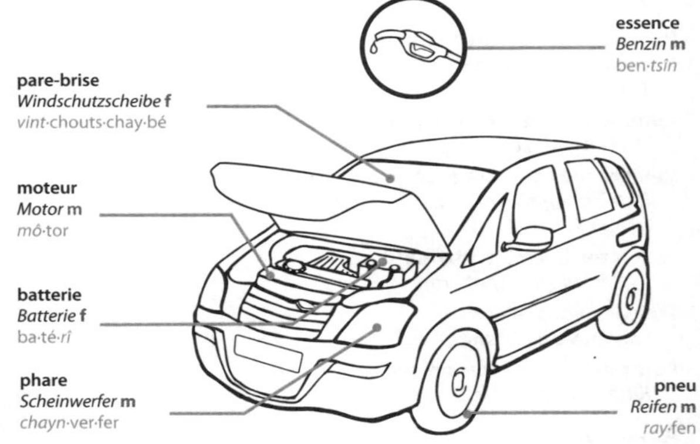

Quel est le prix par... ?	*Wie viel kostet es pro ...?*	vî fîl *kos*·tét es prô ...
jour	*Tag*	tâk
heure	*Stunde*	*chtoun*·dé
semaine	*Woche*	*vo*·Rchè

> en route

Est-ce la route pour... ?
Führt diese Straße nach ...? furt *dî*·zé *chtrâ*·ssé naRch...

Quelle est la limite de vitesse ?	*Was ist die Höchstgeschwindigkeit ...?*	vas isst dî *heuhcHst*·gué·chvinn·dicH·kait ...
en ville	*in der Stadt*	in dér chtat
à la campagne	*auf dem Land*	aof dém lant
sur l'autoroute	*auf der Autobahn*	aof dér *ao*·to·bân

pour ne pas tomber dans le panneau

Ausfahrt	*aos*·fârt	**Sortie**
Ausfahrt freihalten	*aos*·fârt *fray*·hal·tén	**Sortie de voiture/ Défense de stationner**
Baustelle	*bao*·chté·le	**Attention travaux**
Einbahnstraße	*ayn*·bân·chtrâ·ssé	**Sens unique**
Einfahrt	*ayn*·fârt	**Entrée**
Einfahrt verboten	*ayn*·fârt fer·*bô*·tén	**Défense d'entrer**
Gefahr	gué·*fâr*	**Danger**
Halteverbot	*hal*·té·fer·bôt	**Arrêt interdit**
Mautstelle	*maot*·chté·lè	**Péage**
Parkverbot	*park*·fer·bôt	**Stationnement interdit**
Radweg	*rât*·vék	**Piste cyclable**
Sackgasse	*zak*·gua·ssé	**Voie sans issue**
Stopp	chtop	**Stop**
Überholverbot	u·ber·*hôl*·fer·bôt	**Défense de doubler**
Umleitung	*oum*·lay·toung	**Déviation**

(Combien de temps) Puis-je me garer ici ?
(Wie lange) Kann ich hier parken? — (vî *lang*·e) kan icH hîr *par*·ken

Où dois-je payer ?
Wo muss ich bezahlen? — vô mouss icH bé·*tsâ*·lén

Où puis-je trouver une station-service ?
Wo ist eine Tankstelle? — vô ist *ay*·ne *tangk*·chte·le

au plomb	*verbleites Benzin* **n**	fer·*blay*·tes ben·*tsîn*
diesel	*Diesel* **m**	*dî*·zel
essence	*Benzin* **n**	ben·*tsîn*
GPL	*Autogas* **n**	*ao*·to·gâs
ordinaire	*Normalbenzin* **n**	nor·*mâl*·ben·tsîn
sans plomb	*bleifreies Benzin* **n**	*blay*·frai·es ben·*tsîn*

> problèmes

J'ai besoin d'un mécanicien.
Ich brauche einen Mechaniker. — icH *brao*·Rchè *ay*·nénn me·*cHâ*·ni·ker

Ma voiture/moto est tombée en panne (à...).
Ich habe (in ...) eine Panne mit meinem Auto/Motorrad. — icH *hâ*·beu (in ...) *ay*·ne *pa*·neu mit *may*·ném *ao*·to/*mô*·tor·rât

J'ai eu un accident.
Ich hatte einen Unfall. — icH *ha*·te *ay*·nénn *oun*·fal

La voiture/moto ne démarre pas.
Das Auto/Motorrad springt nicht an. — das *ao*·to/*mô*·tor·rât chpringkt nicHt an

Mon pneu est à plat.
Ich habe eine Reifenpanne. — icH *hâ*·beu *ay*·ne *rai*·fen·pa·ne

expressions courantes

vel·cHés fa·bri·*kât*/mo·*dél* isst ess
Welches Fabrikat/ Modell ist es? — **Quel(le) est la marque/ le modèle ?**

J'ai perdu mes clés de voiture.
Ich habe meine Autoschlüssel verloren. — icH *hâ*·be *may*·ne *ao*·to·chlu·sel fer·*lô*·ren

J'ai laissé les clés à l'intérieur de la voiture.
Ich habe meine Schlüssel im Wagen eingeschlossen. — icH *hâ*·bé *may*·né *chlu*·sel imm *vâ*·guén *ayn*·gué·chlo·ssén

Je suis en panne d'essence.
Ich habe kein Benzin mehr. — icH *hâ*·bé kayn ben·*tsîn* mér

Pouvez-vous la réparer (aujourd'hui) ?
Können Sie es (heute) reparieren? — *keuh*·nénn zî es (*hoy*·te) re·pa·*rî*·renn

Quand sera-t-elle prête ?
Wann ist es fertig? — van isst ess *fer*·tikh

vélo

Fahrrad

Où puis-je... ?	*Wo kann ich ...?*	vô kann icH ...
acheter un vélo d'occasion	*ein gebrauchtes Fahrrad kaufen*	ayn gué·*braoRch*·tes *fâr*·rât *kao*·fen
louer un vélo	*ein Fahrrad mieten*	ayn *fâr*·rât *mî*·ténn
Combien ça coûte pour une... ?	*Wie viel kostet es für ...?*	vî fîl *kos*·tet es fur...
heure	*eine Stunde*	*ay*·né *chtoun*·de
matinée	*einen Vormittag*	*ay*·nénn *fôr*·mi·tâk
après-midi	*einen Nachmittag*	*ay*·nénn *naRch*·mi·tâk
journée	*einen Tag*	*ay*·nénn tâk

J'ai un pneu crevé.
Ich habe einen Platten. — icH *hâ*·bé *ay*·nénn *pla*·ténn

transports locaux

Nahverkehr

Où est la station de métro la plus proche ?
Wo ist der nächste U-Bahnhof? — vô ist dér *nècHs*·te *ou*·bân·hôf

Quelle ligne de métro va à (Potsdamer Platz) ?
Welche Linie geht zum (Potsdamer Platz)? — *vel*·cHe *lî*·ni·é gét tsoum (pots·*dâ*·mer plats)

carnet (litt : ticket multiple)	*Mehrfach-fahrkarte* **f**	*mer*·faRch·fâr·kar·te
ticket à la journée	*Tageskarte* **f**	*tâ*·gués·kar·te
ticket hebdomadaire	*Wochenkarte* **f**	*vo*·Rchénn·kar·te
métro	*U-Bahn* **f**	*ou*·bânn
station de métro	*U-Bahnhof* **m**	*ou*·bânn·hôf
tramway	*Straßenbahn* **f**	*chtrâ*·ssénn·bân
arrêt du tramway	*Straßenbahn-haltestelle* **f**	*chtrâ*·ssénn·bân·hal·té·chté·le
train de banlieue	*S-Bahn* **f**	*es*·bânn

parler aux machines

Si vous êtes confronté à un guichet automatique dans une gare ou une station de métro, voici quelques termes utiles (en Allemagne, en Autriche ou en Suisse) :

Automat gibt Rückgeld	**L'appoint est rendu.**
Bitte wählen	**Veuillez choisir.**
Kennzahl eingeben	**Entrez votre code secret.**
Korrektur	**Correction**
Taste drücken	**Appuyez sur le bouton.**
Zahlbar mit ...	**Payable par…**

Si vous rencontrez des difficultés, vous pouvez toujours demander de l'aide autour de vous :

Wie funktioniert das?
vî founk·tsio·*nîrt* das — **Comment ça fonctionne ?**

contrôle de passeports

Passkontrolle

Je suis ici...	*Ich bin hier ...*	icH binn hîr ...
en transit	*auf der Durchreise*	aof dér *durcH*·ray·ze
en voyage d'affaires	*auf Geschäftsreise*	aof gué·*chefts*·ray·ze
en vacances	*im Urlaub*	imm *our*·laop
Je reste ici pendant...	*Ich bin hier für ...*	icH bin hîr fur ...
(4) jours	*(vier) Tage*	(fîr) *tâ*·gué
(3) semaines	*(drei) Wochen*	(dray) *vo*·cHénn
(2) mois	*(zwei) Monate*	(tsvay) *mô*·na·té

expressions courantes

bi·te...	*Bitte...*	**S'il vous plaît, votre...**
î·rén *ray*·ze·pass	*Ihren Reisepass*	**passeport**
î rén *ray* ze pass	*Führerschein*	**permis de conduire**
îr *vî*·zoum	*Ihr Visum*	**visa**
ray·zen zî ...	*Reisen Sie ...?*	**Voyagez-vous... ?**
in *ay*·nèr *grou*·pe	*in einer Gruppe*	**avec un groupe**
mit *î*·rer fa·*mî*·li·é	*mit Ihrer Familie*	**en famille**
a·*layn*	*allein*	**seul(e)**

à la douane

beim Zoll

Je n'ai rien à déclarer.
Ich habe nichts zu verzollen. — icH *hâ*·be nicHts tsou fer·*tsô*·lénn

J'ai quelque chose à déclarer.
Ich habe etwas zu verzollen. — icH *hâ*·be *et*·vas tsou fer·*tso*·lénn

Je ne savais pas qu'il fallait le déclarer.
Ich wusste nicht, dass ich das verzollen muss. — icH *vous*·te nicHt dass icH dass fer·*tso*·lénn mouss

un peu de bureaucratie

L'Allemagne est un pays plutôt bien organisé et doté d'une bureaucratie redoutablement efficace. Mais si on vous demande de remplir des formulaires, sachez de quoi il s'agit. Voici ce qui pourrait vous être utile :

Abschrift	*âb*·chrift	**copie/extrait**
Abstammungs-urkunde	âb·*chta*·moungs·our·koun·de	**certificat de naissance**
Bekenntnis	be·*ként*·nis	**religion**
Familienname	fa·*mî*·li·en·nâ·me	**nom de famille**
Familienstand	fa·*mî*·li·en·chtant	**état civil**
geborene	ge·*bô*·re·ne	**nom de jeune fille**
Vorname	*for*·nâ·mè	**prénom**
geboren am	ge·*bê*·ren amm	**né(e) le**
Geburtsdatum	ge·*bourts*·da·tum	**date de naissance**
Heirats-urkunde	*hay*·râts·ur·kun·de	**certificat de mariage**
Staatsange-hörigkeit	chtâts·ann·gué·*heuh*·ricH·kayt	**nationalité**
Urkunde	*our*·kun·de	**acte/document**
Wohnort	*vônn*·ort	**lieu de residence**

trouver un hébergement

eine Unterkunft finden

Où puis-je trouver un/une... ?	*Wo ist...?*	vô isst...
auberge	*ein Gasthof*	ayn *gast*·hôf
auberge de jeunesse	*eine Jugendherberge*	*ay*·nè *you*·guénnt·hér·bér·gué
camping	*ein Campingplatz*	ayn *kémm*·pinng·plats
chambre d'hôte	*ein Privatzimmer*	ayn pri·*vât*·tsi·mer
gîte	*eine Ferienwohnung*	*ay*·nè *fé*·ri·énn·*vô*·noung
hôtel	*ein Hotel*	ayn ho·*tél*
pension	*eine Pension*	*ay*·nè pâng·*zyôn*

Pouvez-vous me recommander un endroit... ?	*Können Sie etwas ... empfehlen?*	*keuh*·nénn zî *et*·vas ... emp·*fé*·lénn
bon marché	*Billiges*	*bi*·li·gués
bien	*Gutes*	*gou*·tés
luxueux	*Luxuriöses*	louk·sou·ri·*euh*·séss
proche	*in der Nähe*	inn dér *né*·e
romantique	*Romantisches*	ro·*mann*·ti·chéss

Quelle est l'adresse ?
Wie ist die Adresse? — vî isst dî a·*dré*·sseu

Pour répondre à ces questions, voir le chapitre **orientation**, p. 59.

> réservations

Je souhaite réserver une chambre, s'il vous plaît.
Ich möchte bitte ein Zimmer reservieren. — icH *meuhcH*·te *bi*·te ayn *tsi*·mer ré·zér·*vî*·ren

J'ai fait une réservation.
Ich habe eine Reservierung. — icH *hâ*·be *ay*·nè ré·zér·*vî*·roung

Mon nom est...
Mein Name ist ... — mayn *nâ*·mè isst ...

Pour (3) nuits/semaines.
Für (drei) Nächte/Wochen. — fur (dray) *nècH*·tè/*vo*·Rchénn

Du (2 juin) au (6 juillet).
Vom (2. Juli) bis zum (6. Juli). — vom (*tsvay*·tén *you*·li) bis tsoum (*zeks*·tén *you*·li)

Combien est-ce par... ?	*Wie viel kostet es pro ...?*	vê fêl *kos*·tet ess prô ...
nuit	*Nacht*	naRcht
personne	*Person*	per·*zôn*
semaine	*Woche*	*vo*·Rchè

Avez-vous une chambre... ?	*Haben Sie ein ...?*	*hâ*·bén zê ayn ...
double	*Doppelzimmer mit einem Doppelbett*	*do*·pel·tsi·mer mit *ay*·ném *do*·pél·bét
double à lits jumeaux	*Doppelzimmer mit zwei Einzelbetten*	*do*·pel·tsi·mer mit tsvay *ayn*·tsel·bé·tén
simple	*Einzelzimmer*	*ayn*·tsel·tsi·mer

expressions courantes

dér *chlu*·sel isst ann dér ré·tsép·*tsyôn*
Der Schlüssel ist an der Rezeption. — **La clé est à la réception.**

î·ren pass *bi*·te
Ihren Pass, bitte. — **Votre passeport, s'il vous plaît.**

es tout mîr layt vîr *hâ*·ben *kay*·nè *tsi*·mer fray
Es tut mir Leid, wir haben keine Zimmer frei. — **Je suis désolé(e), nous sommes complet.**

fur vî *fî*·le *nécH*·tè
Für wie viele Nächte? — **Pour combien de nuits ?**

Puis-je la voir ?
Kann ich es sehen? — kann icH es *zé*·enn

Y-a-t-il de l'eau chaude toute la journée ?
Gibt es den ganzen Tag warmes Wasser? — gipt es dayn *gan*·tsen tak *var*·més *va*·sser

C'est d'accord. Je la prends.
Es ist gut, ich nehme es. — es ist goute icH *né*·mè ess

Dois-je payer d'avance ?
Muss ich im Voraus bezahlen? — mouss icH im *fô*·raos be·*tsâ*·lén

Puis-je payer par... ?	*Nehmen Sie...?*	*né*·mén zî ...
carte de crédit	*Kreditkarten*	kré·*dît*·kar·tén
chèque de voyage	*Reiseschecks*	*ray*·ze·cheks

Pour les autres moyens de paiement voir le chapitre **achats**, p. 61.

> renseignements et services

À quelle heure/Où est servi le petit-déjeuner ?
Wann/Wo gibt es Frühstück? — vann/vô gipt es *fru*·chtuk

Merci de me réveiller à (7)h.
Bitte wecken Sie mich um (sieben) Uhr. — *bi*·te *ve*·ken zî micH oum (*zê*·bén) our

Puis-je utiliser la/le... ?	*Kann ich ... benutzen?*	kan icH ... bé·*nou*·tsén
cuisine	*die Küche*	dî *ku*·cHe
machine à laver	*eine Waschmaschine*	*ay*·ne *vach*·ma·chî·nè
téléphone	*das Telefon*	das té·le·*fôn*

Avez-vous un(e)... ?	*Haben Sie ...?*	*hâ*·ben zî ...
accès Internet	*einen Internet-anschluß*	*ay*·nénn inn·tér·nét·ann·chlouss
ascenseur	*einen Aufzug*	*ay*·nénn *aof*·tsouk
coffre-fort	*einen Safe*	*ay*·nénn sayf
piscine	*ein Schwimmbad*	ayn *chvim*·bât
service blanchisserie	*einen Wäscheservice*	*ay*·nénn *ve*·che·sér·vis

Proposez-vous des excursions ?
Arrangieren Sie hier Touren? — a·ranng·chi·ren zî hîr *tou*·ren

Est-ce que vous changez de l'argent ?
Wechseln Sie hier Geld? — *vek*·seln zî hîr gélt

Puis-je laisser un message ?
Kann ich eine Nachricht für jemanden hinterlassen? — kann icH *ay*·ne *naRch*·ricHt fur *yé*·mann·dén hinn·tér·*la*·ssen

Est-ce que j'ai un message ?
Haben Sie eine Nachricht für mich? — *hâ*·ben zî *ay*·nè *nâRch*·ricHt fur micH

J'ai laissé la clé à l'intérieur de ma chambre.
Ich habe mich aus meinem Zimmer ausgesperrt. — icH *hâ*·bè micH aos *may*·ném *tsi*·mer *aos*·gué·chpért

panneaux de signalisation

Aufzug/ Fahrstuhl	*aof*·tsouk/ *fâr*·chtoul	**ascenseur**
Fernsehzimmer	*férn*·zé·tsi·mer	**salle de télévision**
Frühstücksraum	*fru*·chtuks·raom	**salle du petit-déjeuner**
Notausgang	*nôt*·aos·ganng	**sortie de secours**

Puis-je avoir..., s'il vous plaît ?	*Könnte ich bitte ... haben?*	*keuhnn*·té icH *bi*·te ... *hâ*·bén
ma clé	*meinen Schlüssel*	*may*·nénn *chlu*·sel
un reçu	*eine Quittung*	*ay*·ne *kvi*·toung

C'est trop...	*Es ist zu ...*	ess isst tsou...
froid	*kalt*	kalt
sombre	*dunkel*	*doung*·kél
cher	*teuer*	*toy*·er
lumineux	*hell*	hél
bruyant	*laut*	laot
petit	*klein*	klayn

L'/Le/Les... ne fonctionne(nt) pas.	*...funktioniert nicht.*	... foungk·tsyo·*nîrt* nicHt
air conditionné	*Die Klima-anlage*	dê *klî*·ma·ann·lâ·gué
ventilateur	*Der Ventilator*	dér vénn·ti·*lâ*·tor
toilettes	*Die Toilette*	dî to·a·*le*·te

La porte (de la salle de bains) est fermée.
Die (Badezimmer)Tür ist abgeschlossen. dî (*bâ*·de·tsi·mer·)tur ist *ap*·gué·chlo·ssen

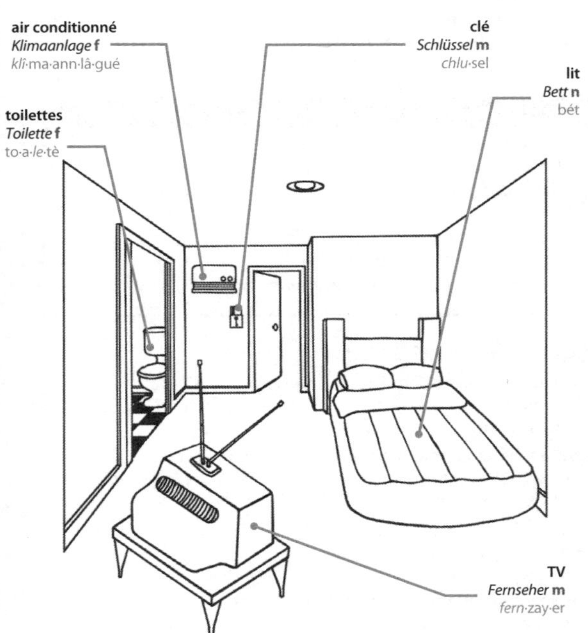

La fenêtre ne s'ouvre/se ferme pas.
Das Fenster lässt sich nicht öffnen/schließen. — das *fénns*·ter lést zicH nicHt *euhf*·nénn/*chlî*·sénn

Puis-je avoir un(e) (autre)... ?	*Kann ich (noch) einen/eine/ein ... bekommen?* **m/f/n**	kan ikh nokh *ay*·nénn/*ay*·né/aynn ... bé·*ko*·ménn
couverture	*Decke* **f**	*dé*·kè
drap	*Bettlaken* **n**	*bét*·lâ·kén
drap housse	*Bettbezug* **m**	*bét*·bé·tsouk
oreiller	*Kopfkissen* **n**	*kopf*·ki·ssénn
serviette	*Handtuch* **n**	*hannt*·touRch
sèche-cheveux	*Fön* **m**	*feuhnn*
taie d'oreiller	*Kopfkissen-bezug* **m**	*kopf*·ki·ssénn·bé·tsouk

on frappe à la porte

Qui est-ce ?	*Wer ist da?*	vér isst dâ
Un instant, s'il vous plaît.	*Einen Augenblick, bitte!*	*ay*·nénn ao·guén·blik *bi*·te
Entrez.	*Herein!*	hé·*raynn*
Revenez plus tard, s'il vous plaît.	*Kommen Sie bitte später noch einmal.*	*ko*·ménn zî *bi*·te *chpé*·tér noRch *ayn*·mâl

> quitter un hôtel

À quelle heure faut-il quitter la chambre ?
Wann muss ich auschecken? — vann mouss icH *aos*·tché·kén

Quel est le supplément pour rester jusqu'à (6h) ?
Was kostet es extra, wenn ich bis (6 Uhr) bleiben möchte? — vas *koss*·tét ess *éks*·tra vén icH biss (zeks our) *blay*·ben *meuhcH*·tè

Je pars maintenant.
Ich reise jetzt ab. — icH *ray*·ze yétst ap

Pouvez-vous m'appeler un taxi (pour 11h) ?
Können Sie mir (für 11 Uhr) ein Taxi rufen? — *keuh*·nénn zî mîr (fur elf our) ayn *tak*·si *rou*·fén

Puis-je vous laisser mes bagages jusqu'à... ?	*Kann ich meine Taschen bis ... hier lassen?*	kann icH *may*·nè *ta*·chén bis ... hîr *la*·ssénn
ce soir	*heute Abend*	*hoy*·té *â*·bent
mercredi	*Mittwoch*	*mit*·voRch
la semaine prochaine	*nächste Woche*	*nécHs*·té *vo*·cHé
Puis-je récupérer..., s'il vous plaît ?	*Könnte ich bitte ... haben?*	*keuhn*·té icH *bi*·te ... *hâ*·ben
ma caution	*meine Anzahlung*	*may*·ne *an*·tsâ·loung
mon passeport	*meinen Pass*	*may*·nénn *pas*
mes objets de valeur	*meine Wertsachen*	*may*·nè *vert*·za·cHénn

Il y a une erreur dans la facture.
Da ist ein Fehler in der Rechnung. — dâ ist ayn *fé*·ler in dér *recH*·noung

J'ai apprécié mon séjour.
Es hat mir hier sehr gut gefallen. — es hat mîr hìr zér gout gué·*fa*·lén

Je vous recommanderai.
Ich werde Sie weiterempfehlen. — icH *vér*·de zî *vai*·tér·émmp·fê·len

camping

campen

Où est/sont ... le/les proche(s)... ?	*Wo ist der nächste ...?*	vô isst dér *nécHs*·té ...
le camping	*Zeltplatz*	*tsélt*·plats
l'épicier	*Laden*	*lâ*·dén
les douches	*Duschraum*	*douch*·raom
les toilettes	*Toilettenblock*	to·a·*lé*·tén·blok
Avez-vous... ?	*Haben Sie ...?*	*hâ*·bén zî ...
l'électricité	*Strom*	chtrôm
des douches	*Duschen*	*dou*·chénn
un emplacement libre	*einen Stellplatz*	*ay*·nénn *chtél*·plats
des tentes à louer	*Zelte zu vermieten*	*tsel*·tè tsou fer·*mî*·tén

Est-ce que ça fonctionne à pièces ?
Braucht man dafür Münzen? braoRcht mann da·*fur mun*·tsén

L'eau est-elle potable ?
Kann man das Wasser trinken? kann mann dass *va*·sér *trinng*·kén

À qui dois-je demander la permission de camper ici ?
Wen muss ich fragen, wenn ich hier zelten möchte? vên mouss icH *frâ*·guénn vên icH hîr *tsél*·tén *meuhcH*·tè

Quel est le tarif pour une... ?	*Wie viel berechnen Sie ...?*	vî fîl bé·*recH*·nénn zî...
caravane	*für einen Wohnwagen*	fur *ay*·nénn *vôn*·vâ·guénn
personne	*pro Person*	prô pér·*zôn*
tente	*für ein Zelt*	fur ayn tsélt
voiture	*für ein Auto*	fur ayn *ao*·to
Puis-je... ?	*Kann ich ...?*	kann icH..
camper ici	*hier zelten*	hîr *tsél*·tén
stationner près de ma tente	*neben meinem Zelt parken*	*né*·ben *may*·ném tsélt *par*·kén

bêche	*Spaten* **m**	*chpâ*·tén
bouteille de gaz	*Gasflasche* **f**	*gâs*·fla·chè
corde	*Seil* **n**	zayl
jeton de douche	*Duschmünze* **f**	*douch*·mun·tse
maillet	*Holzhammer* **m**	*holts*·ha·mer
sac de couchage	*Schlafsack* **m**	*chlâf*·zak
sardine	*Hering* **m**	*hé*·ring
tente	*Zelt* **n**	tsélt
torche	*Taschenlampe* **f**	*ta*·chén·lamm·pè

location

mieten

Je viens me renseigner au sujet de/du … à louer.	*Ich komme wegen des/der/des zu vermietenden …* **m/f/n**	icH *ko*·mè *vé*·guénn des/dér/des tsou fer·*mî*·tén·dén …
l'appartement	*Appartement* **n**	a·*part*·ménnt
châlet	*Hütte* **f**	*hu*·tè
gîte	*Ferienwohnung* **f**	*fé*·ri·énn·vô·noung
la maison	*Haus* **n**	*haos*
la chambre	*Zimmer* **n**	*tsi*·mer
la villa	*Villa* **f**	*vi*·la
meublé(e)	*möbliert*	meuh·*blîrt*
partiellement meublé(e)	*teilmöbliert*	*tayl*·meuh·blîrt
non-meublé(e)	*unmöbliert*	*un*·meuh·blîrt

Avez-vous un(e) ... à louer ?

Haben Sie ... zu vermieten?	*hâ*·ben zî.. tsou fer·*mî*·tén

Combien de chambres y a-t-il ?

Wie viele Zimmer hat es?	vî *fî*·è tsi·mer hat ess

Je souhaiterais quelque chose près...	*Ich möchte etwas in der Nähe ...*	icH *meuhcH*·tè *et*·vas in dér *né*·e ...
du centre-ville	*des Stadtzentrums*	des *chtat*·tsén·troums
des commerces	*der Geschäfte*	dér ge·*chef*·tè
de la plage	*des Strandes*	des *chtrann*·dés
Quel est le prix pour... ?	*Was kostet es für ...?*	vas *kos*·tét es fur...
(1) semaine	*(eine) Woche*	(*ay*·nè) *vo*·Rchè
(2) mois	*(zwei) Monate*	(tsvai) *mô*·na·tè
Quel est... ?	*Wer ist ...?*	vér isst...
mon agent	*mein Makler*	mayn *mâk*·ler
mon contact	*meine Kontaktperson*	*may*·nè kon·*takt*·per·zôn

J'aimerai la/le louer du (2 juillet) au (6 juillet).

Ich möchte es vom (2. Juli) bis zum (6. Juli) mieten.	icH *meucH*·tè ess fomm (*tsvay*·tén *you*·li) bis tsoum (*zeks*·tén *you*·li) *mî*·tén

Faut-il verser une caution ?

Gibt es eine Kaution?	gipt es *ay*·ne kao·*tsyôn*

Y aura-t-il un supplément pour les charges ?

Kommen noch Nebenkosten dazu?	*ko*·ménn nocH *né*·bén·kos·ten da·*tsou*

loger chez l'habitant

bei Einheimischen übernachten

Puis-je loger chez vous/toi ?

Kann ich bei Ihnen/dir übernachten? **pol/fam**	kan icH bay *î*·nénn/dîr u·bér·*nacH*·ténn

Puis-je vous/t'aider ?

Kann ich Ihnen/dir irgendwie helfen? **pol/fam**	kan icH *î*·nénn/dîr *ir*·guént·vî *hél*·fénn

J'ai mon propre...	*Ich habe ...*	icH *hâ*·bé...
matelas	*meine eigene Matratze*	*may*·né *ay*·gué·né ma·*tra*·tsè
sac de couchage	*meinen eigenen Schlafsack*	*may*·nénn *ay*·gué·nénn *chlâf*·zak

Puis-je... ?	*Kann ich ...?*	kann icH..
apporter quelque chose	*etwas für das Essen mitbringen*	et·vas fur dass *é*·ssén *mit*·brinng·énn
faire la vaisselle	*abwaschen*	*ap*·va·chénn
mettre/débarasser la table	*den Tisch decken/ abräumen*	dén tich *de*·kén/ *ap*·roy·ménn
sortir les poubelles	*den Müll rausbringen*	dén mul *raos*·brinng·énn

Merci de votre/ton accueil.

Vielen Dank für Ihre/deine Gastfreundschaft. **pol/fam**	*fi*·lén dangk fur *î*·re/*day*·ne *gast*·froynt·chaft

Voir aussi la rubrique **à table**, p. 143 et le chapitre **cuisiner** p. 155.

nach dem Weg fragen

Où puis-je trouver (une banque) ?
Wo ist (eine Bank)? vô isst (*ay*·ne bangk)

Je cherche (la cathédrale).
Ich suche (den Dom). icH *zou*·Rche (dén dôm)

Dans quelle direction puis-je trouver (des toilettes publiques) ?
In welcher Richtung ist (eine öffentliche Toilette)? in *vèl*·cHeu *ricH*·tung isst (*ay*·ne *euh*·fénnt·li·cHe to·a·*lé*·tè)

Comment puis-je m'y rendre ?
Wie kann ich da hinkommen? vî kan icH dâ *hin*·ko·mén

expressions courantes

ess isst ...	*Es ist ...*	**C'est...**
an dér *é*·kè	*an der Ecke*	**à l'angle**
dort	*dort*	**là-bas**
fôr...	*vor ...*	**devant...**
gé·guénn·*u*·bér ...	*gegenüber ...*	**en face de...**
gué·râ·de·*aos*	*geradeaus*	**tout droit**
hîr	*hier*	**ici**
hinn·tér ...	*hinter ...*	**derrière...**
linngks	*links*	**à gauche**
nâ·e	*nahe*	**tout près**
né·bén ...	*neben ...*	**à côté de...**
recHts	*rechts*	**à droite**
vayt vek	*weit weg*	**loin**
bî·guénn zî ... ap	*Biegen Sie ... ab.*	**Tournez...**
an dér *é*·ke	*an der Ecke*	**à l'angle**
bay dér *amm*·pél	*bei der Ampel*	**au feu**
lingks/recHts	*links/rechts*	**à gauche/droite**
ess isst ... ent·*fernt*	*Es ist ... entfernt.*	**C'est...**
(*houn*·dért) *mé*·ter	*(100) Meter*	**à (100) mètres**
(funf) mi·*nou*·tén	*(5) Minuten*	**à (5) minutes**
nor·dén	*Norden* **m**	**nord**
zu·dén	*Süden* **m**	**sud**
os·tén	*Osten* **m**	**est**
ves·tén	*Westen* **m**	**ouest**

Pouvez-vous me montrer (sur la carte) ?
Können Sie es mir (auf der Karte) zeigen? — ker·nen zî ess mîr (aof dér kar·te) tsay·guénn

Quelle est l'adresse ?
Wie ist die Adresse? — vî isst dî a·dre·se

C'est à quelle distance ?
Wie weit ist es? — vî vayt isst ess
(litt : comment loin est)

en…	*mit...*	mit..
bus	*dem Bus*	dém bouss
taxi	*dem Taxi*	dém tak·si
train	*dem Zug*	dém tsouk
à pied	*zu Fuß*	tso fous
avenue	*Allee* **f**	a·lé
	Gasse **f**	ga·sseu
place	*Platz* **m**	plats
rue	*Straße/Weg* **f/m**	chtrâ·seu/vék

PRATIQUE

se renseigner

suchen nach...

Où se trouve (le supermarché) ?
Wo ist (ein/der Supermarkt)? vô isst (ayn/dér *zou*·pér·markt)

Où puis-je acheter... ?
Wo kann ich ... kaufen? vô kann icH ... *kao*·fén

Pour trouver votre chemin, consultez le chapitre **orientation**, p. 59, et pour plus de détails sur les achats, reportez-vous au **dictionnaire**.

acheter

etwas kaufen

Je voudrais acheter...
Ich möchte ... kaufen. icH *meuhcH*·tè ... *kao*·fén

Je ne fais que regarder.
Ich schaue mich nur um. icH *chao*·é micH nour oum

Combien ça coûte ?
Wie viel kostet das? vî fîl *kos*·tét dass

Pouvez-vous m'écrire le prix ?
Können Sie den Preis aufschreiben? *keuh*·nénn zî dén prais *aof*·chray·bén

En avez vous d'autres ?
Haben Sie noch andere? *hâ*·bén zî nocH *ann*·dé·re

Pouvez-vous me le montrer ?
Können Sie es mir zeigen? *keuh*·nénn zî es mîr *tsay*·guénn

Acceptez-vous les... ?	*Nehmen Sie ...?*	*né*·ménn zî..
cartes de crédit	*Kreditkarten*	kré·*dît*·kar·ten
carte de débit	*Debitkarten*	*dé*·bit·kar·ten
chèques de voyage	*Reiseschecks*	*ray*·ze·cheks

Pourrais-je avoir..., s'il vous plaît ?	*Könnte ich ... bekommen?*	kern·te ikh ... be·ko·ménn
un sac en plastique	*eine Tüte*	ay·nè tu·tè
une facture	*eine Quittung*	ay·ne kvi·tung
un paquet cadeau	*es eingepackt*	es ayn·gué·pakt

Y a-t-il une garantie ?
Gibt es darauf Garantie? — gipt es da·raof ga·rann·tî

Pouvez-vous l'expédier à l'étranger ?
Können Sie es ins Ausland verschicken? — keuh·nénn zî ess inns aos·lant fer·chi·ken

Pouvez-vous me le commander ?
Können Sie es für mich bestellen? — keuh·nénn zî ess fur micH bé·chtè·lén

Puis-je venir le chercher plus tard ?
Kann ich es später abholen? — kan icH ess chpé·tér ap·hô·lén

C'est abimé/cassé.
Es ist fehlerhaft/kaputt. — es ist fé·lér·haft/ka·pout

Pourriez-vous... ?	*Ich möchte bitte ...*	icH meuhcH·te bi·te ...
me rendre ma monnaie	*mein Wechselgeld*	mayn vek·sel·gelt
me rembourser	*mein Geld zurückhaben*	mayn gelt tsou·ruk·hâ·bén
reprendre cet article	*dieses zurückgeben*	dî·zes tsou·ruk·gé·bén

parler local

bonne affaire	*Schnäppchen* **n**	*chnép*·cHen
spécialiste des bonnes affaires	*Schnäppchenjäger* **m**	*chnép*·cHen·yé·guér
arnaque	*Nepp* **m**	nép
soldes	*Ausverkauf* **m**	*aos*·fer·kaof
offre spéciale	*Sonderangebote* **n pl**	*zon*·der·ann·gué·bô·tè

marchander

handeln

C'est trop cher.
Das ist zu teuer. das isst tsou *toy*·er

Pouvez-vous baisser le prix ?
Können Sie mit dem Preis heruntergehen? *keuh*·nénn zî mit dem prais he·*roun*·tér·gué·énn

Auriez-vous quelque chose de moins cher ?
Haben Sie etwas Billigeres? *hâ*·bén zî *et*·vas *bi*·li·gué·res

Je vous en offre...
Ich gebe Ihnen ... icH *gé*·bé *î*·nénn ...

acheter des vêtements

Kleidung

Puis-je essayer ?
Kann ich es anprobieren? kann icH es *an*·pro·bee·ren

Je fais du...
Ich habe Größe ... icH *hah*·be *grer*·se ...

Ça ne va pas.
Es passt nicht. ess passt nicHt

réparations

Reparaturen

Pouvez-vous réparer mon/ma… ?
Kann ich hier mein ... reparieren lassen? kan icH hîr mayn ... re·pa·*rî*·ren *la*·ssen

Quand mes chaussures seront-elles prêtes ?
Wann sind meine Schuhe fertig? van zinnt *may*·nè *chou*·e *fer*·tik

Quand sera/seront prêt(es) mon/ma/ mes… ?	*Wann ist mein/ meine/mein … fertig?* **m/f/n**	van ist main/ *mai*·ne/main … *fer*·tikh
sac à dos	*Rucksack* **m**	*ruk*·zak
caméra	*Kamera* **f**	*ka*·me·ra
lunettes (de soleil)	*(Sonnen)Brille* **f**	(*zo*·nen·)*bri*·le

du fil à retordre

aiguille	*Nadel* **f**	*nâ*·del
boutons	*Knöpfe* **m pl**	*kneuhp*·fe
ciseaux	*Schere* **f**	*chér*·re
fil	*Faden* **m**	*fâ*·dénn

chez le coiffeur

beim Friseur

Je voudrais…	*Ich möchte …*	icH *meuhcH*·tè …
un brushing	*eine Fönwelle*	*ay*·nè *feuhnn*·vé·lè
une couleur	*mir die Haare färben lassen*	mîr dî *hâ*·re *fer*·ben *la*·ssénn
une coupe	*mir die Haare schneiden lassen*	mîr dî *hâ*·re *chnay*·dénn *la*·ssen
me faire tailler la barbe	*mir den Bart stutzen lassen*	mîr dén bart *chtu*·tsénn *la*·ssénn
me faire raser la barbe	*mich rasieren lassen*	micH ra·*zî*·ren *la*·ssénn
un balayage	*Strähnchen*	*chtrayn*·khen
égaliser/ rafraîchir ma coupe	*mir die Haare nachschneiden lassen*	mîr dî *hâ*·re *naRch*·chnay·dénn *la*·ssénn

Pourriez utiliser une nouvelle lame ?
Benutzen Sie bitte eine neue Klinge. — bé·*nou*·tsénn zî *bi*·te *ay*·ne *noy*·e *klinng*·e

Ne coupez pas trop court.
Schneiden Sie es nicht zu kurz. — *chnay*·dénn zî ess nicHt tsou kourts

PRATIQUE

Rasez tout !
Rasieren Sie alles ab! ra·zî·ren zî *a*·les ap

Je n'aurais jamais dû vous laisser toucher à mes cheveux !
Ich hätte Sie nie an mein Haar lassen dürfen! icH *hé*·te zî nî ann mayn hâr *la*·ssénn *dur*·fén

Pour les couleurs, consultez le **dictionnaire**.

livres et lectures

Bücher und Lesen

Y a-t-il... ? *Gibt es ...?* gipt es ...
une librairie de langue française *einen Buchladen für französische Bücher* *ay*·nen *boucH*·lâ·dénn fur frann·*tseuh*·sî·cHé bu·cHér
un rayon de langue française *eine Abteilung für französische Bücher* *ay*·ne ap·*tai*·lung fur frann·*tseuh*·sî·cHé bu·cHér

Avez-vous des guides Lonely Planet ?
Haben Sie Lonely-Planet-Reiseführer? *hâ*·ben zî *lônn*·li·*pla*·net·*ray*·ze·fu·rér

Avez-vous un meilleur guide de conversation que celui-ci ?
Haben Sie einen besseren Sprachführer als diesen? *hâ*·ben zî *ai*·nénn *bè*·ssè·ren *chpraRch*·fu·rér als *dî*·zen

expressions courantes

nayn (*hâ*·ben vîr) *lay*·dér nicHt
Nein, (haben wir) leider nicht. **Non, désolé (nous n'avons pas).**

toût mir *layt*
Tut mir leid. **Non, je suis désolé(e).**

musique

Musik

Je voudrais (un)…	*Ich hätte gern ...*	icH *hé*·te guérnn...
CD	*eine CD*	*ay*·ne tsé·*dé*
DVD réinscriptible	*eine wiederbeschreibbare DVD*	*ay*·nè *vi*·dér·bé·chrayp·ba·re *dé*·fao·dé
casque audio	*Kopfhörer*	*kopf*·heuh·rér

J'ai entendu un groupe qui s'appelle…
Ich habe eine Band mit dem Namen ... gehört. icH *hâ*·bè *ay*·ne bénnt mit dêm *nâ*·ménn ... gué·heurt

J'ai entendu un chanteur qui s'appelle…
Ich habe einen Sänger mit dem Namen ... gehört. icH *hâ*·bè *ay*·nénn *zéng*·er mit dêm *nâ*·ménn ... gué·heurt

Quel est son meilleur album ?
Was ist seine/ihre beste CD? **m/f** vas ist *zay*·nè/*î*·re *béss*·te tsé·*dé*

Puis-je l'écouer ?
Kann ich mir das anhören? kann icH mîr dass *an*·heuh·ren

Est-ce que c'est une version piratée ?
Ist das eine Raubkopie? isst dass *ay*·ne *raop*·ko·pî

photographie

Fotografieren

J'ai besoin d'un(e) ... pour cet appareil-photo.	*Ich brauche einen ... für diese Kamera.*	icH *brow*·khe *ai*·nen ... für *dee*·ze *ka*·me·ra
câble	*Kabel*	*kâ*·bél
carte mémoire	*Speicherkarte*	*chpay*·cHér·kar·tè
pile	*Batterie*	*bâ*·té·rî
Pouvez-vous faire un tirage papier de cette carte mémoire ?	*Können Sie einen Papierabzug dieser Memory-Karte machen?*	*keu*·nénn zî *ay*·nen *pa*·*pî*·*r*·ap·tsouk dî·zer mé·mo·ri kar·tè *ma*·cHénn

Quand sera-t-elle prête ?

Wann ist er fertig? — vann isst ér *fer*·tik

J'ai besoin de photos d'identité.

Ich möchte Passfotos machen lassen. — icH *merkh*·te *pas*·fô·tôs *ma*·cHen *la*·ssen

Je ne suis pas satisfait(e) de ces photos.

Mit diesen Fotos bin ich nicht zufrieden. — mit *dî*·zen *fô*·tos bin icH nicHt tsou·*frî*·dénn

Je ne veux pas payer le prix total.

Ich möchte nicht den vollen Preis bezahlen. — icH *meuhcH*·te *nicHt* dén *fo*·lénn prais bé·*tsâ*·lé

souvenirs typiques

Voici quelques spécialités d'Allemagne, d'Autriche et de Suisse, classées par région :

Partout en Allemagne : sandales Birkenstock, Hugo Boss, Jill Sander, BMW, Leica, peluches Steiff ou Käthe Kruse

Aachen (Aix-la-Chapelle) : *Aachener Printen* (pain d'épice)

Montagne du Harz : poupées et marionnettes, notamment des sorcières, verreries

Meissen : porcelaine de Saxe moderne et ancienne

Thuringue : figurines en bois et décoration de Noël

Bavière : verrerie en cristal

Forêt noire : horloges, poupées et eau-de-vie de fruits

souvenirs typiques

Nuremberg : jouets, notamment en bois et en fer blanc ; également les fameux *Lebkuchen* (macarons aux épices)

Rhin et Moselle : vins blancs rénommés

Rothenburg ob der Tauber: jouets en bois et décoration de Noël

Autriche : *Mozartkugeln* (chocolats fourrés de pâte d'amande, de pistache et de noisettes) et eaux de vie de fruits

Suisse : horloges coucou, chocolats – et bien sûr toutes sortes de montres

biscuits de Noël	*Weihnachts-plätzchen* **n**	*vay*·naRchts·plétz·cHénn
crûche à bière	*Bierkrug* **m**	*bîr*·krouk
chocolat	*Schokolade* **f**	cho·ko·*lâ*·de
assortiment de chocolats	*Pralinen* **n pl**	pra·*lî*·nénn
clochette de vache	*Kuhglocke* **f**	*kou*·glo·ke
décoration de Noël	*Weihnachts-schmuck* **m**	*vay*·naRchts·chmouk
eau-de-vie	*Obstler* **m**	*ôpst*·ler
figurine en bois	*Holzfigur* **f**	*holts*·fi·gour
horloge coucou	*Kuckucksuhr* **f**	*kou*·kouks·our
jouet en bois	*Holzspielzeug* **n**	*holts*·chpîl·tsoyk
jouet en fer blanc	*Blechspielzeug* **n**	*blecH*·chpîl·tsoyk
macaron aux épices	*Lebkuchen* **m**	*lép*·kou·Rchen
marionnette	*Marionette* **f**	ma·ri·o·*né*·te
montre/horloge	*Uhr* **f**	our
pâte d'amande	*Marzipan* **n**	*mar*·tsi·pân
porcelaine	*Porzellan* **n**	por·tse·*lân*
poupée	*Puppe* **f**	*pou*·pe
sorcière	*Hexe* **f**	*hek*·se
verre en cristal	*Kristallglas* **n**	kris·*tal*·glâs
verrerie	*Glaswaren* **pl**	*glâs*·vâ·ren
vin blanc	*Weißwein* **m**	*vays*·vayn

poste et communications
Kommunikation

poste

Post

Je souhaite envoyer...	*Ich möchte ... senden.*	icH *meuhcH*·te ... *zénn*·dénn
une carte postale	*eine Postkarte*	*ay*·ne *post*·kar·te
un colis	*ein Paket*	ayn pa·*két*
un e-mail	*eine E-mail*	*ay*·ne î·méjl
un fax	*ein Fax*	ayn faks
Je souhaite acheter un/une...	*Ich möchte ... kaufen.*	icH *meuhcH*·te ... *kao*·fén
enveloppe	*einen Umschlag*	*ay*·nénn *oum*·chlâk
timbre	*eine Briefmarke*	*ay*·ne *brîf*·mar·ke

boîte postale	*Briefkasten* **m**	*brîf*·kas·ténn
code postal	*Postleitzahl* **f**	*post*·layt·tsâl
déclaration de douane	*Zollerklärung* **f**	*tsôl*·ér·klayr·runng
fragile	*zerbrechlich*	tsér·*brecH*·licH
international	*international*	in·ter·na·tsjô·*nâl*
intérieur	*Inlands-*	*inn*·lannts·
en express	*Expresspost* **f**	eks·*préss*·post
par coursier	*Kurierdienst* **m**	kou·*rîr*·dînst
par avion	*Luftpost* **n**	*louft*·post
en recommandé	*Einschreiben* **n**	*ayn*·chray·ben

Veuillez envoyer ceci (par avion) à...
Bitte schicken Sie das (per Luftpost) nach... — *bi*·te *chi*·kénn zî das per *louft*·post naRch...

Il contient...
Es enthält ... — es ennt·*hélt*...

Où est le guichet de la poste restante ?
Wo ist der Schalter für postlagernde Briefe? — vô isst dér *chal*·ter fur *post*·lâ·guérn·de *brî*·fe

Ai-je reçu du courrier ?
Ist Post für mich da? — isst post fur micH dâ

expressions courantes

meuhcH·ténn zî dass per eks·*press*·post *ô*·dér nor·*mâl*·post *chi*·kén
Möchten Sie das per Expresspost oder Normalpost schicken? — **Souhaitez-vous envoyer ceci en express ou en courrier ordinaire ?**

vas isst dâ drinn
Was ist da drin? — **Que contient-il/elle ?**

vô·hin *meucH*·tén zî dass *hi*·kén
Wohin möchten Sie das schicken? — **Où voulez-vous l'envoyer ?**

téléphone

Telefon

Je souhaite...	*Ich möchte ...*	icH *meuhcH*·te ...
appeler (à Bruxelles)	*telefonieren (nach Brüssel)*	té·lé·fo·*nî*·ren (nâRch *bru*·sél)
appeler par Internet	*per Internet telefonieren*	per in tér net té·lé·fo·*nî*·ren
appeler en PVC (à Bruxelles)	*ein R-Gespräch (nach Brüssel) fûren*	ayn *ér*·gué·chprécH (nâRch *bru*·sél) *fu*·ren

Quel est votre/ton numéro de téléphone ?
Wie ist Ihre/deine Telefonnummer? **pol/fam** — vî isst *î*·re/*day*·ne té·lé·*fôn*·nou·mer

Où est la cabine téléphonique la plus proche ?
Wo ist das nächste öffentliche Telefon? — vô isst das *nécHs*·te *euh*·fénnt·li·cHe té·lé·*fôn*

Je souhaite acheter une carte téléphonique.
Ich möchte eine Telefonkarte kaufen. — icH *meuhcH*·te *ay*·ne té·lé·*fôn*·kar·te *kao*·fén

Le numéro est...
Die Nummer ist... — dî *nou*·mer ist ...

Quelle est l'indicatif pour... ?
Was ist die Vorwahl für ...? — vas ist dî *vôr*·vâl fur ...

C'est occupé.
Es ist besetzt. — ess isst bé·*zétst*

Ça a coupé.
Ich bin unterbrochen worden. — icH binn oun·ter·*bro*·Rchénn *vor*·dénn

La connection est mauvaise.
Die Verbindung ist schlecht. — dî fer·*binn*·doung isst chlecHt

Allô.
Hallo! — *ha*·lo

Puis-je parler à... ?
Kann ich mit ... sprechen? — kan icH mit ... *chpré*·cHen

C'est...
Hier ist ... — hîr isst...

Puis-je laisser un message ?
Kann ich eine Nachricht hinterlassen? — kan icH *ay*·ne *naRch*·ricHt hin·ter·*la*·ssen

numéros de téléphone

Pour éviter toute confusion entre *drei* (3) et *zwei* (2), au téléphone, les Allemands disent *zwo* au lieu de *zwei*. De plus, on dicte les numéros un par un et non par paire comme en France.

Pourriez-vous lui dire que j'ai appelé ?

Bitte sagen Sie ihm/ihr, dass ich angerufen habe. **m/f** — *bi*·te *zâ*·guénn zî îmm/îr dass icH *ann*·gué·rou·fén *hâ*·be

Je rappellerai plus tard.

Ich rufe später nochmal an. — icH *rou*·fe *chpé*·ter *noRch*·mâl ann

À quelle heure puis-je rappeler ?

Wann kann ich am besten anrufen? — vann kann icH amm *bés*·ténn *an*·rou·fén

Mon numéro est...

Meine Nummer ist... — *may*·nè *nou*·mer isst...

Je n'ai pas de numéro où vous pourrez me joindre.

Ich habe keine Nummer, unter der Sie mich erreichen können. — icH *hâ*·be *kay*·ne *nou*·mer *oun*·ter dér zî micH er·*ray*·cHen *keuh*·nénn

expressions courantes

ay·nénn ao·guénn·*blik bi*·te

Einen Augenblick, bitte. — **Un instant, s'il vous plaît.**

ess tout mîr layt (ér/zî) isst nicHt hîr

Es tut mir Leid, (er/sie) ist nicht hier. — **Je suis désolé(e), (il/elle) n'est pas là.**

mit vém *meuhcH*·tén zî *chpré*·cHen

Mit wem möchten Sie sprechen? — **À qui souhaitez-vous parler ?**

tout mîr layt zî *hâ*·ben dî *fal*·chè *nou*·mer

Tut mir Leid, Sie haben die falsche Nummer. — **Désolé(e), c'est un mauvais numéro.**

vér isst amm a·pa·*rât*

Wer ist am Apparat? — **À qui ai-je l'honneur ?**

yâ (ér/zî) isst hîr

Ja, (er/sie) ist hier. — **Oui, (il/elle) est là.**

> téléphone portable

Où puis-je trouver un(e)...?	*Wo kann ich ... finden?*	vô kan icH ... *fin*·den
Je voudrais un(e)...	*Ich hätte gern ...*	icH *he*·te guérn ...
adaptateur pour prise électrique	*einen Adapter für die Steckdose*	*ay*·nénn a·*dap*·ter fur dî *chtek*·dô·ze
chargeur pour mon portable	*ein Ladegerät für mein Handy*	ayn *lâ*·de·gué·rét fur mayn *hen*·di
portable à louer	*ein Miethandy*	ayn *mît*·hénn·di
portable à carte pré-payée	*ein Handy mit Prepaidkarte*	ayn *hénn*·di mit *prî*·péyd·kar·te
carte SIM pour votre réseau	*eine SIM-Karte für Ihr Netz*	*ay*·ne *zim*·kar·te fur îr nets

Combien ça coûte ?

Wie hoch sind die Gebühren? — vî hôRch zint dî gué·*bu*·ren

(30 cents) par (30) secondes.

(30 Cent) für (30) Sekunden. — (*dray*·sicH sent) fur (*dray*·sicH) ze·*koun*·den

Internet

das Internet

Où puis-je trouver un cybercafé ?

Wo ist hier ein Internet-Café? — vô isst hîr ayn *inn*·ter·net·ka·fé

J'aimerais…	*Ich möchte …*	icH *merkh*·te …
consulter mes e-mails	*meine E-Mails checken*	*mai*·ne *i*·mayls *che*·ken
me connecter à Internet	*Internetzugang haben*	*in*·ter·net·tsoo·gang *hah*·ben
utiliser une imprimante	*einen Drucker benutzen*	*ai*·nen *dru*·ker be·*nu*·tsen
utiliser un scanner	*einen Scanner benutzen*	*ai*·nen *ske*·ner be·*nu*·tsen
Combien ça coûte pour… ?	*Was kostet es …?*	vas *kos*·tet ess …
(5) minutes	*für (fünf) Minuten*	fur (funf) mi·*nou*·tén
une heure	*pro Stunde*	prô *chtoun*·de
une page	*pro Seite*	prô *zay*·te
Auriez-vous… ?	*Haben Sie …?*	*hâ*·ben zî…
un PC	*PCs*	pé·*tsés*
un Mac	*Macs*	méks
un lecteur Zip	*ein Zip-Laufwerk*	ayn *tsip*·laof·vérk
une clé USB	*einen USB-Schlüssel*	ayn *tsip*·laof·vérk

Je participe à...	*Ich nehme an ... teil.*	icH *né*·me ann ... tayl
une conférence	*einer Konferenz*	*ay*·ner konn·fé·*rénnts*
une formation	*einem Kurs*	*ay*·ném kours
une réunion	*einem Meeting*	*ay*·ném *mî*·ting

Je me rends à un salon professionnel.
Ich besuche eine Messe. icH bé·*zou*·cHè *ay*·ne *mé*·sseu

Je suis...	*Ich bin ...*	icH bin ...
chez (société...)	*bei (Firma ...)*	bay (*fir*·ma ...)
ici avec mon/ma collègue	*mit meinem Kollegen hier* **m**	mit *may*·ném ko·*lé*·guénn hîr
	mit meiner Kollegin hier **f**	mit *may*·nér ko·*lé*·guin hîr
ici avec mes collègues	*mit meinen Kollegen hier* **m pl**	mit *may*·nénn ko·*lé*·guén hîr
	mit meinen Kolleginnen hier **f pl**	mit *may*·nénn ko·*lé*·gui·nénn hîr
avec (2) autres personnes	*mit (zwei) anderen Personen hier*	mit (tsvay) *ann*·dé·ren pér·*sô*·nénn hîr

Je suis seul(e).
Ich bin allein. icH bin a·*layn*

Je suis descendu(e) à/au..., chambre...
Ich wohne im ..., Zimmer ... icH *vô*·ne imm ... *tsi*·mer ...

Je suis ici pour (3) jours/semaines.
Ich bin für (drei) Tage/Wochen hier. icH bin fur (dray) *tâ*·gué/*vo*·Rchénn hîr

Voici ma carte de visite.
Hier ist meine Karte. hîr ist *may*·ne *kar*·te

Où se trouve/se tient le/la… ?	*Wo ist …?*	vô ist …
centre d'affaires	*das Tagungs-zentrum*	das *tâ*·gungks·tsen·troum
conférence	*die Konferenz*	dî kon·fe·*rents*
réunion	*das Meeting*	das *mî*·ting

J'ai rendez-vous avec/chez…
Ich habe einen Termin bei ... icH *hâ*·be *ay*·nénn ter·*mîn* bai ...

C'était très bon/bien.
Das war sehr gut. das vâr zér gout

Ça vous dit d'aller boire/manger quelque chose ?
Sollen wir noch etwas trinken/essen gehen? *zo*·len vîr noRch *et*·vas *tring*·kén/*e*·ssen *gé*·en

Je vous invite.
Ich lade Sie ein. icH *lâ*·de zî ayn

comment saluer dans les formes

En Allemagne, le fait de s'embrasser à une connotation beaucoup plus intime qu'en France. La bise sur la joue, utilisée avec parcimonie, est réservée aux amis. Mais ne vous laissez pas brider pour autant. En tant qu'étranger on trouvera votre initiative chaleureuse, voire charmante, et on vous pardonnera aisément. Notez que beaucoup de parents embrassent leurs enfants sur la bouche, même à l'âge adulte.

"Salut !", au sens de "bonjour !", se dit *Hallo* *hâ*·lô et n'est accompagné d'aucun geste particulier. On l'utilise entre amis, ou connaissances, sur un ton décontracté. Attention : *Tschüss* tchuss signifie également "Salut !", mais ne s'emploie que pour dire "au revoir".

Dans un contexte formel, donnez toujours une franche poignée de main et dites *Guten Tag* *gou*·ténn tâk (litt : bon jour). Cela permet de rester poli tout en ignorant le nom de votre interlocuteur. En général, il devra être mentionné. En allemand, vous ne pouvez pas dire "bonjour Monsieur" en omettant le nom de famille.

Où puis-je… ?	*Wo kann ich ...?*	vô kan icH ...
Je voudrais…	*Ich möchte ...*	icH *meuhcH*·te ...
encaisser un chèque	*einen Scheck einlösen*	*ay*·nénn chèk *ayn*·leuh·zen
changer de l'argent	*Geld umtauschen*	gelt *oum*·tao·chén
changer des chèques de voyage	*Reiseschecks einlösen*	*ray*·ze·cheks *ayn*·leuh·zen
retirer de l'argent au guichet	*eine Barauszahlung*	*ay*·ne *bâr*·aos·tsâ·loung
retirer de l'argent au distributeur	*Geld abheben*	gelt *ap*·hé·ben

Où est le prochain… ?	*Wo ist der/die nächste ...?* **m/f**	vô isst dér/dî *nécHs*·te ...
guichet automatique	*Geldautomat* **m**	*gelt*·ô·to·mât
bureau de change	*Geldwechselstube* **f**	*gelt*·vek·sel·chtou·be

À quelle heure ouvre la banque ?
Wann macht die Bank auf? — van maRcht dî bangk aof

La machine a avalé ma carte.
Der Geldautomat hat meine Karte einbehalten. — dér *gelt*·ô·to·mât hat *may*·ne *kar*·te *ayn*·bé·hal·ten

J'ai oublié mon code.
Ich habe meine Geheimnummer vergessen. — icH *hâ*·be *may*·ne gué·*haym*·nou·mer fer·*gué*·ssén

Puis-je utiliser ma carte de crédit pour retirer de l'argent ?
Kann ich mit meiner Kreditkarte Geld abheben? — kan icH mit *may*·ner kré·*dît*·kar·te gelt *ap*·hé·ben

À combien s'élève(nt) les/la/le... ?	*Wie ...?*	vî...
frais liés à cela	*hoch sind die Gebühren dafür*	hôRch zint dî gué·*bu*·ren da·*fur*
commission	*hoch ist die Kommission*	hôRch isst dî ko·mi·*syôn*
taux de change	*ist der Wechselkurs*	ist dér *vék*·sel·kours

Est-ce que mon argent (mon mandat) est arrivé ?
Ist mein Geld schon angekommen? — isst mayn gelt chôn *ann*·gué·ko·ménn

Combien de temps va-t-il falloir attendre ?
Wie lange dauert es, bis es da ist? — vî *lang*·e *dao*·ert ess bis es dâ ist

expressions courantes

bi·te *chray*·ben zî es aof
Bitte schreiben Sie es auf. — **Pourriez-vous me l'écrire ?**

bi·te oun·ter·*chray*·ben zî hîr
Bitte unterschreiben Sie hier. — **Veuillez signer ici.**

das *keuh*·nénn vîr nicHt *ma*·Rchén
Das können wir nicht machen. — **Nous ne pouvons pas faire cela.**

es gipt dâ ayn pro·*blém* mit *î*·rem *konn*·to
Es gibt da ein Problem mit Ihrem Konto. — **Il y a un problème avec votre compte.**

îr *kon*·to ist u·ber·*tsô*·guénn
Ihr Konto ist überzogen. — **Votre compte est débiteur.**

inn *ay*·ner *vo*·Rche
In einer Woche. — **Dans une semaine.**

inn (fîr) *ar*·bayts·tâ·guénn
In (vier) Arbeitstagen. — **Dans (4) jours ouvrés.**

kan icH *bi*·te *ay*·nen *aos*·vais *zé*·énn
Kann ich bitte einen Ausweis sehen? — **Puis-je voir une pièce d'identité, s'il vous plaît ?**

Je voudrais un(e)...	*Ich hätte gern ...*	icH *hé*·te guérn ...
audio-guide	*einen Audioführer*	*ay*·nénn *ao*·di·o·fu·rer
catalogue	*einen Katalog*	*ay*·nénn ka·ta·*lôg*
guide (livre)	*einen Reiseführer*	*ay*·nénn *ray*·ze·fu·rer
guide en français	*einen Reiseführer auf Französisch*	*ay*·nénn *ray*·ze·fu·rer aof frann·*tseuh*·sich
carte (d'ici)	*eine Karte (von hier)*	*ay*·ne *kar*·te (fon hîr)

Avez-vous de la documentation sur les sites... ?	*Haben Sie Informationen über ... Sehenswürdigkeiten?*	*hâ*·ben zî in·for·ma·*tsyô*·nénn *u*·ber ... *zé*·énns·vur·dicH·kay·ténn
culturels	*kulturelle*	koul·tou·*ré*·le
locaux	*örtliche*	*euhrt*·li·cHe
réligieux	*religiöse*	ré·li·*gui*·*jeuh*·ze
exceptionnels	*einzigartige*	*ayn*·tsik·ar·ti·gué

Nous n'avons qu'(une journée).
Wir haben nur (einen Tag). — vîr *hâ*·ben nour (*ay*·nénn tâk)

J'aimerais voir...
Ich möchte ... sehen. — icH *meuhcH*·te ... *zé*·énn

Qu'est-ce que c'est ?
Was ist das? — vas isst dass

Qui l'a fait ?
Wer hat das gemacht? vér hat dass gué·*macHt*

De quand ça date ?
Wie alt ist es? vî alt isst ess

Pourriez-vous me prendre en photo, s'il vous plaît ?
Könnten Sie ein Foto von mir machen? *kern*·ten zî én *fô*·to fon mîr *ma*·cHen

Puis-je prendre une photo (de vous) ?
Kann ich (Sie) fotografieren? kan icH (zî) fo·to·gra·*fi*·ren

Je vous enverrai la photo.
Ich schicke Ihnen das Foto. icH *chi*·ke *î*·nénn das *fô*·to

accéder à un site touristique

Eintritt

À quelle heure ça ouvre/ferme ?
Wann macht es auf/zu? van macHt es aof/tsou

Quel est le prix d'entrée ?
Was kostet der Eintritt? vas *kos*·tet dér *ayn*·trit

(L'entrée) coûte...
Er kostet... ér *kos*·tét...

Faîtes-vous des réductions pour... ?	*Gibt es eine Ermäßigung für ...?*	gipt ess *ay*·ne ér·*mé*·ssi·gunng fur ...
les enfants	*Kinder*	*kinn*·dér
les familles nombreuses	*Familien*	fa·*mi*·li·énn
les groupes	*Gruppen*	*grou*·pen
les retraités	*Rentner*	*rennt*·ner
les étudiants	*Studenten*	chtou·*dén*·ténn

circuits

Touren

Quand est le/la prochain(e)... ?	*Wann ist der/die nächste ...?* **m/f**	vann isst dér/dî *néçHs*·te ...
voyage en bateau	*Bootsrundfahrt* **f**	*bôts*·rounnt·fârt
excursion (à la journée)	*(Tages)Ausflug* **m**	*tâ*·gués·aos·flouk
circuit	*Tour* **f**	tour
L'/La/Le... est-il/elle inclu(e) ?	*Ist ... inbegriffen?*	ist ... *in*·bé·gri·fénn
équipement	*die Ausrüstung*	dî *aos*·rus·toung
hérbergement	*die Unterkunft*	dî *oun*·ter·kounft
nourriture	*das Essen*	das *e*·ssen
transport	*die Beförderung*	dî be·*feuhr*·dé·roung

Pouvez-vous me conseiller un...?
Können Sie ein ... empfehlen? — *ker*·nénn zî ayn ... emmp·*fé*·lén

Dois-je apporter.... ?
Muss ich ... mitnehmen? — mus icH ... *mit*·né·ménn

C'est le guide qui paie.
Der Reiseleiter bezahlt. dér *ray*·ze·lay·ter be·*tsâlt*

Le guide a payé.
Der Reiseleiter hat bezahlt. dér *ray*·ze·lay·ter hat be·*tsâlt*

Combien de temps dure le circuit ?
Wie lange dauert die Führung? vî *lanng*·e *dao*·ert dî *fu*·rounng

À quelle heure devons-nous être de retour ?
Wann sollen wir zurück sein? van *zo*·lén vîr tsou·*ruk* zayn

Soyez de retour à (10)h.
Seien Sie um (zehn) Uhr zurück. *zay*·en zî oum (tsên) our tsou·*ruk*

Je fais partie du groupe.
Ich gehöre zu ihnen. icH gué·*heuh*·re tsou *î*·nénn

J'ai perdu mon groupe.
Ich habe meine Gruppe verloren. icH *hâ*·be *may*·ne *grou*·pe fer·*lô*·ren

Avez-vous vu un groupe de (Français)?
Haben Sie eine Gruppe (Franzosen) gesehen? *hâ*·ben zî *ay*·ne *grou*·pè (frann·*tsô*·sénn) gué·*zé*·énn

panneaux indicateurs

Eingang	*ayn*·ganng	**Entrée**
Ausgang	*aos*·ganng	**Sortie**
Offen	*o*·fénn	**Ouvert**
Geschlossen	gué·*chlo*·ssénn	**Fermé**
Heiß	hayss	**Chaud**
Kalt	kalt	**Froid**
Kein Zutritt	kayn *tsu*·trit	**Privé**
Rauchen Verboten	*rao*·cHénn fer·*bô*·ténn	**Interdiction de fumer**
Verboten	fer·*bô*·ténn	**Interdit**
Toiletten (WC)	to·a·*lé*·tén (vé·*tsé*)	**Toilettes**
Herren	*hér*·énn	**Messieurs**
Damen	*dâ*·ménn	**Dames**

Je suis handicapé(e).
Ich bin behindert. icH bin bé·*hinn*·dért

J'ai besoin d'aide.
Ich brauche Hilfe. icH *brao*·Rche *hil*·fe

Quels services offrez-vous aux personnes handicapées ?
Was für Leistungen gibt es für behinderte Reisende? vas fur *lays*·tunng·énn gipt ess fur bé·*hinn*·dér·te *ray*·zénn·de

Y a-t-il des toilettes accessibles aux handicapés ?
Gibt es Toiletten für Behinderte? gipt es to·a·*lé*·ténn fur bé·*hinn*·dér·te

Y a-t-il une rampe d'accès pour chaises roulantes ?
Gibt es eine Rollstuhlrampe? gipt es *ay*·ne *rol*·chtoul·ramm·pe

Quelle est la largeur des portes ?
Wie breit sind die Türen? vî brayt sinnt dî *tu*·ren

Combien de marches y a-t-il ?
Wieviele Stufen sind es? vî·*fî*·le *chtou*·fénn sinnt ess

Y a-t-il un ascenseur ?
Gibt es einen Aufzug? gipt ess *ay*·nénn aof·*tsouk*

Y a-t-il une boucle magnétique pour les malentendants ?
Gibt es eine Induktionsschleife für Schwerhörige? gipt ess *ay*·ne in·duk·*tsyônns*·chlay·fe fur chvér·*heuh*·ri·gué

J'ai un appareil auditif. Pourriez-vous parler plus fort ?
Ich habe ein Hörgerät. Sprechen Sie bitte lauter. icH *hâ*·be ayn *heuhr*·gué·rét *chpré*·cHénn zî *bi*·te *lao*·ter

Je suis sourd/aveugle.
Ich bin taub/blind. icH bin taop/blinnt

Les chiens d'aveugles sont-ils acceptés ?
Sind Blindenhunde erlaubt? zint *blin*·den·ḣun·de er·*lowpt*

Pouvez-vous m'aider à traverser cette rue en toute sécurité ?
Könnten Sie mich sicher über diese Straße bringen? *keuhnn*·ténn zî micH *zi*·cHér u·bér *dî*·ze *chtrâ*·sse *brinng*·énn

bibliothèque braille	*Blindenbibliothek* **f**	*blinn*·dénn·bi·bli·o·ték
handicapé (homme)	*Behinderter* **m**	bé·*hinn*·dér·ter
handicapée (femme)	*Behinderte* **f**	bé·*hinn*·dér·te
chien d'aveugle	*Blindenhund* **m**	*blinn*·dénn·hount
chaise roulante	*Rollstuhl* **m**	*rol*·chtoul
rampe d'accès pour chaise roulante	*Rollstuhlrampe* **f**	*rol*·chtoul·ramm·pe
espace prévu pour chaise roulante	*Rollstuhlplatz* **m**	*rol*·chtoul·plats

Y a-t-il un(e)... ?	*Gibt es...?*	gipt es...
espace bébé	*einen Wickelraum*	*ay*·nénn *vi*·kél·raom
service de garderie	*einen Babysitter-Service*	*ay*·nénn *bay*·bi·si·ter·*ser*·vis
menu enfant	*eine Kinderkarte*	*ay*·ne *kinn*·dér·kar·te
babysitter de langue française	*einen (französisch-sprachigen) Babysitter*	*ay*·nénn (frann·*tseuh*·sich-chprâ·Rchi·guénn) *bay*·bi·si·ter
réduction famille nombreuse	*eine Familien-ermäßigung*	*ay*·ne fa·*mî*·li·énn·er·mé·si·goung
chaise haute pour enfants	*einen Kinderstuhl*	*ay*·nénn *kinn*·dér·chtoul
parc	*einen Park*	*ay*·nénn park
aire de jeu dans les environs	*einen Spielplatz in der Nähe*	*ay*·nénn *chpîl*·plats in dér *né*·e
parc à thème	*einen Freizeitpark*	*ay*·nénn *fray*·tsait·park

J'ai besoin...	*Ich brauche ...*	icH *brao*·Rche ...
d'un siège bébé	*einen Babysitz*	*ay*·nénn *bay*·bi·zits
d'un siège enfant	*einen Kindersitz*	*ay*·nénn *kin*·der·zits
d'un pot (pour bébé)	*ein Kinder-töpfchen*	ayn *kinn*·der·teuhpf·cHénn
d'une poussette	*einen Kinderwagen*	*ay*·nénn *kinn*·dér·vâ·guénn

Puis-je donner le sein à mon enfant ici ?

Kann ich meinem Kind hier die Brust geben? — kann icH *may*·ném kint hîr dî broust *gé*·ben

Est-ce que les enfants sont admis ?

Sind Kinder erlaubt? — zinnt *kinn*·dér ér·*laopt*

Est-ce adapté à des enfants de (3) ans ?

Ist das für (drei) Jahre alte Kinder geeignet? — ist dass fur (dray) *yâ*·re *al*·te *kinn*·dér gué·*ayg*·net

Pour les maladies infantiles, voir également la rubrique **symptômes et condition physique**, p. 180, et le **dictionnaire**.

panneaux indicateurs

Si vous voyagez avec des enfants, les expressions suivantes pourront vous être utiles :

Junioren bis 5 Jahre frei	**gratuit pour les enfants de moins de 5 ans**
Junioren bis 15 Jahre halber Preis	**demi-tarif pour les enfants de moins de 15 ans**
Wickeltisch/Wickelraum	**table à langer/espace bébé**
Spielplatz	**aire de jeux**

formules de base

Grundlagen

Oui.	*Ja.*	yâ
Non.	*Nein.*	nain
S'il vous/te plaît.	*Bitte.*	*bi*·te
Merci.	*Danke.*	*dang*·ke
Merci beaucoup.	*Vielen Dank.*	*fî*·len dangk
De rien.	*Bitte (sehr).*	*bi*·te (zair)
Pardon.	*Pardon*	*pâr*·dong
Excusez-moi.	*Entschuldigung.*	énnt·*chul*·di·goung
Excuse-moi.	*Entschuldigung.*	énnt·*chul*·di·goung
Ce n'est pas grave.	*Macht nichts.*	maRcht nicHts

saluer

Grüsse

Salut.		
(en Allemagne) pol	*Guten Tag.*	*gou*·ténn tâk
(en Allemagne) fam	*Hallo.*	*ha*·lo
(sud de l'Allemagne)	*Grüß Gott*	gruss got
(en Suisse)	*Grüezi.*	*gru*·é·tsi
(en Autriche)	*Servus.*	*zer*·vouss
Bonjour (matin)	*Guten Morgen*	*gou*·ténn *mor*·guénn
Bonjour	*Guten Tag*	*gou*·ténn tâk
Bonsoir	*Guten Abend*	*gou*·ténn *â*·bent
Bonne nuit	*Guten Nacht*	*gou*·ténn nâRcht
À tout à l'heure.	*Bis später.*	bis *chpé*·ter
Au revoir.	*Auf Wiedersehen.*	aof *vî*·der·zé·énn
Salut.	*Tschüss/Tschau.*	tchuss/tchao

Comment allez-vous/vas-tu ?
Wie geht es Ihnen/dir? **pol/fam** — vî gét ess *î*·nénn/dîr

Bien, merci. Et vous/toi ?
Danke, gut. — *dang*·ke goute
Und Ihnen/dir? **pol/fam** — unt *î*·nen/dîr

Quel est votre nom ?
Wie ist Ihr Name? **pol** — vî ist îr *nâ*·me

Comment t'appelles-tu ?
Wie heißt du? **fam** — vî hayst dou

Je m'appelle…
Mein Name ist ... **pol** — mayn *nâ*·me isst ...
Ich heiße ... **fam** — icH *hay*·sse ...

J'aimerais vous présenter…
Darf ich Ihnen/dir ... vorstellen? **pol/fam** — darf icH *î*·nen/dir ... *fôr*·chté·lénn

Enchanté(e).
Angenehm. — *an*·gué·nêm

s'adresser à quelqu'un

Le mot *Fräulein*, la traduction de "Mademoiselle", est tombé en désuétude. On ne l'utilise que pour de très jeunes filles, parfois des serveuses et surtout pour faire de l'humour. Dans le doute, préférez toujours *Frau* suivi du nom de famille. Contentez-vous d'un simple *Guten Tag*, si vous ne connaissez pas le nom de la personne. Sachez que *Mein Herr* (Monsieur) et *Meine Dame* (Madame), d'un charme suranné, ne sont plus de mise.

Si la personne porte un titre académique, il convient de l'ajouter après *Herr* et *Frau* : *Frau Professor* ou *Herr Doktor*.

M.	*Herr*	hér
Mme	*Frau*	frao
Mlle	*Frau/Fräulein*	frao/*froy*·laynn

engager la conversation

miteinander reden

Vous habitez/tu habites ici ?

Wohnen Sie hier? **pol**	vô·nénn zî hîr
Wohnst du hier? **fam**	vônst dou hîr

Où allez-vous/vas-tu ? (en voiture, train, vélo)

Wohin fahren Sie? **pol**	vô·hin *fâ*·ren zî
Wohin fährst du? **fam**	*vô*·hin férst dou

Où allez-vous/vas-tu ? (à pied)

Wohin gehen Sie? **pol**	vô·hin *gué*·énn sî
Wohin gehst du? **fam**	vô·hin *gué*·st dou

Que faites-vous/fais-tu ?

Was machen Sie? **pol**	vas *ma*·Rchen zî
Was machst du? **fam**	vas *ma*·Rchst dou

Vous attendez/Tu attends (le bus) ?

Warten Sie/Warten du (auf einen Bus)? **pol/fam**	*var*·ténn zî/*var*·test dou (aof *ay*·nénn bous)

Prenez-vous/prends-tu aussi (ce train, bus, etc.) ?

Fahren Sie auch (mit diesem Zug)? **pol**	*fâ*·ren zî aoRch (mit *dî*·zem tsouk)
Fährst du auch (mit diesem Zug)? **fam**	férst dou aoRch (mit *dî*·zem tsouk)

Prenez-vous/prends-tu aussi cet avion ?

Fliegen Sie auch mit diesem Flugzeug? **pol**	*flî*·guénn zî aoRch mit *dî*·zem *flouk*·zoyk
Fliegst du auch mit diesem Flugzeug? **fam**	*flîgst* dou aoRch mit *dî*·zem *flouk*·zoyk

Avez-vous/as-tu du feu ?

Haben Sie Feuer? **pol**	*hâ*·ben zî *foy*·er
Hast du Feuer? **fam**	hast dou *foy*·er

Il fait beau aujourd'hui n'est-ce pas ?

Schönes Wetter heute!	*cheuh*·nés *vé*·ter *hoy*·te

Quel temps affreux !

Furchtbares Wetter heute!	*fourcHt*·bâ·res *ve*·ter *hoy*·te

Je plaisante !
Das war nur ein Scherz! das vâr nour ayn chérts

Voici mon/ma…	*Das ist mein/meine/ mein ...* **m/f/n**	das ist mayn/*may*·ne/ mayn ...
enfant	*Kind* **n**	kinnt
fils/fille	*Sohn/Tochter* **m/f**	*sôn/toRch*·tér
collègue	*Kollege/ Kollegin* **m/f**	ko·*lé*·gué/ ko·*lé*·ginn
ami(e)	*Freund(in)* **m/f**	froynt/*froyn*·din
mari	*Mann* **m**	mann
femme	*meine Frau* **f**	frao
concubin(e)	*Partner(in)* **m/f**	*part*·nér/*part*·ne·rin

Vous vous plaisez/Tu te plais ici ?
Gefällt es Ihnen/dir hier? **pol/fam** gué·*félt* es *î*·nénn/dîr hîr

Je me plais beaucoup ici.
Mir gefällt es hier sehr gut. mîr gué·*felt* ess hîr zér goute

Que pensez-vous (de...)?
Was denken Sie/denkst du (über ...)? **pol/fam** vas *deng*·ken zî/dengkst dou (*u*·ber...)

Comment s'appelle ceci ?
Wie heißt das? vî hayst dass

Quel beau bébé !
Was für ein schönes Baby! vas fur ayn *cheuh*·nés *bé*·bi

Puis-je vous/te prendre en photo ?
Kann ich ein Foto von Ihnen/dir machen? **pol/fam** kan icH ayn *fô*·to fon *î*·nénn/dîr *ma*·Rchen

C'est (beau), n'est-ce pas ?
Ist das nicht (schön)? ist dass nicHt (cheuhn)

Êtes-vous/Es-tu en vacances ici ?
Sind Sie hier im Urlaub? **pol** zint zî hîr im *our*·laop
Bist du hier im Urlaub? **fam** bist dou hîr im *our*·laop

Je suis ici…	*Ich bin hier …*	icH bin hîr …
en vacances	*im Urlaub*	im *our*·laop
pour affaires	*auf Geschäfts-reise*	aof gué·*chefts*·ray·ze
pour étudier	*zum Studieren*	tsoum chtu·*dî*·ren
en famille	*mit meiner Familie*	mit *may*·ner fa·*mî*·li·e
avec mon petit ami	*mit meinem Partner* **m**	mit *may*·ném *part*·nér
avec ma petite amie	*mit meiner Partnerin* **f**	mit *may*·nér *part*·ne·rin

Combien de temps restez-vous/restes-tu ici ?

Für wie lange sind Sie hier? **pol**	fur vî *lang*·e zint zî hîr
Für wie lange bist du hier? **fam**	fur vî *lang*·e bist dou hîr

Je reste (4) semaines/jours.

Ich bin für (vier) Tage/Wochen hier.	icH bin fur (fîr) *tâ*·gué/*vo*·Rchen hîr

parler local

Salut !	*Hi/Hey!*	hay/héy
Super/Cool !	*Toll/Geil!/Krass!*	tol/gayl/krass
Top/Génial !	*Super!/Spitze!*	*zou*·per/*chpi*·tsè
Pas de problème.	*Kein Problem.*	kayn pro·*blaym*
Bien sûr.	*Klar!*	klâr
Peut-être.	*Vielleicht.*	fi·*laycHt*
Pas question !	*Auf keinen Fall!*	aof *kay*·nénn fal
C'est ok.	*Das ist OK.*	dass isst o·*kay*
Tout va bien.	*Alles klar.*	*a*·les klâr
Regarde !	*Guck mal!*	kouk mâl
Écoute !	*Hör mal!*	heuhr mâl
Écoute ça !	*Hör dir das an!*	heur dîr dass an
Tu es prêt(e) ?	*Bist du so weit?*	bist dou zô vayt
Je suis prêt(e).	*Ich bin so weit.*	icH bin zô vayt
Un instant.	*Einen Augenblick*	*ay*·nénn ao·guén·*blik*

nationalité

Nationalitäten

D'où venez-vous ?
Woher kommen Sie? vô·hér *ko*·ménn zî
D'où viens-tu ?
Woher kommst du? *vô*·hér komst dou

Je viens…	*Ich komme...*	icH kom·e...
d'Alsace	*aus dem Elsaß*	pa·*rîss*
du Canada	*aus Kanada*	ka·*na*·da
de Paris	*aus Paris*	aos pa·*rîss*
Je suis…	*Ich bin...*	icH *bin*...
français	*Franzose*	frann·*tsô*·seuh
française	*Französin*	frann·*tseuh*·sinn
breton(ne)	*Bretone/nin*	bré·*tô*·ne/ninn

Pour d'autres pays ou nationalités, consultez le **dictionnaire**.

âge

Alter

Quel âge… ?	*Wie alt ...?*	vî alt ...
avez-vous	*sind Sie*	zint zî
as-tu	*bist du*	bist dou
a votre/ta fille	*ist Ihre/deine Tochter* **pol/fam**	ist *î*·re/*day*·ne *toRch*·ter
a votre/ton fils	*ist Ihr/dein Sohn* **pol/fam**	ist îr/dayn zôn

J'ai … ans.
Ich bin ... Jahre alt. icH bin ... *yâ*·re alt
Il/elle a … ans.
Er/Sie ist ... Jahre alt. ér/zî ist ... *yâ*·re alt
Je suis plus jeune/agé(e) que j'en ai l'air.
Ich bin jünger/älter als ich aussehe. icH bin *yunng*·er als icH *aos*·zé·e

Pour l'âge, consultez le chapitre **nombres et quantités**, p. 27.

travail et études

Berufe und Studium

Que faites-vous dans la vie ?

Als was arbeiten Sie? **pol**		als vas *ar*·bay·ténn zî
Als was arbeitest du? **fam**		als vas *ar*·bay·test dou

Je suis…	*Ich bin*	icH bin
	ein/eine ... **m/f**	ayn/ayn·e ...
consultant	*Berater* **m**	*bé*·ra·ter
consultante	*Beraterin* **f**	*bé*·ra·té·rinn
écrivain	*Schriftsteller* **m**	*chrift*·chté·lér
écrivaine	*Schriftstellerin* **f**	*chrift*·chté·le·rinn
drag queen	*Drag Queen* **f**	drég kvîn

Je travaille dans…	*Ich arbeite ...*	icH *ar*·bay·te inn...
l'administration	*in der Verwaltung*	dér fer·*val*·toung
l'informatique	*in der IT-Branche*	dér ay·*tî*·brang·che
la vente et le marketing	*im Verkauf und Marketing*	im fer·*kaof* ount *mar*·ké·tinng

Je suis…	*Ich bin ...*	icH bin ...
à mon compte	*selbstständig*	*zelpst*·chténn·dicH
au chômage	*arbeitslos*	*ar*·bayts·lôs
retraité	*Rentner* **m**	*rennt*·nér
retraitée	*Rentnerin* **f**	*rennt*·né·rinn

Qu'étudiez-vous/étudies-tu ?

Was studieren Sie? **pol**		vas chtou·*dî*·ren zî
Was studierst du? **fam**		vas chtou·*dîrst* dou

J'étudie…	*Ich studiere ...*	icH chtu·*dî*·re ...
l'allemand	*Deutsch*	doytch
l'histoire	*Geschichte*	gué·*chicH*·té
la médecine	*Medizin*	mé·di·*tsîn*

Pour en connaître plus sur les professions et les études, consultez le **dictionnaire**.

famille

Familie

Avez-vous un(e)… ?
Haben Sie einen/eine ...? **m/f** — hâ·ben zî ay·nen/ay·ne ...

As-tu un(e)… ?
Hast du einen/eine ...? **m/f** — hast dou ay·nen/ay·ne ...

Je (n') ai (pas)…
Ich habe (k)einen/ (k)eine ... **m/f** — icH hâ·be (k)ay·nen/ (k)ay·ne ...

Vous habitez chez (vos parents) ?
Leben Sie bei (Ihren Eltern)? — lé·ben zî bay (î·ren el·tern)

Habites-tu chez (tes parents) ?
Lebst du bei (deinen Eltern)? — lépst dou bay (day·nénn el·tern)

J'habite chez mon/ma/mes…
Ich lebe bei meinem/ meiner/meinen ... **m/f/pl** — icH lé·be bay may·némm/ may·ner/may·nénn ...

C'est mon/ma…
Das ist mein/meine ... **m/f** — dass isst mayn/may·ne ...

Êtes-vous/es-tu marié(e) ?
Sind Sie/Bist du verheiratet? **pol/fam** — zint zî bist dou fer·hay·ra·tét

Je vis avec quelqu'un.
Ich lebe mit jemandem zusammen. — icH lé·bé mit yé·mann·démm tsou·za·ménn

Je suis…	*Ich bin ...*	icH bin ...
célibataire	*ledig*	lé·dicH
marié(e)	*verheiratet*	fer·hay·ra·tet
séparé(e)	*getrennt*	gué·trénnt

enfants

Kinder

C'est quand ton anniversaire ?
Wann hast du Geburtstag? — van hast dou gué·*bourts*·tâk

Vas-tu à l'école ou au jardin d'enfants ?
Gehst du in die Schule oder in den Kindergarten? — gést dou in dî *chou*·le ô·dér in dayn *kin*·der·guar·ténn

En quelle classe es-tu ?
In welcher Klasse bist du? — in *vél*·cHer *kla*·se bist dou

Que fais-tu après l'école ?
Was machst du nach der Schule? — vas maRchst dou nâRch dér *chou*·le

Est-ce que tu apprends le français ?
Lernst du Französisch? — lérnst dou frann·*tseuh*·sich

Je viens de très loin.
Ich komme von sehr weit her. — icH *ko*·me fon zér vayt hér

Tu es perdu ?
Hast du dich verlaufen? — hast dou dicH fer·*lao*·fen

au revoir

Abschied

Demain, c'est mon dernier jour ici.
Morgen ist mein letzter Tag hier. — *mor*·guén ist mayn *lets*·ter tâk hîr

Voici mon/ma…	*Hier ist meine ...*	hîr ist *may*·ne...
Quelle est votre… ?	*Wie ist Ihre...?*	vî ist *î*·re...
Quelle est ton… ?	*Wie ist deine ...?*	vî ist *day*·ne...
adresse	*Adresse*	a·*dré*·se
adresse e-mail	*E-mail-Adresse*	*î*·mayl·a·dré·sse
numéro de fax	*Faxnummer*	*faks*·nou·mer
numéro de portable	*Handynummer*	*hénn*·di·nou·mer
numéro de pages	*Pagernummer*	*pay*·djér·nou·mer
numéro au travail	*Nummer bei der Arbeit*	*nou*·mer bay dér *ar*·bayt

Pour plus de détails sur les adresses, consultez **orientation**, p. 59.

Si jamais vous passez par (Saint-Malo), venez nous voir.
Wenn Sie jemals nach (Saint-Malo) kommen, besuchen Sie uns doch mal. **pol** — ven zî *yay*·mâls nâRch (sann *ma*·lô) *ko*·men be·*zou*·Rchen zî uns doRch mâl

Si tu passes par (Marburg), viens nous voir.
Wenn du jemals nach (Marburg) kommst, besuche uns doch mal. **fam** — ven dou *yay*·mâls nâRch (*mar*·bourgk) komst be·*zou*·Rche uns doRch mâl

Donnez de vos nouvelles !
Melden Sie sich doch mal! **pol** — *mel*·den zî zicH doRch mâl

Donne de tes nouvelles !
Melde dich mal! **fam** — *mel*·de dicH mâl

J'ai été ravi(e) de faire votre/ta connaissance.
Es war schön, Sie/dich kennen zu lernen. **pol/fam** — es vâr cheuhnn zî/dicH *ké*·nénn tsou *lér*·nénn

Revenez vite.
Kommen Sie bald wieder! **pol** — *ko*·ménn zî balt vî·dér

Reviens vite.
Komm bald wieder! **fam** — *komm* balt vî·dér

parler local

À vos/tes souhaits !	*Gesundheit!*	gué·*zunt*·hait
À votre santé !	*Auf Ihr/dein Wohl!*	aof îr/dayn *vôl*
Au revoir !	*Auf Wiedersehen!*	aof vî·dér·sên
Bon voyage !	*Gute Reise!*	*gou*·te *ray*·ze
Bonne chance !	*Viel Glück!*	fîl gluk
Tchin-tchin !	*Prost!*	prôst
Joyeux anniversaire !	*Herzlichen Glückwunsch zum Geburtstag!*	*herts*·li·cHénn *gluk*·vounch tsoum gué·*burts*·tâk
Quel dommage !	*Schade!*	*châ*·de
Quelle poisse !	*So ein Pech!*	so ayn *pécH*

centres d'intérêt

gemeinsame Interessen

Que faites-vous de votre temps libre ?
Was machen Sie wenn Sie nicht arbeiten ? **pol** — vas *ma*·Rchénn zî vénn zî nicHt *ar*·bay·ténn

Que fais-tu de ton temps libre ?
Was machst du in deiner Freizeit? **fam** — vas maRchst dou in day·nér *fray*·tsayt

Aimez-vous… ?	*Mögen Sie ...?* **pol**	*meuh*·guénn zî ...
Aimes-tu… ?	*Magst du ...?* **inf**	maRchst dou ...
J'aime…	*Ich ... gern.*	icH ... guérn
danser	*tanze*	*tan*·tse
dessiner	*zeichne*	*tsaycH*·ne
lire	*lese*	*lé*·ze
peindre	*male*	*mâ*·le
sortir	*gehe ... aus*	*gé*·e ... aos
voyager	*reise*	*ray*·ze
faire de la photo	*fotografiere*	fo·to·gra·*fî*·re
le cinéma	*sehe ... Filme*	*zé*·e ... *fil*·meuh
le shopping	*kaufe ... ein*	*kao*·fe ... ayn
Et vous/toi ?	*Und Sie/du?*	ounnt zî/dou

Je (n')aime (pas)…	*Ich mag (keine/ keinen) …* **m/f**	icH mâk (*kay*·ne/ *kay*·nénn) …
la musique	*Musik* **f**	mou·*zîk*
le sport	*Sport* **m**	chport
Je n'aime pas…	*Ich mag nicht*	icH mâk nicHt
faire de la marche	*wandern*	*van*·de·re
jardiner	*im Garten arbeiten*	imm *guar*·ténn *ar*·bay·ténn
travailler	*arbeiten*	*ar*·bay·ténn

Consultez également le chapitre **sports**, p. 123, et le **dictionnaire**.

musique

Musik

Aimez-vous… ? pol

aller au concert	*Gehen Sie gern in Konzerte?*	*gay*·en zî gern in kon·*tser*·te
chanter	*Singen Sie gern?*	*zing*·énn zî guérn
danser	*Tanzen Sie gern?*	*tan*·tsénn zî guérn
écouter de la musique	*Hören Sie gern Musik?*	*her*·ren zî guérn mou·*zîk*

Aimes-tu… ? fam

aller au concert	*Gehst du gern in Konzerte?*	gést dou guérn in kon·*tser*·te
chanter	*Singst du gern?*	zingkst dou guérn
danser	*Tanzt du gern?*	tantst dou guérn
écouter de la musique	*Hörst du gern Musik?*	heuhrst dou guérn mou·*zîk*

Jouez-vous/Joues-tu d'un instrument ?

Spielen Sie ein Instrument? **pol** — *chpî*·lénn zî ayn in·strou·*ménnt*
Spielst du ein Instrument? **fam** — chpîlst dou ayn in·strou·*ménnt*

Quels sont les (types de musique) que vous aimez ?

Welche (Art von Musik) mögen Sie? **pol** — *vel*·cHe (art fon mu·*zîk*) *meuh*·guén zî

Quels sont les (groupes) que tu aimes ?
Welche (Bands) magst du? **fam** *vel*·cHe *(bents)* mâkst dou

musique classique	*klassische Musik* **f**	*kla*·ssi·che mou·*zîk*
musique éléctronique	*elektronische Musik* **f**	e·lek·*trô*·ni·che mou·*zîk*
jazz	*Jazz* **m**	dzhez
métal	*Metal* **m**	*me*·tel
pop	*Popmusik* **f**	*pop*·mu·zîk
punk	*Punk* **m**	pangk
rock	*Rockmusik* **f**	*rok*·mu·zîk
R & B	*Rhythm'n'Blues* **m**	*rithm*·n·*blouz*
musique traditionnelle	*traditionelle Musik* **f**	tra·di·tsyo·*né*·le mou·*zîk*
world music	*Weltmusik* **f**	*velt*·mou·zîk

Vous souhaitez aller à concert ? Consultez le chapitre **sortir**, p. 107.

cinéma et théâtre

Kino und Theater

J'aimerais aller au… *Ich hätte Lust, … zu gehen.* icH *hé*·te loust … tsou *gué*·énn

cinéma	*ins Kino*	ins *kî*·no
théâtre	*ins Theater*	ins té·*â*·ter

L'avez-vous/L'as-tu aimé ?
Hat es Ihnen/dir gefallen? hat es *î*·nénn/dîr ge·*fa*·lénn

Qu'y a-t-il au cinéma/théâtre aujourd'hui ?
Was gibt es heute im Kino/Theater? vas gipt es *hoy*·te im *kî*·no/té·*â*·ter

Est-ce en français ?
Ist es auf Französisch? ist es aof frann·*tseuh*·sich

Est-ce sous-titré ?
Hat es Untertitel? hat ess *oun*·ter·tî·tél

Ces places sont-elles prises ?
Sind diese Plätze besetzt? zint *dî*·ze *plé*·tse bé·*zetst*

Avez-vous/As-tu vu ... ?
Haben Sie/Hast du ... gesehen? *hâ*·ben zî/hast dou ... ge·*zé*·énn

Qui joue dedans ?
Wer spielt da mit? vér chpîlt dâ mit

Il y a…
Es ist mit ... ess isst mit ...

J'ai trouvé cela…	*Ich fand es ...*	icH fannt ess ...
excellent	*ausgezeichnet*	aos·gué·*tsaycH*·net
long	*lang*	lanng
sans plus	*okay*	o·*kay*

Je (n') aime (pas) le/la/les…	*Ich mag (keine)...*	icH mâk (*kay*·ne)...
cinéma allemand	*deutsche(n) Filme*	*doy*·tche(n) *fil*·me
comédies	*Komödien*	ko·*mer*·di·en
courts-métrages	*Kurzfilme*	*kourts*·fil·me
dessins animés	*Zeichentrickfilme*	*tsay*·cHénn·trik·fil·me
documentaires	*Dokumentarfilme*	do·kou·men·*târ*·fil·me
drames	*Schauspiele*	*chao*·chpî·le
drames historiques	*Historienfilme*	his·*to*·ri·énn·fil·me
films d'action	*Actionfilme*	*ek*·tchénn·fil·me
films d'horreur	*Horrorfilme*	*ho*·ror·fil·me
films de guerre	*Kriegsfilme*	*krîks*·fil·me
cinéma réaliste	*Realismus*	re·a·*lis*·mouss
science-fiction	*Sciencefiction*	say·énns·*fik*·chen
théâtre classique	*klassisches Theater*	*kla*·si·ches té·*â*·ter

sentiments

Gefühle

Je (ne) suis (pas)…	*Ich bin (nicht) ...*	icH bin (nicHt)...
Êtez-vous… ?	*Sind Sie ...?* **pol**	zint zî...
Es-tu… ?	*Bist du ...?* **fam**	bist dou...
déçu(e)	*enttäuscht*	énn·*toycht*
fâché(e)	*verärgert*	fer·*ér*·guért
fatigué(e)	*müde*	*mu*·de
pressé(e)	*in Eile*	in *ay*·le
triste	*traurig*	*trao*·ricH

Je (n') ai (pas)…	*Ich habe (kein)...*	icH *hâ*·be (kayn)...
Avez-vous… ?	*Haben Sie ...?*	*hâ*·ben zî...
As-tu… ?	*Hast du ...?*	hast dou...
faim	*Hunger*	*hung*·er
soif	*Durst*	dourst

Avez-vous… ?	*Ist Ihnen ...?* **pol**	ist *î*·nen
As-tu… ?	*Ist dir ...?* **fam**	ist dîr
J'ai…	*Mir ist ...*	mîr ist
Je n'ai pas…	*Mir ist nicht ...*	mîr ist nicHt
froid	*kalt*	kalt
chaud	*heiß*	hays

Je (ne) suis (pas) ennuyé(e).
Das ist mir (nicht) peinlich. das isst mîr (nicHt) *payn*·licH

Je (ne) me fais (pas) du/de soucis.
Ich mache mir (keine) Sorgen. icH *ma*·Rche mîr (kayn) *zor*·guénn

Vous semblez/tu sembles... ?

ennuyé(e)	*Ist Ihnen/dir das peinlich?* **pol/fam**	ist *î*·nénn/dîr idas *payn*·licH
soucieux/ soucieuse	*Machen Sie sich Sorgen?* **pol**	*ma*·cHénn zî zicH *zor*·guénn
	Machst du dir Sorgen? **fam**	maRchst dou dîr *zor*·guénn

sentiments contrastés

un peu	*ein bisschen*	ayn *bis*·cHen
Je suis un peu triste.	*Ich bin ein bisschen traurig.*	icH binn ayn *bis*·cHen *trao*·ricH
terrible(ment)	*furchtbar*	*fourcHt*·bâr
Je suis vraiment désolé(e).	*Es tut mir furchtbar Leid.*	es toute mîr *furcHt*·bâr layt
très	*sehr*	zér
J'ai beaucoup de chance.	*Ich schätze mich sehr glücklich.*	icH *ché*·tse micH zér *gluk*·licH
complètement	*völlig*	*feuh*·licH
pas du tout	*überhaupt nicht*	u·bér·*haopt* nicHt
profondément	*abgrundtief*	*ap*·groun·tîf
assez	*ziemlich*	*tsîmm*·licH
totalement	*total*	to·*tâl*

opinions

Meinungen

Avez-vous/As-tu aimé ?
Hat es Ihnen/dir gefallen? **pol/fam** — hat es *î*·nénn/dîr gué·*fa*·lénn

Qu'en avez-vous/as-tu pensé ?
Wie hat es Ihnen/dir gefallen? — vî hat es *î*·nénn/dîr gué·*fa*·lénn

C'est/C'était…	*Es ist/war ...*	es ist/vâr ...
acceptable	*okay*	o·*kay*
affreux	*schrecklich*	*chrék*·licH
beau	*schön*	cheuhn
ennuyeux	*langweilig*	*lang*·vay·licH
génial	*toll*	tol
intéressant	*interessant*	in·tré·*sannt*
trop cher	*zu teuer*	tsou *toy*·ér

politique et société

politische und soziale Fragen

Je soutiens le parti…	*Ich unterstütze die ... Partei.*	icH oun·ter·*chtu*·tse dî... par·*tai*
centriste	*gemäßigt*	gué·mè·ssigt
communiste	*kommunistische*	ko·mu·*nis*·ti·she
conservateur	*konservative*	*kon*·zer·va·tee·ve
d'extrême gauche/droite	*Links-/Rechts-radikal*	linnks/récHts ra·di·*kâl*
libéral	*liberale*	li·be·*râl*·e
socialiste	*sozialistische*	zo·tsya·*lis*·ti·cheuh
social-démocrate	*sozial-demokratische*	zo·*tsyahl*-de·mo·*krâ*·ti·cheuh
vert	*grüne*	*gru*·ne

Je suis pour/contre l'Europe.
Ich bin für/gegen Europa. — icH bin *fur* gué·guénn oy·*rô*·pâ

Pour qui votez-vous/votes-tu ?
Wen wählen Sie/wählst du ? **pol/fam** — vén *vé*·lénn zî/vélst dou

Avez-vous/As-tu entendu parler de… ?
Haben Sie von ... gehört? **pol** — *hâ*·bénn zî fon ... gué·*heuhrt*
Hast du von ... gehört? **fam** — hast dou fon ... gué·*heuhrt*

Êtes-vous/Es-tu d'accord avec ça ?
Sind Sie damit einverstanden ? **pol** — zint zî dâ·*mit* *ayn*·fer·chtann·dénn
Bist du damit einverstanden ? **fam** — bist dou dâ·*mit* *ayn*·fer·chtann·dénn

Je (ne) suis (pas) d'accord avec ça.

Ich bin damit (nicht) einverstanden. — icH bin dâ·*mit* (nicHt) *ayn*·fer·chtann·dénnn

Êtez-vous pour/contre… ?

Sind Sie für/gegen ...? **pol** — zint zî fur/*gé*·guénn ...

Es-tu pour/contre ... ?

Bist du für/gegen ...? **fam** — bist dou fur/*gé*·guénn ...

Que pensent les gens au sujet de/du/des… ?

Was denken die Leute über ...? — vas *deng*·kénn dî *loy*·te *u*·bér ...

l'avortement	*Abtreibung* **f**	*ap*·tray·boung
chômage	*Arbeitslosigkeit* **f**	*ar*·bauts·lô·zicH·kayt
l'éducation	*Bildung* **f**	*bil*·doung
discrimination	*Diskriminierung* **f**	dis·kri·mi·*nî*·roung
drogues	*Drogen* **f pl**	*drô*·guénn
droits de l'homme	*Menschenrechte* **n pl**	*ménn*·chénn·recH·te
l'économie	*die Wirtschaft* **f**	dî *virte*·chaft
l'égalité des sexes	*Gleichberechtigung* **f**	*glaycH*·bé·recH·ti·goung
l'environnement	*die Umwelt* **f**	dî *oum*·vélt
l'euthanasie	*Euthanasie* **f**	oy·ta·na·*zî*
l'Europe	*Europa* **n**	oy·*rô*·pâ
l'État-providence	*Wohlfahrtsstaat* **m**	*vôl*·fârts·chtât
l'immigration	*Einwanderung* **f**	*ayn*·van·de·roung
mondialisation	*Globalisierung* **f**	glô·ba·li·*zî*·roung
protection des animaux	*Tierschutz* **m**	*tîr*·chouts
racisme	*Rassismus* **m**	ra·*sis*·mouss
sexisme	*Sexismus* **m**	sék·*sis*·mouss

EN SOCIÉTÉ

environnement

die Umwelt

Y a-t-il des problèmes de … dans la région ?

Gibt es hier ein Problem mit ...?	gipt es hîr ayn pro·*blémm* mit ...

Qu'est-ce qui pourrait être fait contre… ?

Was sollte man gegen ... tun?	vas *zol*·te mann gé·guénn ... tounn

aliments/céréales génétiquement modifié(e)s	*genmanipuliertes Essen/Getreide* **n/n**	*gén*·ma·ni·pou·lîr·tes e·ssénn/gué·*tray*·de
biodégradable	*biologisch abbaubar*	bi·o·*lô*·guiche *ap*·bao·bâr
chasse	*Jagd* **f**	yâkt
couche d'ozone	*Ozonschicht* **f**	o·*tsôn*·chicHt
déchets nucléaires	*Atommüll* **m**	a·*tôm*·mul
déchets toxiques	*Giftmüll* **m**	*gift*·mul
déforestation	*Abholzung* **f**	*ap*·hol·tsoung
écosystème	*Ökosystem* **n**	*euh*·ko·zus·témm
énergie nucléaire	*Atomenergie* **f**	a·*tômm*·é·nér·jî
espèces en danger	*gefährdete Arten* **f pl**	ge·*fayr*·de·té *ar*·ténn
essais nucléaires	*Atomtests* **m pl**	a·*tôm*·tests
hydro-éléctricité	*Strom* **m** *aus Wasserkraft*	chtrôm aos *va*·ssér·kraft
inondations	*Überschwem-mungen* **f pl**	u·bér·*chvé*·moung·énn
nappe phréatique	*Grundwasser* **n**	*ground*·va·ssér
pesticides	*Pestizide* **n pl**	péss·ti·*tsî*·de
pollution	*Umweltver-schmutzung* **f**	*oum*·vélt·fer·chmou·tsoung
protection de l'environnement	*Umweltverschutz* **m**	*oum*·vélt·fer·chouts
recyclage	*Recycling* **n**	ri·*ssay*·klinng·
sécheresse	*Trockenheit* **f**	*tro*·kénn·hayt

ressources en eau	*Wasserver-sorgung* **f**	*va*·ssér·fer zor·goung
Est-ce … protégée ?	*Ist das ...?*	ist das ...
une forêt	*ein geschützter Wald*	ayn gué·*chuts*·ter valt
une espèce	*eine geschützte Art*	*ay*·ne gué·*chuts*·te art

le dernier mot

Si vous voulez impressionner vos nouveaux amis allemands avec des expressions du cru ou faire passer votre opinion, essayez les phrases suivantes :

Cela va de soi.
Das versteht sich von selbst. — das ver·*chtêt* zicH fon zélbst

Ça ne marche pas avec moi.
Damit können Sie bei mir nicht landen. — *da*·mit *keuh*·nénn zî bay mîr nicHt *lann*·dénn
(litt : Vous ne pouvez pas atterrir chez moi avec ça.)

Cela n'intéresse personne.
Danach kräht kein Hahn. — da·*nacH* krêt kayn hânn
(litt : aucun coq ne le chante)

C'est là où le bât blesse.
Da liegt der Hund begraben. — da lîgt dér hount bé·*grâb*·énn
(litt : c'est ici que le chien a été enterré)

Tenez-vous en aux faits !
Bleiben Sie sachlich! — *blay*·bén zî *zacH*·licH

Cela ne mène nulle part.
Das führt zu nichts. — dass furt tsou nicHts

À d'autres !
Das können Sie uns nicht erzählen! — dass *keuhn*·énn zî ouns nicHt er·*tsé*·lénn
(litt : vous ne pouvez pas nous raconter cela)

Avoir le dernier mot.
das letze Wort haben. — das *lets*·te vort *hâb*·énn

sortir

wohin ausgehen

Que peut-on faire le soir ?

Was kann man abends unternehmen?	vas kan man *â*·bénnts oun·tér·*né*·ménn

Que se passe-t-il… ?	*Was ist ... los?*	vas ist ... lôs
près d'ici	*hier*	hîr
aujourd'hui	*heute*	*hoy*·te
ce soir	*heute Abend* **m**	*hoy*·te *â*·bénnt
ce week-end	*dieses Wochenende* **n**	*dî*·zés *vo*·Rchénn·énn·de

Où puis-je trouver… ?	*Wo sind die... ?*	vô zint dî ...
un club	*Klubs* **m pl**	kloups
un club gay	*Schwulen- und Lesbenkneipen*	*chvou*·lénn ounnt *léss*·bénn·knay·pénn
un restaurant	*Restaurants*	réss·to·*rangs*
un bar	*Kneipen* **m pl**	*knay*·pénn

Y a-t-il un programme des spectacles et des sorties ?

Gibt es einen Veranstaltungskalender?	gipt es *ay*·nénn fer·*ann*·chtal·toungks·ka·lénn·dér

Y a-t-il un guide pour la communauté homosexuelle ?

Gibt es einen Führer für die Schwulen- und Lesbenszene?	gipt es *ay*·nénn *fu*·rér fur dî *chvou*·lénn ount *les*·bens·tsay·ne

J'aimerais sortir.

Ich hätte Lust, auszugehen.	icH *hé*·te *loust aos*·tsou·gé·énn

J'aimerais aller…	*Ich hätte Lust, … zu gehen.*	icH *hé*·te loust … tsou *gé*·énn
à l'opéra	*in die Oper*	in dî *ô*·pér
au cinéma	*ins Kino*	ins *kî*·no
au concert	*in ein Konzert*	in ayn kon·*tsért*
au restaurant	*in ein Restaurant*	in ayn réss·to·*rang*
au théâtre	*ins Theater*	ins té·*â*·ter
dans un bar/pub	*in eine Kneipe*	in *ay*·ne *knay*·pe
dans un café	*in ein Café*	in ayn ka·*fé*
en boîte de nuit	*in einen Nachtklub*	in *ay*·nen *nacHt*·kloup
voir un ballet	*zum Ballett*	tsoum ba·*let*

invitations

Einladungen

Que fais-tu (…) ?	*Was machst du (...)?*	vas macHst dou (...)
en ce moment	*jetzt gerade*	jetst ge·*râ*·de
ce soir	*heute Abend*	*hoy*·teâ·bent
ce week-end	*am Wochenende*	amm *vo*·Rchénn·énn·de
Aimerais-tu aller (prendre)… ?	*Möchtest du … gehen?*	*merkh*·test dou … *gué*·enn
un café	*einen Kaffee trinken*	*ay*·nénn *ka*·fé *tring*·kénn
danser	*tanzen*	*tann*·tsénn
boire quelque chose	*etwas trinken*	*et*·vas *trinng*·kén
manger	*essen*	*é*·ssén

Aimerais-tu venir avec moi à/au… ?
Möchtest du mit mir zum … -konzert gehen? — *meuhcH*·tést dou mit mîr tsoum …·kon·*tsert gué*·énn

Nous allons faire une fête.
Wir machen eine Party. — vîr *ma*·cHénn *ay*·ne *par*·ti

Est-ce que tu auras envie de venir ?
Hättest du Lust zu kommen? — *hé*·test dou loust tsou *ko*·ménn

répondre à une invitation

auf Einladungen reagieren

Bien sûr !	*Klar!*	klâr
Oui, volontiers.	*Ja, gerne.*	yâ *guér*·ne
C'est très gentil de votre/ta part.	*Das ist sehr nett von Ihnen/dir.* **pol/fam**	das isst zér net fon dîr/oycH
Où allons-nous ?	*Wo sollen wir hingehen?*	vô *zo*·lénn vîr *hin*·gué·énn
Non, je suis désolé(e), mais je ne peux pas.	*Nein, es tut mir Leid, aber ich kann nicht.*	nayn es tout mîr layt *â*·bér icH kann nicHt
Pourquoi pas demain ?	*Wie wäre es mit morgen?*	vî *vér*·re éss mit *mor*·guénn

parler local

On s'ennuie grave.
Da ist nichts los. **fam** — dâ ist nicHts lôs

On se fait suer comme des rats morts là-bas.
Da ist tote Hose. **fam** — dâ ist *tô*·te *hô*·ze
(litt : c'est les pantalons morts là-bas)

On s'éclate comme des bêtes là-bas.
Da ist die Sau los. **fam** — da ist dî zao lôs
(litt : c'est là où on a lâché la truie)
Da boxt der Papst. **fam** — dâ bokst dér pâpst
(litt : c'est là où le pape fait de la boxe)

organiser un rendez-vous

einen Treffpunkt verabreden

Où/Quand nous retrouvons-nous ?
Wo/Wann sollen wir uns treffen? — vô/vann *zo*·lénn vîr ouns *tre*·fénn

Retrouvons-nous…	*Wir treffen uns ...*	vîr *tre*·fénn ouns ...
à (8) h	*um (acht) Uhr*	oum (acHt) our
à l'entrée	*am Eingang*	amm (*ayn*·ganng)

D'accord !
Okay! o·*kay*
À tout à l'heure.
Bis gleich! bis glaycH
Je vais venir te chercher.
Ich hole dich ab. icH *hô*·le dicH ap
Je viendrai plus tard. Où seras-tu ?
Ich komme später. icH *ko*·meuh *chpé*·tér
Wo wirst du sein? vô virst dou zayn
Si je ne suis pas arrivé à (9)h, ne m'attends pas.
Wenn ich bis (neun) vénn icH bis (noyn)
Uhr nicht da bin, our nicHt dâ binn
warte nicht auf mich. *var*·te nicHt aof micH
À tout à l'heure/demain.
Bis später/morgen. bis *chpé*·ter/*mor*·guénn
Je m'en rejouis déjà.
Ich freue mich darauf. icH *froy*·e micH da·*raof*
Je suis désolé(e) d'être en retard.
Es tut mir Leid, dass es tout mîr layt das
ich zu spät komme. icH tsou chpét *ko*·meuh
Ce n'est pas grave.
Macht nichts. maRcht nicHts

drogues

Drogen

Je ne prends pas de drogues.
Ich nehme keine Drogen. icH *né*·me *kay*·ne *drô*·guénn
Je prends … de temps en temps.
Ich nehme ab und zu ... icH *né*·me ap ount tsou ...

du chocolat	*Schokolade*	cho·ko·*la*·deuh
du café	*Kaffee*	ka·*fé*
des Haribo	*Haribo*	*ha*·ri·beau

Lonely Planet déconseille à ses lecteurs l'usage de drogues, même les plus "douces", qui modifient le comportement.

rendez-vous

sich verabreden

Aimerais-tu faire quelque chose... ?	*Hättest du Lust, ... was zu unternehmen?*	*hé*·test dou loust ... vas tsou oun·ter·*né*·ménn
Qu'aimerais-tu faire... ?	*Wo würdest du ... gerne hingehen?*	vô *vur*·dést dou ... *guér*·ne *hinn*·gué·énn
ce soir	*heute Abend*	*hoy*·te *â*·bent
demain	*morgen*	*mor*·guénn
ce week-end	*am Wochenende*	amm *vo*·Rchénn·en·de

Oui, j'aimerais bien.
Ja, gerne. — yâ *guér*·ne

Bien sûr, ce sera sympa.
Klar! Das wäre nett. — klâr das *vér*·re néte

Je n'ai pas le temps.
Ich habe keine Zeit. — icH *hâ*·be *kay*·ne tsait

Laisse tomber !
Vergiss es! — fer·*gis* ess

parler local

C'est un(e)...	*Er/Sie ist ...*	ér/zî ist ..
beauté/canon	*eine Schönheit*	*ay*·ne *cheuhn*·hayt
bombe	*eine heiße Frau*	*ay*·ne *hay*·se frao
idiot	*ein Depp*	ayn dépp
belle garce	*eine Zicke*	*ay*·ne *tsi*·ke
type canon	*ein heißer Typ*	ayn *hay*·ser *tup*

Il/Elle est vraiment top canon. fam
Er/Sie sieht echt geil aus. — ér/zî zît ecHt gayl aos

Il/Elle ratisse large !
Er/Sie lässt nichts anbrennen. — ér/zî lest nicHts *an*·bré·nénn
(litt : il/elle ne laisse rien brûler)

séduction

Anmachsprüche

Est-ce que nous ne nous sommes pas déjà vus quelque part ?
Kennen wir uns nicht von irgendwoher? — *ke*·nénn vîr ouns nicHt fon *ir*·guént·vo·*hér*

Est-ce que tu veux boire quelque chose ?
Möchtest du etwas trinken? — *meucH*·test dou *et*·vas *trinng*·kén

De quel signe astrologique es-tu ?
Was für ein Sternzeichen bist du? — vas fur ayn *chtern*·tsai·cHén bist dou

Tu veux prendre un peu l'air ?
Sollen wir ein bisschen an die frische Luft gehen? — *zo*·lén vîr ayn *bis*·cHen an dî *fri*·che louft *gué*·én

J'aime beaucoup ta personnalité.
Du hast eine wundervolle Persönlichkeit. — dou hast *ay*·ne *voun*·der·vo·leuh per·*zeuhn*·licH·kayt

Tu as un/des… superbe(s).	*Du hast ...*	dou hast ...
corps	*einen schönen Körper*	*ay*·nén *cheuh*·nén *keuhr*·per
yeux	*schöne Augen*	*cheuh*·ne *ao*·guén
mains	*schöne Hände*	*cher*·ne *hén*·de
sourire	*ein schönes Lachen*	ayn *cheuh*·nés *la*·cHen

refus

Zurückweisungen

Je suis avec…	*Ich bin mit ... hier.*	icH bin mit ... hîr
mon petit ami	*meinem Freund*	*may*·ném froynt
ma petite amie	*meiner Freundin*	*may*·ner froyn·din

Excusez-moi, je dois partir.
Tut mir Leid, ich muss jetzt gehen. — tout mîr layt icH mouss yétst *gé*·én

Non, merci.
Nein, danke. — nayn *danng*·ke

Je ne préfère pas.
Lieber nicht. — *lî*·bér nicHt

Peut-être une autre fois.
Vielleicht ein andermal. — fi·*laycHt* ayn *ann*·der·mâl

Avant d'aller plus loin, il faut que je te confesse quelque chose. Je suis (comptable).
Bevor wir uns näher kennen lernen, muss ich etwas klarstellen. Ich bin (Buchhalter/Buchhalterin). **m/f** — be·*fôr* vîr ouns *né*·ér *ké*·nén *lér*·nén mousse icH *et*·vas *klâr*·chté·lèn icH bin (*boucH*·hal·tér/*boucH*·hal·te·rin)

Je pense que tu as un vrai problème d'ego.
Du leidest wohl unter Größenwahn. — dou *lay*·dest vôl *oun*·ter *greuh*·ssén·vân

parler local

Je préférerais que tu me laisses tranquille.
Es wäre mir lieber, du würdest mich in Frieden lassen. — es *vér*·re mîr *lî*·bér dou *vur*·dést micH in *frî*·dénn *la*·ssénn

Laisse-moi tranquille !
Lass mich zufrieden! — las micH tsou·*frî*·dénn

Tu me tapes (vraiment) sur le système !
Du nervst (echt verstärkt)! — dou nérfst (ecHt fer·*chtérkt*)

Va te faire voir ailleurs !
Verpiss dich! — fer·*pis* dicH

Ça ne m'intéresse pas.
Ich bin nicht interessiert. — icH bin nicHt in·tre·*sîrt*

tentatives d'approche

sich näher kommen

Pourrais-tu me raccompagner ?
Kannst du mich nach Hause bringen? — kanst dou micH naRcH *hao*·ze *brinng*·énn

Veux-tu monter juste un instant ?
Möchtest du noch kurz mit reinkommen? — *meuhcH*·test dou nocH kourts mit *rayn*·ko·ménn

Tu es très sympatique.
Du bist sehr nett. — dou bist zér net

Je t'apprécie beaucoup.
Ich mag dich sehr. — icH mâgk dicH zér

Est-ce que tu m'apprécies également ?
Magst du mich auch? — mâgkst dou micH aocH

Tu es très attirant(e).
Du bist sehr attraktiv. — dou bist zér a·trak·*tîf*

Tu me plais beaucoup.
Du gefällst mir sehr. — dou gué·félst mîr·*zér*

Tu es fantastique.
Du bist toll. — dou bist tol

sexe

Sex

Embrasse-moi.	*Küss mich.*	kuss micH
Je te désire.	*Ich will dich.*	icH vil dicH
J'ai envie de faire l'amour avec toi.	*Ich möchte mit dir schlafen.*	icH *meuhcH*·te mit dîr *chlâ*·fénn
Enlève-ça.	*Zieh das aus!*	tsî das aos
Caresse-moi ici.	*Berühr mich hier!*	be·*rur* micH hîr
Tu aimes ça ?	*Magst du das?*	magkst dou das

On se couche !
Gehen wir ins Bett! — *gé*·énn vîr ins bèt

As-tu (un préservatif) ?
Hast du (ein Kondom)? — hast dou (ayn kon·*dôm*)

Utilisons (un préservatif).
Lass uns (ein Kondom) benutzen. — lass ouns (ayn kon·*dôm*) bé·*nou*·tsénn

Je ne le ferai pas sans préservatif.
Ohne Kondom mache ich es nicht. — ô·ne kon·*dôm ma*·cHe icH es nicHt

Je (n')aime (pas) ça.
Das mag ich (nicht). — das mâk icH (nicHt)

(N') arrête (pas), s'il te plaît !
Bitte hör (nicht) auf. — *bi*·te heuhr (nicHt) aof

Je pense qu'il vaudrait mieux que nous en restions là.
Ich denke, wir sollten jetzt aufhören. — icH *denng*·ke vîr *zol*·ténn yétst *aof*·heuh·ren

J'ai une panne – désolé.
Ich krieg ihn nicht hoch – tut mir Leid! — icH krîk în nicHt hôcH toute mîr layt

Vas-y…	*Fick mich ...*	*fik* micH ...
doucement	*sanfter*	*zannf*·tér
plus fort	*härter*	*hér*·tér
plus lentement	*langsamer*	*lanng*·zâ·mer
plus vite	*schneller*	*chné*·lér

Oh oui !	*Oh ja!*	ao yâ
C'est bon !	*Das ist geil.*	dass isst gayl
Un peu de patience !	*Sachte!*	*zacH*·te
C'est la première fois.	*Das ist mein erstes Mal.*	dass ist·mayn *érs*·tes mâl
Ce n'est pas la peine, je vais m'en occuper moi-même.	*Gib dir keine Mühe, ich mach es mir selbst.*	gîp dîr *kay*·ne *mu*·e icH macH ess mîr zélpst

Tout passe mieux avec le sens de l'humour.
Mit Humor geht alles besser. — mit hou·*môr* gét *a*·less *be*·ssér

capote	*Pariser* **m**	pa·*rî*·ser
contraception	*Empfängnis-verhütung* **f**	émmp·*féng*·niss·fer·hu·tounng
pilule	*die Pille* **f**	dî *pi*·le
préservatif	*Kondom* **m**	kon·*dôm*
SIDA	*AIDS* **n**	éydz
spermicide	*Spermizid* **n**	chpér·mi·*tsît*
stérilet	*Intrauterin-pessar* **m**	in·tra·ou·té·*rîn*·pe·sâr

> après

C'était…	*Das war ...*	dass vâr ...
fantastique	*fantastisch*	fann·*tas*·tich
curieux	*seltsam*	*zélt*·zâm
Je peux… ?	*Kann ich ...?*	kan icH ...
passer la nuit ici	*hier übernachten*	hîr u·ber·*nacH*·ten
t'appeller	*dich anrufen*	dicH *an*·rou·fen
te voir demain	*dich morgen treffen*	dicH *mor*·gen *tre*·fen
te revoir	*dich wiedersehen*	dicH *vî*·der·zé·énn
Je…	*Ich ...*	icH ...
t'appelle demain	*rufe dich morgen an*	*rou*·fe dicH *mor*·gen an
te vois demain	*sehe dich morgen*	*zé*·e dicH *mor*·guénn
n'oublierai jamais	*werde das nie vergessen*	*ver*·de das nî fer·*gué*·ssén

amour

Liebe

Je t'aime.
Ich liebe dich. — icH *lî*·beu dicH

Je pense que nous sommes vraiment bien ensemble.
Ich glaube, wir passen gut zueinander. — icH *glao*·be vîr *pa*·sen gout tsou·ay·*nann*·dér

Veux-tu… ?	*Willst du ...?*	vilst dou ...
sortir avec moi	*mit mir gehen*	mit mîr *gé*·énn
vivre avec moi	*mit mir zusammenleben*	mit mîr tsou·*za*·ménn·lé·ben
m'épouser	*mich heiraten*	micH *hay*·ra·ténn

reproches

Probleme

Est-ce que tu vois quelqu'un d'autre ?
Gibt es da einen anderen/eine andere? **m/f** — gipt es dâ *ay*·nénn *an*·de·ren/*ay*·ne *an*·de·re

Je ne veux plus jamais te revoir.
Ich will dich nie mehr wiedersehen. — icH vil dicH nî mér *vî*·dér·zé·énn

Nous allons trouver une solution.
Wir finden schon eine Lösung. — vîr *fin*·dénn chôn *ay*·ne *leuh*·zoung

C'est juste un(e) ami(e).
Er/Sie ist nur ein Freund/eine Freundin. **m/f** — ér/zî ist nour ayn froynt/*ay*·ne *froyn*·din

J'aimerais...	*Ich möchte ...*	icH *meucH*·te ...
en rester là	*Schluss machen*	chlouss *ma*·cHénn
que nous restions amis	*dass wir Freunde bleiben*	das vîr *froyn*·de *blay*·bénn

départ

Abschied

Je dois partir demain.
Ich muss morgen los. — icH mouss *mor*·guénn lôs

Je viendrai te voir.
Ich komme dich besuchen — icH *ko*·me dicH be·*zou*·cHénn

Tu vas me manquer.
Ich werde dich vermissen — icH *ver*·de dicH fer·*mi*·ssén

des détails qui ont leur importance

Méfiez-vous des expressions suivantes – vous pourriez passer à côté de l'homme ou de la femme de votre vie :

Ich bin heiss. — icH bin hays
Je me sens sexy.
(litt : je suis chaude)

Ich bin kalt. — icH bin kalt
Je suis frigide/J'ai une personnalité déplaisante.
(litt : je suis froid(e))

Si vous avez juste chaud ou froid à cause de la température, dites plutôt :

Mir ist heiss. — mir isst hays
J'ai chaud.
(litt : il m'est chaud)

Mir ist kalt. — mir isst kalt
J'ai froid.
(litt : il m'est froid)

Sachez également que si l'on vous propose de la *heiße Liebe* hay·sseuh lî·beuh (litt : amour chaud) ce n'est pas la promesse d'une aventure torride, mais une glace à la vanille sous un coulis de framboises chaud.

religion

Religion

À quelle religion appartenez-vous/appartiens-tu ?

Was ist Ihre/deine Religion? **pol/fam**	vas ist *î*·re/*day*·neuh ré·li·*gui·ôn*

Je (ne) suis (pas) croyant(e).

Ich bin (nicht) . religiös	icH bin (nicHt) ré·li·*jeuhs*

Je (ne) suis (pas)…	*Ich bin (kein/keine) ...* **m/f**	icH bin (kayn/*kay*·ne) ...
agnostique	*Agnostiker(in)* **m/f**	ag·*noss*·ti·kér/ ag·*noss*·ti·ké·rinn
bouddhiste	*Buddhist(in)* **m/f**	bou·*diste*/bou·*dis*·tinn
catholique	*Katholik(in)* **m/f**	ka·to·*lik*/ ka·to·*li*·kinn
chrétien	*Christ(in)* **m/f**	krist/*kris*·tinn
hindouiste	*Hindu* **m/f**	*hinn*·dou
juif	*Jude/Jüdin* **m/f**	*you*·de/*yu*·dinn
musulman	*Moslem/ Moslime* **m/f**	*mos*·lèmm/ mos·*li*·me
pratiquant	*praktizierender/ praktizierende* **m/f**	prak·ti·*tsi*·rénn·der/ prak·ti·*tsi*·rénn·de
protestant	*Protestant(in)* **m/f**	pro·tés·*tannt*/ pro·tés·*tann*·tinn
catholique adj	*catholisch*	ka·to·*lik*
protestant adj	*évangelisch*	é·vann·*gué*·lich

Je (ne) crois (pas)…	*Ich glaube (nicht) an...*	icH *glao*·be (nicHt) an...
en Dieu	*Gott*	got
au destin	*das Schicksal*	dass *chik*·zâl

Où puis-je… ?	*Wo kann ich...?*	vô kann icH...
assister à une messe	*eine Messe besuchen*	*ay*·ne *me*·sse be·*zou*·cHénn
aller au temple	*einen Gottesdienst besuchen*	*ay*·nénn *go*·tes·dînst be·*zou*·cHénn
me confesser (en français)	*(auf Französisch) beichten*	(aof frann·*zeuh*·sicH) *baycH*·ténn
me recueillir	*meine Andacht verrichten*	*may*·ne *ann*·daRcht fer·*ricH*·ténn
prier	*beten*	*bé*·ténn
recevoir l'eucharistie	*das Abendmahl empfangen*	dass *â*·bénnt·mâl émp·*fang*·énn

différences culturelles

kulturelle Unterschiede

Est-ce une coutume locale ou nationale ?
Ist das ein örtlicher oder landesweiter Brauch? — isst dass ayn *euhrt*·li·cHér *ô*·dér *lann*·déss·vay·tér braoRch

Je n'en ai pas l'habitude.
Das ist ganz ungewohnt für mich. — dass isst guants *oun*·gué·vônt fur micH

Je veux bien regarder, mais je préfère ne pas participer.
Ich sehe gerne zu, würde aber lieber nicht selbst mitmachen. — icH *zé*·e *guér*·ne tsou *vur*·de *â*·bér *lî*·bér nicHt zélpst *mit*·ma·Rchénn

J'essaie.
Ich versuche es. — icH fer·*zou*·cHe ess

Je suis désolé(e), je ne voulais pas vous offenser.
Es tut mir Leid, ich wollte nichts Falsches tun. — es tout mîr layt icH *vol*·te nicHts *fal*·chéss toun

Je suis désolé(e), c'est contre ma/mes...	*Es tut mir Leid, das ist gegen meine...*	ess tout mîr layt dass isst *gé*·guénn *may*·ne...
culture	*Kultur* **f**	koul·*tour*
idées	*Anschauungen* **f/pl**	*ann*·chao·unng·énn
religion	*Religion* **f**	ré·li·*gyôn*

Où se trouve (le musée) ?
Wo ist (das Museum)? vô isst (das mou·*zé*·oum)

À quelle heure ouvre (la galerie) ?
Wann hat (die Galerie) geöffnet? vann hat (dî ga·lé·*rî*) gué·*euhf*·nét

À quel/quels/quelle … vous intéressez-vous/t'intéresses-tu ?
Für welche Art ... fur *vél*·cHeuh art ...
interessieren Sie sich? inn·tré·*sî*·ren zî zicH
interessierst du dich? inn·tré·*sîrst* dou dicH

art	*von Kunst* **f**	fonn *kounst*
artistes	*von Künstlern* **m/pl**	fonn *kunst*·lérnn
époque	*von Epoche* **f**	fonn é·*po*·Rchè

Que contient cette collection ?
Was gibt es in der Sammlung? vass gipt ess in dér *zamm*·loung

Que pensez-vous/penses-tu… ?
Was halten Sie von...? vass *hal*·ténn zî fonn...
Was hältst du von...? vass héltst dou fonn...

courants artistiques

art moderne	*moderne Kunst*	mo·*dér*·ne kounst
Art Nouveau	*Jugendstil*	*you*·guénnt·chtîl
Bauhaus	*Bauhaus-Kunst*	*bao*·haos·kounst
baroque	*barocke Kunst*	ba·*ro*·keuh kounst
expressionnisme	*expressionistische Kunst*	éks·pré·syo·*nis*·ti·cheuh kounst
gothique	*gotische Kunst*	*gô*·ti·che kounst
impressionnisme	*impressionistische Kunst*	im·pré·syo·*nis*·ti·che kounst
Renaissance	*Renaissance-Kunst*	ré·né·*sangs*·kounst
roman	*romanische Kunst*	ro·*mâ*·ni·cheuh kounst
performance	*Performance Art*	pér·*fô*·ménns ât

C'est un(e) … exposition.
Es ist eine ...-Ausstellung. es ist *ay*·ne ...·*aos*·chté·loung

Je m'intéresse à…
Ich interessiere mich für ... icH in·tré·*sî*·re micH fur...

J'aime les œuvres de…
Ich mag die Arbeiten von ... icH magk dî *ar*·bay·ténn fonn...

Cela me fait penser à…
Es erinnert mich an ... ess ér·*i*·nért micH ann...

exercices de diction

Les "chaussettes de l'archiduchesse" en version allemande. Entraînez-vous avec *Streichholzschächtelchen* *chtraych*·holz·chécH·tél·cHénn, ("petite boîte d'allumettes"), et lancez-vous :

Blaukraut bleibt Blaukraut und Brautkleid bleibt Brautkleid.
blao·kraot blaypt *blao*·kraot ount *braot*·klayt blaypt *braot*·klayt
("Le chou rouge reste du choux rouge et une robe de mariée reste une robe de mariée.")

Der Potsdamer Postkutscher putzt den Potsdamer Postkutschkasten.
dér *pots*·dâ·mér *post*·kout·chér poutst dén *pots*·dâ·mér *post*·kouch·kâ·sténn
("Le cocher du coche postal de Potsdam nettoie la boîte du coche postal de Potsdam.")

Der Dachdecker deckt dein Dach, drum dank dem Dachdecker, der dein Dach deckt.
dér *daRch*·dé·kér dékt dayn daRch droum dannk démm *daRch*·dé·ker dér dayn daRch dékt
("Le charpentier couvre ton toit, donc remercie le charpentier, qui couvre ton toit.")

parler sport

Sportarten

Quel sport pratiquez-vous/pratiques-tu?

Was für Sport treiben Sie? **pol**	vas fur chport *tray*·ben zî
Was für Sport treibst du? **fam**	vas fur chport traipst dou

À quel sport vous intéressez-vous/t'intéresses-tu ?

Für welche Sportarten interessieren Sie sich/ interessierst du dich? **pol/fam**	fur *vél*·cHe *chport*·ar·ten in·tré·*sî*·rénn zî zicH in·tré·*sîrst* dou dicH

Je joue du…	*Ich spiele...*	icH *chpî*·le...
Je fais du/de la…	*Ich mache...*	icH *ma*·Rche...
Je m'intéresse à…	*Ich interessiere mich für...*	icH in·tre·*sî*·re micH fur ...
athlétisme	*Leichtathletik*	*laycHt*·at·lé·tik
basket-ball	*Basketball*	*bâs*·két·bal
football	*Fußball*	*fouss*·bal
handball	*Handball*	*hannt*·bal
hockey sur glace	*Eishockey*	*ays*·ho·ki
plongée	*Tauchen*	*tao*·Rchénn
ski	*Skifahren*	*chî*·fâ·rénn
tennis	*Tennis*	*té*·nis

Pour une liste de sports plus conséquente, consultez le **dictionnaire**.

Aimez-vous/Aimes-tu (le sport) ?

Mögen Sie (Sport)? **pol**	*meuh*·guénn zî (chport)
Magst du (Sport)? **fam**	mâkst dou (chport)

Oui, beaucoup.
Ja, sehr. yâ zér

Non, pas trop.
Nicht besonders. nicHt bé·*zon*·dérs

Seulement en tant que spectateur.
Nur als Zuschauer. nour als *tsou*·chao·ér

J'aime regarder un match.
Ich sehe mir gerne ein Match an. icH *zé*·e mîr *guér*·ne ayn match ann

Quel est votre/ton joueur préféré ?
Wer ist Ihr/dein Lieblingssportler? **pol/fam** vér isst îr/dayn *lîp*·lingks·chport·lér

Quelle est votre/ton équipe préférée ?
Was ist Ihre/deine Lieblingsmannschaft? **pol/fam** vas ist *î*·re/*day*·ne *lîp*·lingks·mann·chaft

Savez-vous/sais-tu jouer (au football) ?
Spielen Sie (Fußball)? **pol** *chpî*·len zî (*fous*·bal)
Spielst du (Fußball)? **fam** *chpîlst* dou (*fous*·bal)

assister à un match

zu einem Spiel gehen

Aimeriez-vous/Aimerais-tu assister à un match ?
Möchten Sie zu einem Spiel gehen? **pol** *meuhcH*·ténn zî tsou *ay*·ném chpîl *gé*·énn
Möchtest du zu einem Spiel gehen? **fam** *meuhcH*·tést dou tsou *ay*·ném chpîl *gé*·énn

Pour qui êtes-vous/es-tu ?
Wen unterstützen Sie? **pol** vênn oun·tér·*chtu*·tsénn zî
Wen unterstützt du? **fam** vênn oun·tér·*chtutst* dou

Qui... ?	*Wer...?*	vér...
joue	*spielt*	chpîlt
gagne	*gewinnt*	gué·*vint*

but !

Quel/Quelle... !	*Was für ...!*	vas fur ...
but (foot)	*ein Tor*	ayn tôr
beau coup	*ein Treffer*	ayn *trè*·fér
tir	*ein Schuss*	ayn chous
joueur	*ein Spieler*	*ayn chpî*·lér
passe	*ein Pass*	ayn pas
style	*ein Stil*	*ayn chtîl*
performance	*eine Leistung*	*ay*·ne *lays*·tung

Quel est le score final ?
Was war das Endergebnis? vas vâr dass *énnt*·ér·guép·niss

Match nul.
Es ging unentschieden aus. es ging *oun*·énnt·chî·dénn aos

C'était un match... !	*Das war ein ... Spiel!*	das vâr ayn ... chpîl
mauvais	*schlechtes*	*chlecH*·tes
ennuyeux	*langweiliges*	*lang*·vai·li·ges
magnifique	*tolles*	*to*·les

jeu, set et match !

club	*Verein m*	fér·*ayn*
équipe	*Mannschaft f*	*mann*·chaft
Quel est le score ?	*Wie steht es?*	vî chtayt es
égalité	*unentschieden*	*oun*·énnt·chî·dénn
nul	*null*	nul
balle de match	*Matchball*	*métch*·bal
3-1	*3:1 (drei zu eins)*	dray tsou ayns

pratiquer un sport

Sport treiben

Voulez-vous/Veux-tu jouer avec nous ?

Möchten Sie mitspielen? **pol** — *meuhcH*·tén zî *mit*·chpî·lénn

Möchtest du mitspielen? **fam** — *meucH*·tést dou *mit*·chpî·lénn

Puis-je me joindre au jeu ?

Kann ich mitspielen? — kan icH *mit*·chpî·lénn

Oui, ça serait sympa.

Ja, das wäre toll. — yâ dass *vér*·rè tol

Désolé(e), je ne peux pas.

Es tut mir Leid, ich kann nicht. — es toute mîr layt icH kan nicHt

J'ai une blessure.

Ich habe eine Verletzung. — icH *hâ*·be *ay*·ne fer·*le*·tsung

Un point pour vous/toi.

Ihr/Dein Punkt. **pol/fam** — îr/dayn poungkt

Un point pour moi.

Mein Punkt. — mayn poungkt

Par ici !

Hierher! — *hîr*·hér

Vous êtes un bon joueur/une bonne joueuse.

Sie sind ein guter Spieler/ eine gute Spielerin. **m/f pol** — zî zint ayn *gou*·tér *chpî*·lér/ *ay*·ne *gou*·tè *chpî*·lé·rin

Tu es un bon joueur/une bonne joueuse.

Du bist ein guter Spieler/ eine gute Spielerin. **m/f fam** — dou bist ayn *gou*·tér *chpî*·lér/ *ay*·ne *gou*·te *chpî*·lè·rinn

Merci beaucoup pour le match.

Vielen Dank für das Spiel. — *fî*·lénn dangk fur das chpîl

Y a-t-il un bon endroit pour faire du jogging/courir par ici ?
Wo kann man hier am besten joggen/laufen? — vô kann mann hîr amm *béss*·ténn *djo*·guénn/*lao*·fénn

Où est le/la … le/la plus proche… ?	*Wo ist...?*	vô isst...
salle de gym	*das nächste Fitness-Studio*	dass *nécHs*·tè *fit*·néss·chtou·di·o
piscine	*das nächste Schwimmbad*	das *nécHs*·te *chvimm*·bât
court de tennis	*der nächste Tennisplatz*	dér *nécHs*·tè *te*·nis·plats

Faut-il être membre pour y entrer ?
Muss ich Mitglied sein, um mitzumachen? — mouss icH *mit*·glît zayn oum *mit*·tsou·ma·cHénn

Y-a-t-il des séances réservées aux femmes ?
Gibt es eine Session nur für Frauen? — gipt ess *ay*·nè séss·yôn nour fur *frao*·énn

Où sont les vestiaires ?
Wo sind die Umkleideräume? — vô zint dî *oum*·klay·de·roy·me

Y a-t-il un vestiaire réservé aux femmes ?
Gibt es Umkleideräume nur für Frauen? — gipt es *oum*·klay·de·roy·me nour fur *frao*·énn

Quel est le prix par… ?	*Wie viel kostet es pro ...?*	vî fîl *kos*·tet es prô ...
jour	*Tag*	tâk
jeu	*Spiel*	chpîl
heure	*Stunde*	*chtun*·de
séance (litt : visite)	*Besuch*	be·*zoukh*

Puis-je louer un/une...?	*Kann ich ...?*	kan icH ...
ballon	*einen Ball leihen*	*ai*·nen bal *lai*·en
vélo	*ein Fahrrad leihen*	ayn *fâr*·rât *lai*·en
court	*einen Platz mieten*	*ay*·nénn plats *mî*·ten
raquette	*einen Schläger leihen*	*ay*·nénn *chlé*·guér *lay*·énn

cyclisme

Radsport

Où se termine le tour ?
Wo endet das Rennen? — vô *énn*·dét dass *re*·nénn

Par où passe le tour ?
Wo führt das Rennen lang? — vô furt dass *re*·nénn lanng

Qui gagne ?
Wer gewinnt? — vér gué·*vinnt*

L'étape d'aujourd'hui est-elle difficile ?
Ist die Etappe heute sehr schwer? — ist dî é·*ta*·pè *hoy*·tè zér chvér

Combien de kilomètres comporte (l'étape) d'aujourd'hui ?
Wie viel Kilometer ist (die Etappe) heute? — vî fîl ki·lo·*mé*·tér isst (dî e·*ta*·pe) *hoy*·te

Mon cycliste préfére est…
Mein Lieblingsradfahrer ist ... — mayn *lîp*·lingks·*rât*·fâ·rér ist ...

étape de montagne	*Bergetappe* **f**	*berk*·é·ta·pe
cycliste	*Radfahrer(in)* **m/f**	*rât*·fâ·rer/ *rât*·fâ·re·rin
le maillot (jaune)	*das (gelbe) Trikot* **n**	das (*gel*·be) tri·*kô*
étape (de la course)	*Etappe* **f** *(des Rennens)*	e·*ta*·pe (des *re*·nens)
coureur cycliste	*Radrenn-fahrer(in)* **m/f**	*rât*·rénn·fâ·rer/ *rât*·rénn·fâ·re·rin
course contre la montre	*Zeitfahren* **n**	*tsait*·fâ·ren
gagnant(e)	*Sieger(in)* **m/f**	*zî*·ger/*zî*·ge·rin
vainqueur d'étape	*Etappen-sieger(in)* **m/f**	e·*ta*·pénn·zî·ger/ e·*ta*·pénn·zî·ge·rin

Voir la rubrique **vélo**, p. 45, pour plus de vocabulaire sur le cyclisme.

sports extrêmes

Extremsportarten

Êtes-vous/es-tu sûr que cela est sans danger ?
Sind Sie/Bist du sicher, dass das ungefährlich ist? — zinnt zî/bist dou *zi*·cHér das das *oun*·gué·fér·licH isst

L'équipement est-il sûr ?
Ist die Ausrüstung sicher? — isst dî *aos*·rus·tunng *zi*·cHér

C'est insensé !
Das ist verrückt! — dass ist fér·*rukt*
(litt : c'est fou)

chute libre	*Skydiving* **n**	*skay*·day·ving
rappel	*Abseilen* **n**	*ap*·zay·len
saut à l'élastique	*Bungyjumping* **n**	*bann*·dji·djamm·pinng
spéléologie	*Höhlenerforschung* **f**	*heuh*·lénn·ér·for·chung
parapente	*Drachenfliegen* **n**	*dra*·cHénn·flî·guénn
VTT	*Mountainbiken* **n**	*maon*·ténn·bay·kénn
parachutisme	*Fallschirmspringen* **n**	*fal*·chirm·chpring·énn
parachutisme ascensionnel	*Parasailing* **n**	*pâ*·ra·say·ling
snowboard	*Snowboarden* **n**	*snô*·bor·dénn
rafting	*Wildwasser-fahrten* **f pl**	*vilt*·va·ssér·fâr·ténn
varape	*Klettern* **n**	*klé*·térn

foot

Fußball

Qui joue pour (le Bayern München) ?
Wer spielt für (Bayern München)? — vér chpîlt fur (*bay*·érn *munn*·cHénn)

Quel mauvaise équipe !
Was für eine furchtbare Mannschaft! — vas fur *ay*·ne *fourcHt*·bâ·rè *mann*·chaft

Quelle équipe est en tête du classement ?
Welcher Verein steht an der Tabellenspitze? — *vel*·cHér fer·*ayn* chtét ann dér ta·*bé*·lén·chpi·tse

Quelle joueuse fantastique.
Sie ist eine tolle Spielerin. — zî ist ayn·e *to*·le *chpî*·ler·inn

Il a joué merveilleusement bien dans le match contre (l'Italie).
Im Spiel gegen (Italien) hat er fantastisch gespielt. — im chpîl gué·guénn (i·*tâ*·li·énn) hat ér fann·*tas*·tich gué·*chpîlt*

Elle a marqué (3) buts.
Sie hat (drei) Tore geschossen. — zî hat (dray) *tô*·re gué·*cho*·ssénn

corner	*Ecke* **f**	*é*·kè
coup franc	*Freistoß* **m**	*fray*·chtôs
gardien de but	*Torhüter(in)* **m/f**	*tôr*·hu·tér/ *tôr*·hu·té·rinn
hors-jeu	*Abseits* **n**	*ap*·zayts
penalty	*Strafstoß* **m**	*chtrâf*·chtôs

ski

Skifahren

Combien coûte le forfait ?
Was kostet ein Skipass? — vas *kos*·tet ayn *chî*·pas

Puis-je prendre des cours ?
Kann ich Unterricht nehmen? kan icH *oun*·ter·rikht *né*·ménn

J'aimerais louer une/des…	*Ich möchte ... leihen.*	icH *meucH*·tè ... *lay*·énn
chaussures de ski	*Skistiefel*	*chî*·chtî·fél
lunettes de ski	*eine Skibrille*	*ay*·ne *chî*·bri·lè
bâtons	*Skistöcke*	*chî*·chteuh·kè
skis	*Skier*	*chî*·ér
combinaison de ski	*einen Skianzug*	*ay*·nénn *chî*·ann·tsouk
Est-ce possible de faire du/de la... ici ?	*Kann man da ...?*	kann mann dâ ...
ski alpin	*Abfahrtsski fahren*	*ap*·fârts·chî *fâ*·ren
ski de fond	*Skilanglauf machen*	chî·*lanng*·laof *ma*·Rchénn
snowboard	*snowboarden*	*snô*·bor·dénn
luge	*Schlitten fahren*	*chli*·ténn *fâ*·rénn
Quelles sont les conditions de ski... ?	*Wie sind die Schneebeding-ungen...?*	vî zint dî *chnê*·bé·ding·oung·énn...
à (Lauberhorn)	*am (Lauberhorn)*	am (*lao*·ber·horn)
sur cette piste	*an dieser Abfahrt*	an *dî*·zer *ap*·fârt
en haut	*weiter oben*	*vay*·ter *ô*·ben

De quel niveau est cette piste ?
Wie schwierig ist dieser Hang? vî *chvî*·ricH ist *dî*·zer hang

Quelles sont les pistes pour… ?	*Welches sind die ...?*	*vel*·cHés zint dî ...
débutants	*Anfängerhänge*	*ann*·féng·ér·héng·e
moyens	*mittelschweren Hänge*	*mi*·tel·chvér·ren *héng*·e
confirmés	*Fortgeschrittenen-hänge*	*fort*·gué·chri·té·nénn·héng·e
luge	*Schlitten* **m**	*chli*·ténn
remonte-pente (tire-fesses)	*Skilift* **m**	*chî*·lift
professeur de ski	*Skilehrer* **m**	*chî*·lér·rer

station (de ski)	*Ort* **m**	ort
télécabine	*Seilbahn* **f**	*zayl*·bân
télésiège	*Sessellift* **m**	*ze*·ssél·lift

tennis

Tennis

Voulez-vous/Veux-tu jouer au tennis ?
Möchten Sie Tennis spielen? **pol** — *meuhcH*·ténn zî *te*·nis *chpî*·len
Möchtest du Tennis spielen? **fam** — *meucH*·téste dou *te*·nis *chpî*·len

Peut-on jouer de nuit ?
Können wir abends spielen? — *keuh*·nénn vîr *â*·bénnts *chpî*·lénn

ace	*Ass* **n**	as
avantage	*Vorteil* **m**	*fôr*·tayl
faute	*Fehler* **m**	*fé*·lér
jeu, set et match	*Spiel, Satz und Sieg*	chpîl *zats* ount zîk
jouer un double	*ein Doppel spielen*	ayn *do*·pel *chpî*·len
service	*Aufschlag* **m**	*aof*·chlâk
set	*Satz* **m**	zats
sur gazon	*Rasenplatz* **m**	*râ*·zénn·plats
sur ciment	*Hartplatz* **m**	*hart*·plats
sur terre battue	*Sandplatz* **m**	*zannt*·plats

könig fußball, le football roi

Le football est incontestablement le sport préféré des Allemands. On parle même de "*König Fußball*" (football roi), ce qui donne une idée de l'ambiance endiablée un jour de match ! Les rues, ainsi que les bars qui ne retransmettent pas les matchs, restent déserts jusqu'au dernier envoi, puis se remplissent jusque tard dans la nuit. Les équipes professionnelles attirent en moyenne 25 000 supporters.

Notez que l'un des mots allemands les plus longs (sachant qu'il n'y a pas de limites) appartient au monde du football. Essayez donc de prononcer *Fußballweltmeisterschaftsqualifikationsspiel* (jeu de qualification pour le championnat du monde du football) !

randonnée

Wandern

Où puis-je… ?	*Wo kann ich ...?*	vô kann icH ...
acheter des provisions	*Vorräte einkaufen*	*fôr*·ré·tè *ayn*·kao·fénn
trouver des informations sur les itinéraires	*Informationen über Wanderwege bekommen*	in·for·ma·*tsyô*·nénn *u*·bér *vann*·dér·vé·gué bé·*ko*·ménn
trouver quelqu'un qui connait la région	*jemanden finden, der die Gegend kennt*	*yé*·mann·dénn *fin*·dénn dér dî *gé*·guént kénnt
trouver une carte	*eine Karte bekommen*	*ay*·ne *kar*·te be·*ko*·ménn
louer du matériel de randonnée	*Wanderausrüstung leihen*	*van*·der·aos·rus·toung *lay*·énn

Avons-nous besoin d'un guide ?

Brauchen wir einen Führer?	*brao*·cHénn vîr *ay*·nénn *fu*·rér

Devons-nous amener… ?	*Müssen wir … mitnehmen?*	*mu*·sénn vîr… *mit*·né·ménn
du linge	*Bettzeug* **n**	*bét*·tsoyk
des aliments	*Essen* **n**	*é*·ssénn
de l'eau	*Wasser* **n**	*va*·ssér

Quelle est la distance à parcourir ?
Wie lang ist der Weg? — vî lanng ist dér vayk

Quel est le dénivelé ?
Wie hoch führt die Klettertour hinauf? — vî hôcH furt dî *kle*·tér·tour hi·*naof*

Y a-t-il des randonnées guidées ?
Gibt es geführte Wanderungen? — gipt ess gué·*fur*·te *van*·de·rung·énn

Est-ce sans danger ?
Ist es ungefährlich? — ist ess *oun*·gué·fér·licH

Y a-t-il un abri ?
Gibt es dort eine Hütte? — gipt es dort *ay*·ne *hu*·te

À quelle heure tombe la nuit ?
Wann wird es dunkel? — van virt es *doung*·kél
(litt : quand devient-il foncé)

Le sentier est-il… ?	*Ist der Weg …?*	isst dér vék …
(bien) balisé	*(gut) markiert*	(gout) mar·*kîrt*
ouvert	*offen*	*o*·fénn
beau	*schön*	cheuhn

Quel est le chemin… ?	*Welches ist die …?*	*vél*·cHes isst dî…
le plus court	*kürzeste Route*	*kur*·tséss·te *rou*·te
le plus facile	*einfachste Route*	*ayn*·faRchs·te *rou*·te

Où est le/sont les… ?	*Wo …?*	vô …
camping	*ist ein Zeltplatz*	ist ayn *tsélt*·plats
prochain village	*ist das nächste Dorf*	ist dass *nécHs*·te *dorf*
douches	*sind (die) Duschen*	zint (dî) *dou*·chénn
toilettes	*sind (die) Toiletten*	zint (dî) to·a·*lé*·ténn

D'où arrivez-vous ?

Wo kommen Sie gerade her?	vô *ko*·men zî gué·*râ*·de hér

Combien de temps avez-vous marché ?

Wie lange hat das gedauert?	vî *lang*·e hat das ge·*dao*·ert

Est-ce que ce chemin mène à… ?

Führt dieser Weg nach...?	furt *dî*·zer vék nacH...

Pouvons-nous passer par ici ?

Können wir hier durchgehen?	*keuh*·nénn vîr hîr *durcH*·gué·énn

L'eau est-elle potable ?

Kann man das Wasser trinken?	kann mann dass *va*·ssér *trinng*·kénn

Je suis perdu(e).

Ich habe mich verlaufen.	icH *hâ*·be micH fer·*lao*·fen

plage

am Strand

Où se trouve la plage… ?	*Wo ist der... Strand?*	vô ist dér... chtrannt
la plus belle	*beste*	*bes*·te
la plus proche	*nächste*	*nécHs*·te
nudiste	*FKK-*	éf·kâ·*kâ*·
publique	*öffentliche*	*er*·fent·li·cHe

panneaux indicateurs

Schwimmen Verboten!	chvi·ménn fer·*bô*·ténn	**Défense de se baigner !**
Sturmwarnung!	chtourm *var*·nounk	**Temps orageux !**

Peut-on plonger/nager sans danger ici ?
Kann man hier gefahrlos tauchen/schwimmen? kann mann hîr gué·*fâr*·lôs *tao*·cHénn/*chvi*·ménn

À quelle heure est la marée haute/basse ?
Wann ist Flut/Ebbe? vann isst flout/*è*·beuh

Faut-il acheter un billet ?
Müssen wir bezahlen? *mu*·ssénn vîr be·*tsâ*·lénn

expressions courantes

acH·ténn zî aof dî cHreuh·moung
Achten Sie auf die Strömung. **Attention aux courants.**

es ist gué·*fér*·licH
Es ist gefährlich! **C'est dangereux !**

zî *mu*·ssénn *ay*·ne *kour*·tak·se bé·*tsâ*·lénn
Sie müssen eine Kurtaxe bezahlen. **Vous devez acquitter une taxe de séjour pour la cure.**

Combien coûte un/une… ?	*Was kostet ein ...?*	vas *kos*·tet ayn ...
chaise	*Stuhl*	chtoul
chaise longue en osier	*Strandkorb*	*chtrannt*·korp
chapeau	*Hut*	hout
parasol	*Schirm*	chirm

météo

Wetter

Comment est le temps ?
Wie ist das Wetter? vî ist das *vè*·tér

Il est…	*Es ist ...*	és isst ...
Sera-t-il … demain ?	*Wird es morgen ... sein?*	virt es *mor*·guén ... zayn
nuageux	*wolkig*	*vol*·kicH
froid	*kalt*	kalt
glacial	*eiskalt*	*ays·kalt*
chaud	*heiß*	hays
pluvieux	*regnerisch*	*rég*·ne·ricH
ensoleillé	*sonnig*	*zo*·nicH
chaud	*warm*	varm
venteux	*windig*	*vin*·dicH
Où puis-je acheter un… ?	*Wo kann ich ... kaufen?*	vô kan icH ... *kao*·fénn
vêtement de pluie	*eine Regenjacke* **f**	*ay*·ne *ré*·guén·ya·ke
parapluie	*einen Regenschirm* **m**	*ay*·nénn *ré*·guénn·chirm

flore et faune

Flora und Fauna

Quel(le) est cet(te)… ?	*Wie heißt ...?*	vî hayst ...
animal	*dieses Tier* **n**	*dî*·zes tîr
fleur	*diese Blume* **f**	*dî*·zè *blou*·me
plante	*diese Pflanze* **f**	*dî*·zè *pflann*·tse
arbre	*dieser Baum* **m**	*dî*·zér baom
Est-il… ?	*Ist es ...?*	isst ess...
commun	*weit verbreitet*	vait fer·*bray*·tête
dangereux	*gefährlich*	gué·*fér*·licH
en danger	*vom Aussterben bedroht*	fom *aos*·chtér·bénn bé·*drôt*
protégé	*geschützt*	gué·*chutst*

À quoi cela sert-il ?
Wofür wird es benutzt? vô·*fur* virt és bé·*noutst*

Est-ce comestible ?
Kann man es essen? kann mann es *e*·ssénn

bouleau	*Birke* **f**	*bir*·kè
branche	*Ast* **m**	*ast*
champignon	*Pilz* **m**	*pîlz*
chêne	*Eiche* **f**	*ay*·cHè
escargot	*Schnecke* **f**	*chné*·kè
fourmi	*Ameise* **f**	*â*·may·zè
grenouille	*Frosch* **m**	*froche*
oiseau	*Vogel* **m**	*fô*·guél
rivière	*Fluß* **m**	*flousse*
rose	*Rose* **f**	*rô*·zè
tronc	*Stamm* **m**	*chtamm*

Voir le **dictionnaire** pour d'avantage de termes sur la nature et les animaux.

plaisirs d'eau

Rares sont les villes qui ne possèdent pas leur *Schwimmbad* (piscine publique). La plupart du temps, il y en a même deux : un *Hallenbad* (piscine couverte) et un *Freibad* (piscine en plein air).

Le pays est également doté d'un nombre impressionnant de villes thermales. Depuis le XIXe siècle, une ville qui accède au rang de ville thermale fait précéder son nom de *Bad* (les bains), comme *Bad Homburg*. Seule exception, *Baden Baden* (litt : baigner baigner), la plus célèbre des villes thermales en Allemagne.

vocabulaire de base

wichtige Wörter

petit-déjeuner	*Frühstück* **n**	*fru*·chtuk
déjeuner	*Mittagessen* **n**	*mi*·tâk·è·ssénn
dîner	*Abendessen* **n**	*â*·bénnt·è·ssénn
en-cas	*Snack* **m**	snék
manger	*essen*	*è*·ssénn
boire	*trinken*	*tring*·kénn
S'il te/vous plaît.	*Bitte.*	*bi*·te
Merci.	*Danke.*	*dang*·keuh
J'aimerais…	*Ich möchte ...*	icH *meuhcH*·te ...
J'ai une faim de loup !	*Ich bin am Verhungern!*	icH binn anm fer·*houng*·érn

où se restaurer

ein Restaurant suchen

Pourriez-vous me conseiller un…	*Können Sie ... empfehlen?* **pol**	*keuh*·nénn zî ... emmp·*fé*·lénn
Pourrais-tu me conseiller un…	*Kannst du ... empfehlen?* **fam**	kanst dou ... emmp·*fé*·len
bar/pub	*eine Kneipe*	*ay*·ne *knay*·pe
café	*ein Café*	ayn ka·*fé*
bar à expresso	*eine Espressobar*	*ay*·ne eks·*pré*·sso·bâr
restaurant	*ein Restaurant*	ayn rés·to·*rang*
Où iriez-vous pour (un)… ?	*Wo kann man hingehen, um ...?*	vô kann mnan *hin*·gué·énn oum...
repas de fête	*etwas zu feiern*	*ét*·vas tsou *fay*·érn
repas bon marché	*etwas Billiges zu essen*	*ét*·vas *bi*·li·gués tsou *è*·ssénn
manger des spécialitiés locales	*örtliche Spezialitäten zu essen*	*euhrt*·li·cHe chpé·tsya·li·*té*·tèn tsou *è*·ssènn

Je voudrais réserver une table pour...	*Ich möchte einen Tisch für ... reservieren.*	icH *meuhcH*·te *ay*·nénn tich fur ... ré·zer·*vî*·rénn
(2) personnes	*(zwei) Personen*	(tsvai) per·*zô*·nénn
(8)h	*(acht) Uhr*	(acHt) our

Je voudrais…, s'il vous plaît.	*Ich hätte gern ..., bitte.*	icH *hé*·tè guérn ... *bi*·te
une table pour (5)	*einen Tisch für (fünf) Personen*	*ay*·nénn tich fur (funf) per·*zô*·nénn
être dans une salle fumeur	*einen Raucher-tisch*	*ai*·nénn *rao*·cHer·tich
être dans une salle non fumeur	*einen Nicht-rauchertisch*	*ay*·nénn *nicHt*·rao·cHer·tich

Avez-vous un… ?	*Haben Sie...?*	*hâ*·ben zî...
menu enfant	*Kinderteller*	*kinn*·der·te·ler
menu en français	*eine französische Speisekarte*	*ay*·ne frann·*tseuh*·sî·che *chpai*·ze·kar·te

expressions courantes

es tout mîr layt vîr *hâ*·ben gué·*chlo*·ssénn
Es tut mir Leid, wir haben geschlossen. — **Désolé, nous sommes fermés.**

vîr zint fol *aos*·gué·bouRcht
Wir sind voll ausgebucht. — **Nous sommes complets.**

vîr *hâ*·ben *kay*·nénn tich fray
Wir haben keinen Tisch frei. — **Nous n'avons plus de table.**

vô *meuhcH*·ténn zî *zi*·tsen
Wo möchten Sie sitzen? — **Où souhaitez-vous vous asseoir ?**

meuhcH·ten zî *et*·vas *tring*·ken *vér*·rént zî *var*·ténn
Möchten Sie etwas trinken, während Sie warten? — **Souhaitez-vous boire un verre en attendant ?**

vas darf icH *î*·nénn *bring*·énn
Was darf ich Ihnen bringen? — **Que désirez-vous ?**

bi·te
Bitte! — **Voilà !**

Vous servez encore à manger ?
Gibt es noch etwas zu essen? gipt ess noRch *ét*·vas tsou *è*·ssénn

Il faut attendre combien de temps ?
Wie lange muss man warten? vî *lang*·euh mouss mann *var*·ténn

au restaurant

im Restaurant

Je voudrais…, s'il vous plaît.	*Ich hätte gern ..., bitte.*	icH *hé*·teuh guérn ... *bi*·te
la carte des boissons	*die Getränke-karte*	dî gué·*treng*·keuh·kar·te
le menu	*die Speisekarte*	dî *chpay*·ze·kar·teuh

Que me conseillez-vous ?
Was empfehlen Sie? vas emp·*fé*·lénn zî

expressions courantes

icH emp·*fé*·le *î*·nénn ...
Ich empfehle Ihnen ... **Je vous conseille…**

meuh·guén zî ...
Mögen Sie ...? **Aimez-vous… ?**

vî *meuhcH*·ten zî das *tsou*·be·ray·tet *hâ*·ben
Wie möchten Sie das zubereitet haben? **Quelle cuisson voulez-vous ?**

Je voudrais la même chose (en désignant un plat).
Ich nehme das gleiche wie Sie. icH *né*·meuh das *glay*·cHeuh vî zî

J'aimerais goûter une spécialité régionale.
Ich möchte etwas Typisches aus der Region. icH *meuhcH*·te *ét*·vas *tu*·pi·chéss aos dér ré·*gyôn*

Qu'y a-t-il dans ce plat ?
Was ist in diesem Gericht? vas ist in *dî*·zémm gué·*ricHt*

Est-ce long à préparer ?
Dauert das lange? — *dao*·ért das *lang*·euh

Est-ce qu'on se sert soi-même ?
Ist das Selbstbedienung? — isst dass *zelpst*·bé·dî·nung

Puis-je avoir un verre d'eau ?
Kann ich bitte ein Glas Leitungswasser haben ? — kann icH bi·*te* ayn glâss *lay*·toungs·va·ssér ha·ben

Est-ce gratuit ?
Sind die gratis? — zint dî *grâ*·tis

C'est juste pour boire un verre.
Wir möchten nur etwas trinken. — vîr *meuhcH*·ténn nour *et*·vas *tring*·kénn

Consultez également le chapitre **végétariens/régimes spéciaux**, p. 159.

décoder le menu

Vorspeisen	*fôr*·chpay·zen	entrées
Suppen	*zou*·pen	soupes
Salate	za·*lâ*·teuh	salades
Hauptgerichte	*haopt*·gué·ricH·te	plat principal
Beilagen	*bay*·lâ·guén	garniture
Nachspeisen	*nâRch*·chpay·zen	desserts
Aperitifs	a·pé·ri·*tîfs*	apéritifs
Alkoholfreie Getränke	al·ko·*hôl*·fray·e gué·*tréng*·keuh	boissons sans alcool
Spirituosen	chpi·ri·tou·*ô*·zen	alcools forts
Bier	bîr	bières
Schaumweine	*chaom*·vay·neuh	mousseux
Weißweine	*vays*·vay·neuh	vins blancs
Rotweine	*rôt*·vay·neuh	vins rouges
Dessertweine	de·*sér*·vay·neuh	vins cuits
Digestifs	di·djés·*tîfs*	digestifs

Pour un éventail plus large de vocabulaire sur la cuisine, reportez-vous au **lexique culinaire**, p. 163.

à table

am Tisch

Pourriez-vous m'apporter… ?	*Bitte bringen Sie …*	*bi*·te *bring*·énn zî …
l'addition	*die Rechnung*	dî *recH*·noung
une serviette	*eine Tischdecke*	*ay*·nè *tich*·dé·keuh
un verre	*ein Glas*	ayn (*vayn*·)glâs

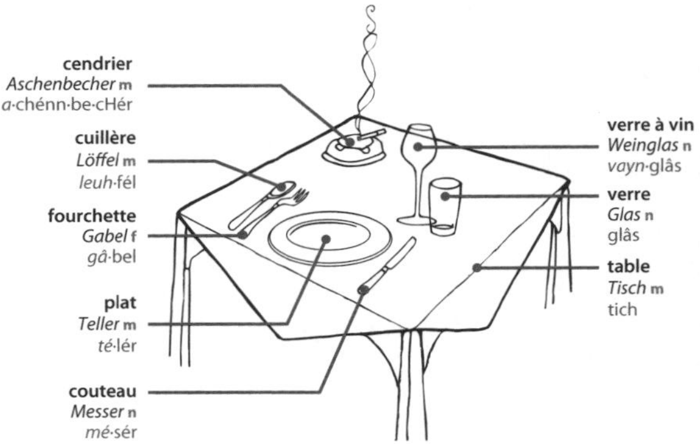

parler gastronomie

übers Essen sprechen

J'aime beaucoup ce plat.
Ich mag dieses Gericht. — icH mâk *dî*·zéss gué·*ricHt*

J'adore la cuisine locale.
Ich mag die regionale Küche. — icH mâk dî ré·guio·*nâ*·le *ku*·cHeuh

C'était absolument délicieux !
Das hat hervorragend geschmeckt! — das hat hér·*fôr*·râ·guént gué·*chmékt*

saucissologie

L'une des plus célèbres spécialités allemandes, est sans doute la saucisse (*Wurst*). Il en existe au moins 1 500 variétés, dont voici les plus courantes :

Blutwurst **f**	*blout*·vourst	boudin noir
Bockwurst **f**	*bok*·vourst	grande saucisse de Francfort
Bratwurst **f**	*brât*·vourst	saucisse grillée
Bregenwurst **f**	*bré*·guénn·vourst	saucisse à la cervelle
Cervelatwurst **f**	sér·vé·*lât*·vourst	cervelas
Frankfurter Würstchen **n**	frannk·four·ter *vurst*·chénn	saucisse de Francfort (la vraie est pur bœuf)
Katenwurst **f**	*kâ*·ténn·vourst	saucisse fumée rustique
Knackwurst **f**	*knak*·vourst	fine saucisse de Francfort
Krakauer **f**	*krâ*·kao·ér	saucisse épaisse au piment doux
Landjäger **m**	*lannt*·yé·guér	saucisson sec, fin, long et épicé
Leberwurst **f**	*lé*·ber·vourst	pâté de foie
Nürnberger Würstchen	*nurn*·bér·guér	petites saucisses à griller aux herbes
Regensburger **m**	*ré*·gens·bour·ger	saucisse fumée et très épicée
Rotwurst **f**	*rôt*·vourst	boudin noir
Thüringer **f**	*tu*·ring·er	saucisse longue, fine et épicée
Wiener Würstchen **n**	*vî*·ner *vurst*·cHénn	version autrichienne de la *Frankfurter*
Weißwurst **f**	*vays*·vourst	boudin blanc
Würstchen **n**	*vurst*·cHénn	petite saucisse
Zwiebelwurst **f**	*tsvî*·bel·vourst	saucisse à tartiner à l'oignon et au foie

C'est…	*Das ist...*	dass isst...
(trop) froid	*(zu) kalt*	(tsou) kalt
épicé	*scharf*	charf
excellent	*exzellent*	ék·sé·*lénnt*

Mes compliments au chef.
Mein Kompliment an den Koch. — mayn kom·pli·*ménnt* ann dénn koRch

Je suis rassasié(e).
Ich bin satt. — icH binn zat

repas

Gerichte

> petit-déjeuner

Quel est le petit-déjeuner typique (en Bavière)?
Was ißt man in (Bayern) normalerweise zum Frühstück? — vas isst mann in (*bay*·érn) nor·*mâ*·lér·vay·ze tsoum *fru*·chtuk

petits pains

Les petits pains changent de noms selon les régions. Pour être sûre de ne pas chatouiller les suceptibilités régionales, contentez-vous de dire *Brötchen*. Mais si vous lancez *Zwei Schrippen bitte?* à une boulangère berlinoise, vous en imposerez à coup sûr !

Brötchen **n**	*breuht*·cHénn	partout en Allemagne
Schrippe **f**	*chri*·peuh	à Berlin
Semmel **f**	*zé*·mél	en Bavière
Wecken **m et f**	*vé*·kénn	dans le sud de l'Allemagne et en Autriche
Weggli **n**	*vék*·li	en Suisse

pain	*Brot* **n**	brôt
beurre	*Butter* **f**	*bou*·ter
céréales	*Frühstücksflocken* **f pl**	*fru*·chtuks·flo·kénn
fromage	*Käse* **m**	*ké*·zeuh
café	*Kaffî* **m**	*ka*·fé
saucisse/ charcuterie en tranches	*Wurst/ Aufschnitt* **f/m**	vourst/ *aof*·chnit
croissant brioché	*Hörnchen* **n**	*heuhrn*·cHénn

œuf(s)…	*Ei/Eier…* **n sg/pl**	ay/ay·er
à la coque	*gekochtes Ei* **n**	gué·*koRch*·tes ay
brouillé	*Rührei* **n**	*rur*·ay
au plat	*Spiegelei* **n**	*chpî*·guél·ay
poché	*pochiertes Ei*	po·*chîr*·tes ay

miel	*Honig* **m**	*hô*·nicH
confiture	*Marmelade* **f**	mar·mé·*lâ*·deuh
omelette	*Omelette* **n**	omm·*lét*
jus d'orange	*Orangensaft* **m**	o·*rang*·jénn·zaft
lait	*Milch* **f**	milcH
muesli	*Müsli* **n**	*muss*·li
pâte à tartiner	*Brotaufstrich* **m**	*brôt*·aof·chtricH
thé	*Tî* **m**	té
toast	*Toast* **m**	tôst

Voir également le **lexique culinaire**, p. 163, et le **dictionnaire**.

> en-cas

Comment ça s'appelle ?	*Wie heißt das?*	vî hayst dass
Je/J'en voudrais…, s'il vous plaît.	*Ich hätte gern …, bitte.*	icH *hé*·tè guérn … *bi*·te
une tranche	*eine Scheibe*	*ay*·nè *chay*·beuh
un morceau	*ein Stück*	ayn chtuk
un sandwich	*ein Sandwich*	ayn *sént*·vich
celui-là	*dieses da*	*dî*·zes dâ
deux	*zwei*	tsvai

> condiments

Avez-vous du/de la... ?	*Gibt es ...?*	gipt es ...
sauce au piment	*Chilisauce* **f**	*chi*·li·zô·se
ketchup	*Ketchup* **m**	*ket*·chap
poivre	*Pfeffer* **m**	*pfé*·fer
sel	*Salz* **n**	zalts
sauce tomate	*Tomaten-sauce* **f**	to·*mâ*·ténn·zô·se
moutarde	Senf **m**	sénnf
vinaigre	*Essig* **m**	*e*·sicH

Voir également le **lexique culinaire**, p. 163, et le **dictionnaire**.

cuissons et préparations

Zubereitungsarten

Je l'aimerais…	*Ich hätte es gern ...*	icH *he*·te es guérn ...
Je ne le veux pas…	*Ich möchte es nicht ...*	icH *meuhcH*·te es nicHt ...
à la vapeur	*gedämpft*	gué·*démpft*
à point	*halb durch*	hâlp dourcH
avec la sauce à part	*mit dem Dressing daneben*	mit dém *dre*·sing da·*né*·ben
bien cuit	*gut durch-gebraten*	gout *dourcH*·gué·brâ·ten
bouilli	*gekocht*	gué·*koRcht*
cuit	*gebraten*	gué·*brâ*·ten
en purée	*püriert*	pu·*rîrt*
frit	*frittiert*	fri·*tîrt*
grillé	*gegrillt*	gué·*grilt*
médium	*halb durch*	halp dourcH
rechauffé	*aufgewärmt*	*aof*·gué·vérmt
saignant	*englisch*	*eng*·lich
sans…	*ohne ...*	*ô*·ne ...

au bar

in der Kneipe

Excusez-moi !	*Entschuldigung!*	énnt·*choul*·di·goung
C'est mon tour.	*Ich bin dran.*	icH bin drann
J'aimerais...	*Ich hätte gern ...*	icH *hé*·tè guérn...

La même chose, s'il vous plaît.
Dasselbe nochmal, bitte. das·*zel*·be noRch·*mâl bi*·te

Sans glace, merci.
Kein Eis, bitte. kayn ays *bi*·te

Je vous/t'offre un verre.
Ich gebe Ihnen/dir einen aus. **pol/fam** icH *gé*·be *î*·nénn/dîr *ay*·nénn aos

Qu'aimeriez-vous/aimerais-tu ?
Was möchten Sie? **pol** vas *meuhcH*·ténn zî
Was möchtest du? **fam** vas *meuhcH*·test dou

J'offre ma tournée.
Diese Runde geht auf mich. *dî*·ze *run*·de gét aof micH

expressions courantes

vas *meuhcH*·ten zî (*tring*·ken)
Was möchten Sie (trinken)? — **Que voulez-vous (boire) ?**

icH *glao*·be zî *ha*·ten gué·*nouk*
Ich glaube, Sie hatten genug. — **Je pense que vous avez assez bu.**

Vous pouvez/Tu peux commander la prochaine tournée.
Sie können die nächste Runde bestellen. **pol** zî *ker*·nénn dî *nécHs*·te *roun*·de bé·*chté*·lénn
Du kannst die nächste Runde bestellen. **fam** dou kanst dî *nécHs*·te *roun*·de bé·*chté*·lénn

Est-ce que vous servez à manger ?
Gibt es hier auch etwas zu essen? gipt es hîr aoRch *et*·vas tsou *e*·sen

boissons non alcoolisées

alkoholfreie Getränke

jus d'orange	*Orangensaft* **m**	o·rang·gênn·zaft
café	*Kaffee* **m**	*ka*·fé
chocolat	*Kakao* **m**	ka·kao
thé	*Tee* **m**	té
… avec (du lait)	*... mit (Milch)*	... mit (milcH)
… sans (sucre)	*... ohne (Zucker)*	... *ô*·ne (*tsu*·ker)
eau	*Wasser* **n**	*va*·ser
chaude	*heißes Wasser* **n**	*hay*·ses *va*·sér
gazeuse	*Mineralwasser* **n**	mi·ne·*râl*·va·sér
plate	*ohne Kohlensäure*	ô·ne ko·lénn·soy·reuh
du robinet	*Leitungswasser* **n**	lay·toungs·va·sér

boissons alcoolisées

alkoholische Getränke

bière	*Bier* **n**	bîr
légère	*Leichtbier* **n**	*laicHt*·bîr
sans alcool	*alkoholfreies*	al·ko·*hôl*·frai·es

à la levure	*Weizenbier* **n**	way·tsénn bîr
pilsener	*Pils* **n**	pils
blonde	*Weißbier* **n**	*vais*·bîr
cognac (à la manière de)	*Weinbrand* **m**	*vén*·brant
Champagne (français)	*Champagner* **m**	cham·*pan*·yer
champagne (allemand)	Sekt m	sékt
cocktail	*Cocktail* **m**	*kok*·tél
mousseux	*Sekt* **m**	zekt
un verre de…	*einen ...*	*ai*·nénn ...
gin	*Gin*	dzhin
rhum	*Rum*	rum
tequila	*Tequila*	te·*kî*·la
vodka	*Wodka*	*vot*·ka
whisky	*Whisky*	*vis*·ki

une bouteille de vin…	*eine Flasche ...*	*ai*·ne *fla*·che ...
un verre de vin…	*ein Glas ...*	én glâs ...
blanc	*Weißwein*	*vais*·vén
cuit	*Dessertwein*	de·*sair*·vén
chaud	*Glühwein*	*glü*·vén
mousseux	*Sekt*	zekt
rouge	*Rotwein*	*rôt*·vén
rosé	*Rosé*	ro·*zé*
un(e) ... (de) bière	*ein ... Bier*	én ... bîr
petit verre (25 cl)	*kleines*	*klai*·nes
verre (33 cl)	*Glas*	glâss
pinte (50 cl)	*halbes Maß*	*halb*·es
grand verre	*großes Glas*	*grô*·sséss glâss
une bière pression	*ein Bier vom Fass*	én bîr fom fas

quand le vin est tiré...

Si les vins blancs allemands sont connus internationalement, les rouges valent également le détour. Ils sont répartis en 3 catégories : *trocken* (sec), *halbtrocken* (demi-sec), et *lieblich* (doux). Voici une liste des plus courants :

> blanc

Eiswein **m** ays·*vayn*

Ce n'est pas un cépage, mais ne ratez pas ce doux et délicieux vin de glace dont les grappes ont été cueillies après une période de gel.

Müller-Thurgau **m** mu·lér·*tour*·gao

Connu également sous le nom *Rivaner,* ce cépage possède un léger parfum de muscat. Le vin est moins acidulé que le *Riesling* et il se boit jeune.

Riesling **m** *rîs*·ling

Cépage tardif avec un bouquet aromatique et fruité. Vin de garde qui peut aussi se boire jeune.

Ruländer/Grauburgunder **m** *rou*·lénn·dér/*grao*·bur·goun·dér

Robuste, doux, beaucoup de corps. Également connu comme *pinot gris* ou *pinot grigio.*

Silvaner **m** zil·*vâ*·nér

Beaucoup de corps, légèrement acide, plutôt neutre au nez. Se boit jeune.

> rouge

Portugieser **m** por·tou·*guî*·zer

Vin rouge léger, sans âpreté, originaire d'Autriche (et non du Portugal).

Spätburgunder **m** *chpêt*·bur·goun·dér

Également connu comme *pinot noir*. Vin de velours et plein de corps – les meilleurs ont des arômes d'amande.

Trollinger **m** *tro*·ling·ér

Vin du Bade-Wurtemberg, très parfumé.

quand la bière est tirée…

Alkoholfreies Bier **n** — al·ko·*hôl*·fray·es bîr
bière sans alcool.

Alster(wasser) **n** — *als*·ter(va·sér)
mélange de bière blonde et de limonade à l'orange.

Alt(bier) **n** — *alt*(bîr)
bière ambrée de Düsseldorf avec une dominante de houblon.

Altbierbowle **f** — *alt*·bîr·bô·le
Altbier avec fruits frais – la réponse teutone à la sangria.

Alt-Schuss **n** — alt *chous*
Altbier avec un trait de sirop ou du *Malzbier*.

Berliner Weiße **f** — bér·*lî*·nér *vay*·sseuh
bière blanche de Berlin souvent servie dans une grande coupe à glace avec du sirop de framboises (*rot*) ou d'aspérule (*grün*).

Bockbier **n** — *bok*·bîr
bière blonde ou brune à haut degré d'alcool.

Eisbock **m** — *ays*·bok
Bockbier qui a été gelé pour réduire son degré d'eau, ce qui augmente celui de l'alcool.

Export **n** — eks·*port*
bière blonde.

Gose **f** — *gô*·ze
bière de blé, spécialité de Leipzig.

Hefeweizen **n** — *hé*·fe·vai·tsen
bière de blé non filtrée (la bouteille contient encore des levures) – qui peut être blonde (*hell*) ou brune (*dunkel*).

Helles **n** — *he*·les
bière blonde de Bavière.

Kölsch **n** — keuhlch
bière ambrée de Cologne.

Kräusen **n** — *kroy*·zen
bière ambrée ou brune non filtrée.

Krefelder **n** — *kré*·fél·dér
Altbier mélangée à du cola.

Kristallweizen **n** — kris·*tal*·vay·tsénn
bière de blé blonde (*hell*) ou brune (*dunkel*).

... il faut la boire !

Leichtbier **n** *laycHt*·bîr
bière contenant moitié moins d'alcool qu'une bière classique.

Maibock **m** *mai*·bok
Bockbier qui n'est brassée qu'au mois de mai.

Malzbier **n** *malts*·bîr
bière sans alcool sucrée à base de malt. En fait, une limonade pour enfants.

Märzen **n** *mér*·tsénn
bière bavaroise brassée à la fin de l'hiver.

Pils/Pils(e)ner **n** pils/*pil*·z(e·)nér
pilsner, très proche d'une bière blonde.

Radler **n** *rât*·ler
mélange de bière blonde et limonade.

Rauchbier **n** *raoRch*·bîr
bière de Bamberg au goût fumé.

Schwarzbier **n** *chvarts*·bîr
bière noire de la famille des Guinness.

Weizenbier/Weißbier **n** *vay*·tsénn·bîr/*vays*·bîr
bière de blé filtré/bière blanche.

un verre de trop ?

einen über den Durst?

Tchin-tchin !
Prost! prôst

Merci, mais je n'en ai pas envie.
Nein danke, ich möchte jetzt nichts. nayn *danng*·keuh icH *meuhcH*·te yétst nicHts

Je ne bois pas d'alcool.
Ich trinke keinen Alkohol. icH *trinng*·keuh *kay*·nénn *al*·ko·hôl

Je suis pompette.
Das kommt jetzt echt gut. das komt yétst ecHt gout

Je suis fatigué(e), il vaudrait mieux que je rentre.
Ich bin müde, ich sollte besser nach Hause gehen. icH bin *mu*·de icH *zol*·te *bè*·sér nâcH *hao*·ze *gué*·énn

Je crois que je suis éméché(e).
Ich glaube, ich bin betrunken. icH *glao*·be icH bin be·*trung*·ken

Je me sens super bien !
Ich fühle mich fantastisch! icH *fü*·le micH fan·*tas*·tich

Je t'aime vraiment à la folie.
Ich liebe dich echt total. icH *lî*·be dicH ecHt to·*tâl*

Je crois que j'ai bu un verre de trop.
Ich glaube, ich habe ein bisschen zu viel getrunken. icH *glao*·be icH *hâ*·be én *bis*·cHen tsou fîl gué·*trung*·ken

Pouvez-vous/Peux-tu m'appeller un taxi ?
Können Sie mir ein Taxi rufen? **pol** *keuh*·nénn zî mîr ayn *tak*·si *rou*·fénn
Kannst du mir ein Taxi rufen? **fam** kannst dou mîr ayn *tak*·si *rou*·fénn

Vous ne devriez/Tu ne devrais pas conduire.
Ich glaube, Sie sollten nicht mehr fahren. **pol** icH *glao*·be zî *zol*·ténn nicHt mér *fâ*·ren
Ich glaube, du solltest nicht mehr fahren. **fam** icH *glao*·be dou *zol*·teste nicHt mér *fâ*·ren

Allez ! Encore une petite !
Zwischen Leber und Milz ist noch Platz für ein Pils. *tsvi*·chénn *lé*·bér ount milts ist noRch plats fur ayn pils
(litt : entre le foie et la râte il y a toujours de la place pour une blonde)

Prenons un deuxième verre.
Auf einem Bein steht man schlecht. aof *ay*·némm baïn chtêt mann chlécHt
(litt : on tient mal sur une seule jambe)

Où sont les toilettes ?
Wo ist die Toilette? vô ist dî to·a·*le*·te

Je suis bourré(e). *Ich bin blau.* icH bin blao
(litt : Je suis bleu(e))

Je me sens mal. *Mir ist schlecht.* mîr ist chlécHt

J'ai la gueule de bois. *Ich habe einen Kater.* icH *hâ*·be *ay*·nénn *kâ*·ter
(litt : J'ai un chat)

vocabulaire de base

wichtige Wörter

cuit	*gekocht*	ge·*kokht*
congelé	*eingefroren*	*ain*·ge·fraw·ren
cru	*roh*	raw
frais	*frisch*	frish
séché	*getrocknet*	ge·*trok*·net
Un morceau.	*Ein Stück.*	ain shtük
Une tranche.	*Eine Scheibe.*	*ay*·nè *shai*·be
Celui-là.	*Dieses da.*	*dî*·zes dah
Celui-ci.	*Dieses.*	*dî*·zes
Un petit peu plus.	*Ein bisschen mehr.*	ain *bis*·khen mair
Moins.	*Weniger.*	*vay*·ni·ger
C'est assez.	*Genug.*	ge·*nook*

déjeuner allemand

En Allemagne, le repas principal est le déjeuner : *das Mittagsessen*. On déjeune plus tôt qu'en France. Les restaurants se remplissent dès 11h30.

On vous souhaitera un *Guten Apetit*, ou plus prosaïquement un *Mahlzeit* ("Bon appétit !"). L'étiquette veut que l'on ne salisse pas la nappe – même avec des miettes de pain – et que l'on ne coupe pas les pommes de terre avec un couteau.

Si vous avez aimé votre plat, félicitez votre hôte d'un *Das hat geschmeckt*. Pour appeller le garçon dans un restaurant, dites *Herr Ober*, ou *Fräulein* si c'est une femme. Pour demander l'addition, il suffit d'un simple *Zahlen bitte!*

Les Allemands aiment bien porter des toasts. Pour ce faire, attendez que toute la table soit servie et levez votre verre avec les autres, comme un seul homme. Lorsque vous trinquerez, regardez bien votre interlocuteur dans les yeux et lancez un *Prost!* ou un *Zum Wohl!*

faire les courses

Lebensmittel einkaufen

Combien ?
Wie viel? — vî fîl

Combien coûte (un kilo de fromage) ?
Was kostet (ein Kilo Käse)? — vas *kos*·tét (ayn *kî*·lo *ké*·ze)

Quelles sont les spécialités locales ?
Was ist eine örtliche Spezialität? — vas isst *ay*·ne *euhrt*·li·cHè chpé·tsya·li·*tèt*

Qu'est-ce que c'est ?
Was ist das? — vass isst dass

Puis-je goûter ?
Kann ich das probieren? — kann icH dass pro·*bî*·ren

Puis-je avoir un sac, s'il vous plaît ?
Könnte ich bitte eine Tüte haben? — *keuhn*·te icH *bi*·te *ay*·ne *tu*·te *hâ*·ben

Je voudrais…	*Ich möchte ...*	icH *merkh*·te ...
(3) morceaux	*(drei) Stück*	(drai) shtük
(6) tranches	*(sechs) Scheiben*	(zeks) *shai*·ben
un peu de…	*etwas ...*	*et*·vas ...
(2) kilos	*(zwei) Kilo*	(tsvai) *kî*·lo
(200) grammes	*(200) Gramm*	(*tsvai*·hun·dert) gram
Avez-vous… ?	*Haben Sie ...?*	*hah*·ben zî ...
quelque chose de moins cher	*etwas Billigeres*	*et*·vas *bi*·li·ge·res
autre chose	*andere Sorten*	*an*·de·re *zor*·ten

Où puis-je trouver le rayon… ?	*Wo kann ich die … finden?*	vô kan icH dî … *fin*·dénn
des produits laitiers	*Abteilung für Milchprodukte*	ap·*tay*·loung fur *milcH*·pro·douk·te
des surgelés	*Abteilung für Tiefkühlprodukte*	ap·*tay*·loung fur *tîf*·kul·pro·douk·te
des fruits et légumes	*Obst- und Gemüse-abteilung*	opst ount gué·*mu*·ze·ap·tay·loung
boucherie -charcuterie	*Fleischabteilung*	*flaych*·ap·tay·loung
volailles	*Geflügel-abteilung*	gué·*flu*·guél·ap·tay·loung

Pour d'autres termes culinaires, voir le **lexique culinaire** p. 163 et le **dictionnaire**.

expressions courantes

kan icH *î*·nénn *hél*·fénn *Kann ich Ihnen helfen?*	**Puis-je vous aider ?**
vas *meuhcH*·ténn zî? *Was möchten Sie?*	**Que désirez-vous ?**
dass isst (*ay*·nè *brat*·vourst) *Das ist (eine Bratwurst).*	**C'est (une bratwurst).**
das ist aos *Das ist aus.*	**Il n'y en a plus.**
dass *hâ*·ben vîr nicHt *Das haben wir nicht.*	**Je n'en ai pas.**
meucH·ténn zî noRch *et*·vas *Möchten Sie noch etwas?*	**Désirez-vous autre chose**
dass *koss*·tête (funf *oy*·ro) *Das kostet (fünf Euro).*	**C'est (5 euros).**

ustensiles de cuisine

Küchenutensilien

Pourrais-je vous emprunter un(e)… ?	*Könnte ich bitte … ausleihen?*	*keuhnn*·te icH *bi*·te … *aos*·lay·énn
assiette	*einen Teller* **m**	*ay*·nénn *te*·lér
casserole	*einen Kochtopf* **m**	*ay*·nénn *koRch*·topf
couteau	*ein Messer* **n**	ayn *me*·ssér
cuillère à soupe	*einen Suppenlöffel* **m**	*ay*·nénn *sou*·pen·leuh·fél
décapsuleur	*einen Flaschenöffner* **m**	*ay*·nénn *fla*·chénn·euhf·nér
fourchette	*eine Gabel* **f**	*ay*·nè *gâ*·bel
ouvre-boîte	*einen Dosenöffner* **m**	*ay*·nénn *dô*·zen·euhf·nér
petite cuillère	*einen kleinen Löffel* **m**	*ay*·nénn *klay*·nén leuh·fél
poêle à frire	*eine Bratpfanne* **f**	*ay*·nè *brât*·pfa·ne
saladier	*eine Schüssel* **f**	*ay*·nè *chu*·sel
tasse	*eine Tasse* **f**	*ay*·nè *ta*·sseuh
tire-bouchon	*einen Korkenzieher* **m**	*ay*·nénn *kor*·kénn·tsî·ér
toaster	*einen Toaster* **m**	*ai*·nen *tôs*·tér
verre	*ein Glas* **n**	ayn glâs

réfrigérateur	*Kühlschrank* **m**	*kül*·shrank
micro-ondes	*Mikrowelle* **f**	mi·kro·*ve*·le
four	*Ofen* **m**	*aw*·fen
plaques	*Kochplatte* **f**	*kokh*·pla·te

commander

bestellen

Y a-t-il un restaurant (végétarien) près d'ici ?
Gibt es ein (vegetarisches) Restaurant hier in der Nähe? gipt ess ayn végué·*tar*·i·chéss réss·to·*ranng* hîr inn dér *né*·e

Préparez-vous de la cuisine... ?	*Haben Sie ... Essen?*	*hâ*·ben zî ... *e*·sen
kasher	*koscheres*	*kô*·ché·res
halal	*Halal-*	ha·*lal*·
végétarienne	*vegetarisches*	vé·gué·*tâ*·ri·chéss
Est-ce cuisiné dans/avec... ?	*Ist es in/mit ... zubereitet?*	ist es in/mit ... *tsou*·bé·ray·téte
du beurre	*Butter*	*bou*·ter
des œufs	*Eiern*	*ay*·érnn
du bouillon de viande	*Fleischbrühe*	*flaych*·bru·e

Je ne mange pas...
Ich esse kein... icH *e*·seuh kayn...

Est-ce que ce plat contient... ?
Enthält dieses Gericht...? énnt·*hélt dî*·zéss gué·*ricHt*...

Puis-je avoir la même chose sans... ?
Kann ich das ohne ... bekommen? kan icH dass *ô*·neuh... be·*ko*·ménn

Pouvez-vous me préparer ce plat sans... ?
Können Sie ein Gericht ohne ... zubereiten? *keuh*·nénn zî ayn gué·*ricHt* *ô*·neuh ... *tsou*·bé·ray·ténn

Est-ce… ?	*Ist das ...?*	ist das ...
bio	*biologisch*	bio·*lo*·guich
des animaux élevés en plein air	*von freilaufenden Tieren*	fon *fray*·lao·fénn·dénn *tî*·ren
génétiquement modifié	*genmanipuliert*	*gén*·ma·ni·pou·lîrt
halal	*nach den Vorschriften des Koran zubereitet*	naRchh dên *fôr*·chrif·ténn des ko·*rân* *tsou*·bé·ray·têt
kasher	*koscher*	*kô*·cher
pauvre en graisse	*fettarm*	*fet*·arm
pauvre en sucre	*zuckerarm*	*tsou*·kér·arm
sans gluten	*glutenfrei*	*glou*·ténn·fray
sans matières animales	*ohne tierische Produkte*	ô·ne *tî*·ri·che pro·*douk*·te
sans sel	*ohne Salz*	ô·ne zalts

expressions courantes

dâ ist u·ber·*al* (flaych) drin
Da ist überall (Fleisch) drin. **Cela contient de la (viande).**

icH *frâ*·gué mâl in dér *ku*·cHeuh
Ich frage mal in der Küche. **Je vais demander en cuisine.**

keuh·nénn zî ... *e*·sénn
Können Sie ... essen? **Pouvez-vous manger… ?**

allergies et régimes spéciaux

spezielle Diäten und Allergien

Je suis…	*Ich bin ...*	icH bin ...
bouddhiste	*Buddhist(in)* **m/f**	bou·*dist*/bou·*dis*·tin
hindouiste	*Hindu*	*hin*·dou
juif/juive	*Jude/Jüdin* **m/f**	*you*·de/*yu*·dinn
musulman(e)	*Moslem/ Moslime* **m/f**	*mos*·lémm/ mos·*lî*·me
végétalien(ne)	*Veganer(in)* **m/f**	ve·*gâ*·nér/ ve·*gâ*·né·rinn
végétarien(ne)	*Vegetarier(in)* **m/f**	vé·gué·*tâ*·ri·ér/ vé·gué·*tâ*·ri·é·rin

Je suis allergique…	*Ich bin allergisch gegen ...*	icH binn a·*lér*·gich *gé*·guénn...
aux aliments génétiquement modifiés	*genmanipulierte Speisen*	*gén*·ma·ni·pou·lîr·te *chpay*·zen
à la caféine	*Koffein*	ko·fé·*în*
aux crustacés	*Schalentiere*	*châl*·lénn·tî·re
aux fruits de mer	*Meeresfrüchte*	*mér*·res·frucH·te
à la gélatine	*Gelatine*	jé·la·*tî*·ne
au glutamate	*Natrium-glutamat*	*nâ*·tri·oum·glou·ta·mât
au gluten	*Gluten*	*glou*·ténn
aux matières animales	*Tierprodukte*	*tîr*·pro·douk·te
au miel	*Honig*	*hô*·nicH
aux noix	*Nüsse*	*nu*·se
aux œufs	*Eier*	*ay*·ér
au poisson	*Fisch*	fich
au porc	*Schweinefleisch*	*chvay*·ne·flaych
aux produits laitiers	*Milchprodukte*	*milcH*·pro·douk·te

à la viande rouge	*Rind-und Lammfleisch*	*rint*-unt *lamm*·flaych
à la volaille	*Geflügelfleisch*	gué·*flu*·guél·flaych

Je suis un régime spécial.
Ich bin auf einer Spezialdiät. — icH bin aof *ay*·nér chpé·*tsyâl*·di·ét

Je ne peux pas en manger car je suis allergique.
Ich kann es nicht essen wiel ich allergisch bin. — icH kan ess nicHt *ess*·énn vayl icH a·*lér*·gich bin

Je ne peux pas en manger pour…	*Ich kann es nicht essen aus ...*	icH kann ess nicHt *ess*·énn aos...
des raisons de santé	*Gesundheitsgründen*	gué·*zount*·hayts·grunn·dénn
une question d'éthique	*philosophischen Gründen*	fi·lo·*zô*·fi·chénn *grun*·dénn
une question de religion	*religiösen Gründen*	ré·li·*gyeuh*·zen *grunn*·dénn

Ce miniguide de la cuisine allemande recense, par ordre alphabétique, les plats et les ingrédients dont vous pourriez avoir besoin, au restaurant comme au marché. Pour rechercher un plat, rendez-vous au premier mot (par exemple : **Bayrisch Kraut** *chou blanc rapé*, sera classée à "Bayrisch").

A

Aachener Printen pl â·chè·nér prinn·ténn *biscuits aux noix, fruits confits, miel et épices enrobés de chocolat*
Aal m âl *anguille*
—suppe f âl·zou·peuuh *soupe d'anguilles*
geräucherter Aal m ge·roy·cHér·tér âl *anguille fumée*
Alpzirler m alp·tsir·ler *fromage au lait de vache (Autriche)*
Apfel m ap·fel *pomme*
—strudel m ap·fel·chtrou·del *roulé aux pommes, raisins et cannelle*
Apfelsine f ap·fel·zî·ne *orange*
Aprikose f a·pri·kô·ze *abricot*
—nmarmelade f a·pri·kô·zen·mar·me·lâ·de *confiture d'abricot*
Artischocke f ar·ti·cho·ke *artichaux*
Auflauf m aof·laof *gratin*
Auster f aos·ter *huître*

B

Bäckerofen m bé·kér·ô·fénn *(litt : four du boulanger) – porc et agneau cuits dans un pot en terre, spécialité du Saarland et d'Alsace*
Backhähnchen n bak·hên·cHénn *poulet frit*
Backobst n bak·ôpst *fruits secs*
Backpflaume f bak·pflao·meuh *prune*
Banane f ba·nâ·ne *banane*
Barsch m barch *perche*
Bauern
—brot n bao·érn·brôt *"pain du paysan"– pain complet rustique*
—frühstück n bao·érn·fru·chtuk *"petit déjeuner du paysan" – œufs brouillés, bacon, pommes de terre, oignons et tomates*
—schmaus m boa·ern·chmaos *"délice du paysan" – choucroute garnie avec du bacon, du porc fumé, des saucisses et des boulettes ou des pommes de terre*
—suppe f bao·érn·zou·pè *"soupe du paysan"– potée à la saucisse et au chou*
Bayrisch Kraut n bay·rich kroat *chou blanc rapé, cuit avec des lamelles de pomme, du vin et du sucre*
Beefsteak n bîf·sték *steak de bœuf*
Berliner m bér·lî·nér *beignet à la confiture*
Beuschel n boy·chél *cœur, foie et rognons de veau ou d'agneau servis dans une sauce acidulée*
Bienenstich m bî·nen·chtikh *carré aux amandes caramélisées fourré de crème chantilly*
Birne f bir·ne *poire*
Bischofsbrot n bi·chofs·brôt *gâteau aux fruits et aux noix*
Blaubeere f blao·bér·reuh *myrtille*
Blaukraut n blao·kraot *chou rouge*
Blumenkohl m blou·ménn·kôl *chou-fleur*
Blutwurst f blout·vourst *boudin noir*
Bockwurst f bok·vourst *saucisse de porc hâché très fin*

Bohnen f pl bô·nénn *haricots*
Brat
—huhn n brât·houn *poulet frit*
—kartoffeln f pl brât·kar·to·feln *pommes de terre frites*
—wurst f brât·vourst *saucisse de porc grillée*
Bregenwurst f bréy·guén·vourst *saucisse à la cervelle, spécialité de Basse-Saxe et Saxe-Anhalt*
Brezel f bré·tsél *brétzel*
Brokkoli m pl bro·ko·li *broccoli*
Brombeere f brom·bér·re *mûre*
Brot n brôt *pain*
— belegtes Brot n be·lék·tés brôt *tartine garnie (style Poilâne)*
Brötchen n br euht·cHénn *petit pain*
Brühwürfel m bru·vur·fél *bouillon-cube*
Bulette f bou·lé·te *boulette (Berlin)*
Butter f bou·tér *beurre*

C

Cervelatwurst f ser·ve·lât·vourst *saucisse épicée de porc et de bœuf*
Christstollen m krist·chto·lénn *gâteau épicé aux raisins et aux fruits confits (spécialité de Noël)*
Cremespeise f krém·chpay·zè *mousse*

D

Damenkäse m dâ·ménn·ké·ze *fromage doux*
Dampfnudeln f pl dampf·nou·déln *brioches chaudes cuites au lait dans une poêle couverte, servies avec une sauce à la vanille*
Dattel f da·tél *datte*
Dorsch m dorch *morue jeune*
Dotterkäse m do·ter·ké·ze *fromage de lait bouilli et jaune d'œuf*

E

Ei n ai *œuf*
gekochte Eier n pl gué·kocH·té ay·ér *œufs durs*
Eierkuchen m ay·ér·kou·cHénn *omelette sucrée*
Eierschwammerln n/pl ay·er·chva·merln *chanterelles (Autriche)*
Eierspeispfandl n ay·er·chpays·pfandl *omelette viennoise (Autriche)*
Eintopf m ayn·topf *ragoût, soupe épaisse*
Eis n ays *glace*
Eisbein n ays·bayn *jamboneau de porc*
Emmentaler m é·ménn·tâ·ler *Emmental*
Ennstaler m enns·tâ·ler *fromage bleu fait avec un mélange de laits*
Ente f énn·te *canard*
Erbse f érp·se *petits pois*
Erbsensuppe f érp·sénn·zou·pe *soupe de petits pois*
Erdäpfel m pl ért·ép·fél *pommes de terre*
—gulasch n ért·ép·fél·gou·lach *ragoût épicé de saucisses et pommes de terre*
—knödel m pl ért·ép·fél·kneuh·dél *quenelles de pomme de terre et semoule*
—nudeln f pl ert·ép·fél·nou·déln *boulettes de pommes de terre frites, roulées dans la chapelure et le beurre chaud*
Erdbeere f ért·bér·re *fraise*
Erdbeermarmelade f ert·bér·mar·me·lâ·de *confiture de fraise*
Erdnuss f ert·nous *arachide*
Essig m é·sicH *vinaigre*

F

Falscher Hase m fal·chér hâ·ze *"faux lapin" – pain de viande hachée*
Fasan m fa·zân *faisan*
Feige f fay·gué *figue*
Filet n fi·lay *filet*
Fisch m fich *poisson*
Flädle m pl flét·le *fine omlette découpée en lamelles servies dans un bouillon*
Fledermaus f flé·dér·maos *"chauve-souris" – bœuf cuit dans de la crème de raifort et gratiné au four*

Fleisch n flaych *viande*
—brühe f *flaych*·bru·e *bouillon*
—pflanzerl n *flaych*·pflann·tsérl *boulettes de viande (spécialité bavaroise)*
—sülze f *flaich*·zul·tse *aspic*
Fondue n fon·*du* *fondue*
Forelle f fo·*ré*·le *truite*
— blau fo·*ré*·le blao *truite cuite à la vapeur avec des pommes de terre et des légumes*
— Müllerin fo·*ré*·le *mu*·lé·rin *truite aux amandes*
geräucherte Forelle f ge·*roy*·cHér·tè fo·*ré*·le *truite fumée*
Frankfurter Kranz m *frank*·four·ter krants *gâteau en forme de couronne, fourré à la crème au beurre, couvert de nougatine et cerises confites (Frankfurt)*
Frikadelle f fri·ka·*dé*·le *grosse boulette de viande hachée frite*
Frischling m *frich*·linng *marcassin*
Frucht f frucHt *fruit*
Frühlingssuppe f *frü*·lingks·zou·peu *soupe du printemps aux légumes nouveaux*
Frühstücksspeck m *fru*·chtuks·chpék *bacon*

G

Gans f ganns *oie*
Garnele f gar·*né*·le *crevette*
Gebäck n gué·*bék* *pâtisserie*
Geflügel n gué·*flu*·guél *volaille*
gekocht gué·*kocHt* *bouilli • cuit*
Gemüse n gué·*mu*·ze *légumes*
—suppe f gué·*mu*·ze·zou·pe *soupe de légumes*
geräuchert gué·*roy*·cHert *fumé*
Geschnetzeltes n gué·*chne*·tsel·tes *viande émincée*
Züricher Geschnetzeltes n *tsu*·ri·cHer gué·*chné*·tsél·tès *émincé de veau aux champignons et aux oignons cuit au vin blanc et à la crème*
Gitziprägel n *gi*·tsi·pré·guél *lapin cuit au four dans une pâte à frire (Suisse)*

Graf Görz m grâf geuhrts *fromage à pâte molle (Autriche)*
Granat m gra·*nât* *crevette*
Granatapfel m gra·*nât*·ap·fél *grenade*
Gratin m gra·*teng* *gratin*
Graupensuppe f *grao*·pen·zou·pe *soupe d'orge*
Greyerzer m *gray*·ér·tsér *gruyère*
Grießklößchensuppe f *grîs*·kleuhss·cH énn·zou·pe *bouillon aux boulettes de semoule*
Gröstl n greuhstl *pommes de terre rapées et frites, accompagnées de viande (Tyrol)*
grüner Salat m *gru*·nér za·*lât* *salade verte*
Grünkohl m mit Pinkel *grun*·kôl mit *ping*·kél *chou à la saucisse (Brême)*
Güggeli n *gu*·gué·lì *poulet de printemps (Suisse)*
Gurke f *gour*·ke *concombre*

H

Hack
—braten m *hak*·brâ·ténn *pâté de viande hachée*
—fleisch n *hak*·flaych *viande hachée*
Haferbrei m *hâ*·fer·bray *bouillie d'avoine*
Hähnchen n *hayn*·cHénn *poulet*
Hämchen n *hem*·cHénn *porc servi avec de la choucroute et des pommes de terre (Cologne)*
Handkäs m mit Musik *hannt*·kés mit mu·*zîk* *fromage maigre en dés, mariné dans une vinaigrette à la moutarde et aux oignons*
Hartkäse m *hart*·ké·ze *fromage à pâte dure*
Hase m *hâ*·ze *lièvre*
—nläufe m pl in Jägerrahmsauce *hâ*·zen·loy·fe in *yé*·guér·râm·zô·se *cuisses de lièvre servies dans une sauce foncée à la crème de champignons, échalotes, vin blanc et persil*
—npfeffer m *hâ*·zen·pfé·fer *ragoût de lièvre aux champignons et aux oignons*

Haselnuß f hâ·zél·nouss *noisette*
Haxe f hak·se *jarret*
Hecht m hecHt *brochet*
Heidelbeere f hay·dél·bér·re *myrtille*
Heidelbeermarmelade f hay·dél·bér·mar·mé·lâ·de *confiture de myrtilles*
Heilbutt m hayl·bout *flétan*
Hering m hé·rinng *hareng*
—sschmaus m hé·ringks·chmaos *hareng à la crème*
—ssalat m hé·rinngks·za·lât *salade de hareng et de betteraves*
Himbeere f himm·bér·re *framboise*
Himmel und Erde hi·mél ount ér·de *"ciel et terre"– purée de pommes de terre et compote de pommes, parfois servie avec du boudin noir en tranches*
Hirsch m hirch *cerf*
Holsteiner Schnitzel n hol·chtay·ner chni·tsel *escalope de veau et œuf sur le plat, accompagnés de fruits de mer*
Honig m hô·nicH *miel*
Hörnchen n heuhrn·cHénn *croissant brioché*
Hühnerbrust f hu·nér·broust *blanc de poulet*
Hühnersuppe f hu·nér·zou·pe *soupe de poulet*
Hummer m hou·mer *homard*
Husarenfleisch n hou·zâ·ren·flaych *bœuf braisé, filets de veau et de porc servis avec des poivrons sucrés, des oignons et de la crème fraîche*
Hutzelbrot n hou·tsél·brôt *pain aux prunes et autres fruits secs*

I

Ingwer m ing·ver *gingembre*
italienischer Salat m i·tal·yé·ni·chér za·lât *salade composée d'escalope de veau en lamelles , de salami, d'anchois, de tomates, de concombre et de céleri accompagnée d'une sauce mayonnaise*

J

Joghurt m yô·gourt *yaourt*

K

Kabeljau m kâ·bel·yao *cabillaud*
Kaiserschmarren m kay·zér·chmar·ren *"l'omelette de l'Empereur"– omelette légère aux raisins, servie avec une compote de fruits ou une sauce au chocolat*
Kaisersemmeln f pl kay·zér·zé·méln *"petits pains de l'Empereur"– petits pains autrichiens*
Kalbfleisch n kalp·flaich *viande de veau*
Kalbsnierenbraten m kalps·nî·ren·brâ·ténn *rôti de veau farci aux rognons*
Kaninchen n ka·nîn·cHénn *lapin*
Kapern f pl kâ·pérn *câpres*
Karotte f ka·ro·te *carotte*
Karpfen m karp·fénn *carpe*
Kartoffel f kar·to·fél *pomme de terre*
—auflauf m kar·to·fél·aof·laof *gratin de pommes de terre*
—brei m kar·to·fél·bray *purée de pommes de terre*
—püree n kar·to·fél·pu·ré *purée de pommes de terre*
—salat m kar·to·fél·za·lât *salade de pommes de terre*
Käse m ké·ze *fromage*
—fondue n ké·ze·fon·du *fondue au fromage, parfumée au vin et au kirsch, dans laquelle on trempe du pain*
Kasseler n kas·lér *porc fumé*
— Rippe f mit Sauerkraut kas·lér ri·pe mit zao·er·kraot *côte de porc fumée, accompagnée de choucroute*
Katenwurst f kâ·ten·vourst *saucisse fumée rustique*
Katzenjammer m ka·tsén·ya·mer *tranches de bœuf froid à la mayonnaise avec concombres ou cornichons à la russe*

Keule f koy·le *gigot*
Kieler Sprotten f pl kî·ler chpro·ténn *petit hareng fumé*
Kirsche f kir·cheu *cerise*
Kirtagssuppe f kir·tâks·zou·peu *soupe aux céréales, épaissie de pommes de terre*
Klöße m pl kleuh·seu *boulettes*
Knackwurst f knak·vourst *saucisse à la farce finement hachée et légèrement parfumée à l'ail*
Knoblauch m knôp·laoRch *ail*
Knödel m kneuh·dél *quenelle – boulette de mie de pain ou de pomme de terre*
—beignets m pl kneuh·dél·ben·yés *boulettes aux fruits*
Kohl m kôl *chou*
—rabi m kôl·râ·bi *chou-rave*
—roulade f kôl·rou·lâ·de *chou farci à la viande hachée*
Kompott n kom·pot *compote*
Königinsuppe f keuh·ni·guin·zou·peu *crème de poulet avec morceaux de blancs de poulet*
Königsberger Klopse m pl keuh·niks·ber·ger klop·se *boulettes de viande et anchois à la crème et aux câpres*
Königstorte f keuh·niks·tor·te *gâteau aux fruits, parfumé au rhum*
Kopfsalat m kopf·za·lât *salade verte*
Kotelett n kot·lét *côte*
Krabbe f kra·beuh *crabe*
Krakauer f krâ·kao·ér *épaisse saucisse au poivron, d'origine polonaise*
Kraut n kroat *chou*
—salat m kroat·za·lât *salade de chou cru*
Kräuter n pl kroy·tér *herbes*
Krebs m kréps *écrevisse*
Kren m krên *raifort (Bavière et Autriche)*
Krokette f kro·ké·te *croquette*
Kuchen m kou·cHénn *gâteau*
Kümmel m ku·mél *cumin*
Kürbis m kur·bis *potiron*
Kutteln f pl ku·téln *tripes*

L

Labskaus m laps·kaos *haché de bœuf cuit et pommes de terre servi avec du hareng et un œuf sur le plat*
Lachs m laks *saumon*
geräucherter Lachs m ge·roy·cHér·ter laks *saumon fumé*
Lamm
—fleisch n lam·flaych *agneau*
—keule f lam·koy·lè *gigot d'agneau*
Landjäger m lant·yé·guér *fine et longue saucisse épicée*
Languste f lan·gous·te *langouste*
Lappenpickert m la·pen·pi·kert *épaisse galette de pommes de terre servie habituellement avec du jambon ou du poisson seché (Westphalie)*
Lauch m laocH *poireaux*
Leber f lé·ber *foie*
—käse m lé·ber·ké·zeu *pâté de foie, de porc et bacon servi chaud*
—knödel m lé·ber·kneuh·dél *quenelles de foie de porc, volailles et pommes de terre*
—knödelsuppe f lé·bér·kneuh·dél·zou·peu *bouillon aux petites boulettes de foie*
—wurst f lé·bér·vourst *pâté de foie à tartiner*
Lebkuchen m lép·kou·cHénn *macaron aux épices glacé au chocolat ou au sucre*
Leckerli n lè·kér·lî *biscuit au gingembre et au miel*
Leipziger Allerlei n layp·tsi·guér a·lér·lay *ratatouille de Leipzig*
Lende f len·de *filet*
Limburger m limm·bour·guér *fromage fort aux herbes*
Linsen f pl lin·zen *lentilles*
— mit Spätzle mit chpets·le *soupe de lentilles avec pâtes aux œufs et saucisses*
—suppe f linn·zen·zou·peu *soupe de lentilles*

Linzer Torte f linn·tsér tor·teu *tarte sablée à la confiture de fruits rouges*

Lorbeerblätter n pl lor·bér·blé·tér *feuilles de laurier*

Lübecker Marzipan n lu·bè·kér mar·tsi·pân *massepain fin de Lübeck*

Lucullus-Eier n pl lou·kou·lous·ay·er *œufs pochés, à la coque ou brouillés, accompagnés de foie gras d'oie, de truffes et autres garnitures servis en sauce*

M

Mais m maïs *maïs*

Majonnaise f ma·yo·né·zeu *mayonnaise*

Makrele f ma·kré·leu *maquereau*

Mandarine f mann·da·rî·neu *mandarine*

Mandel f mann·dél *amande*

Marmelade f mar·me·lâ·de *confiture*

Matjes m mat·yés *hareng jeune*

Maultasche f maol·ta·che *gros ravioli de Souabe*

Meeresfrüchte f pl mér·rés·frucH·teu *fruits de mer*

Meerrettich m mér·ré·ticH *raifort*

Mehl n mêl *farine*

Mett n mét *viande maigre de porc hachée*

Mettentchen n mét·ennt·cHénn *biscuit apéritif à la bière*

Milch f milcH *lait*

—rahmstrudel m milcH·râm·chtrou·dél *strudel farci aux œufs, à la crème et au fromage*

Mohnbrötchen n môn·brert·cHénn *pain aux grains de pavot*

Möhre f meuh·reu *carotte*

Muschel f mou·chél *moule*

Muskat m mous·kât *muscade*

Müesli n mus·li *muesli*

Müsli n mus·li *muesli*

N

Nelken f pl nél·kèn *clous de girofle*

Niere f nî·re *rognons*

Nockerl n no·kerl *œufs à la neige gratinés (Autriche)*

Nudeln f pl nou·déln *pâtes • nouilles*

Nudelauflauf m nou·dél·aof·laof *gratin de pâtes*

Nürnberger Lebkuchen m nurn·bér·guér lép·kou·cHénn *macaron aux noix, fruits confits, miel et épices, glacés au sucre ou au chocolat (spécialité de Noël)*

Obatzter m ô·bats·ter *mousse de fromage frais bavarois*

Obst n ôpst *fruits*

—salat m ôpst·za·lât *salade de fruits*

Ochsenschwanz m ok·sén·chvants *queue de bœuf*

—suppe f ok·sén·chvannts·zou·peu *bouillon de queue de bœuf*

Öl n euhl *huile*

Orangenmarmelade f o·râng·gên·mar·mé·lâ·deu *marmelade d'orange*

Palatschinken m pa·lat·ching·kénn *omelette fourrée à la confiture ou au fromage frais, parfois servie avec du chocolat chaud saupoudré de noix*

Pampelmuse f pamm·pél·mou·zeu *pamplemousse*

Paprika f pap·ri·kâ *poivron*

Pastetchen n pas·tayt·cHénn *bouchées à la reine (pas forcément aux abats)*

Pastete f pas·té·te *tranche de pâté*

Pellkartoffeln f pl pél·kar·to·féln *pommes au four, souvent servies avec du quark (fromage blanc)*

Petersilie f pay·ter·zî·li·e *persil*

Pfälzer Saumagen m pfél·tsér zao·mâ·guénn *estomac de porc farci aux pommes de terre, bacon et jambon*

Pfannkuchen m pfann·kou·cHénn *omelette sucrée*

Pfeffer m pfê·fer *poivre*

Pfifferling m pfi·fer·linng *chanterelle*

Pfirsich m pfir·zicH *pêche*
Pflaume f pflao·meu *pruneau*
Pilz m pilts *champignon*
Pichelsteiner m pi·cHél·chtay·nér *épaisse soupe de viande et de légumes*
Pökelfleisch n per·kel·flaich *viande marinée*
Pomeranzensoße f po·mé·rann·tsèn·zô·sse *sauce aux oranges amères, vin et cognac, habituellement servie avec du canard*
Pommes Frites pl pom frit *frites*
Porree m por·ray *poireau*
Preiselbeere f pray·zél·bér·reu *airelle*
Printe f prin·te *biscuit sec au miel*
Pumpernickel m pum·per·ni·kel *pain très noir complet de seigle*
Putenbrust f pou·ten·brust *blanc de dinde*
Puter m pou·ter *dindon*

Q

Quargel m kvar·guél *petit fromage rond, salé et légèrement acide*
Quark m kvark *fromage blanc • faisselle*
Quitte f kvi·teu *coing*

R

Radieschen n ra·dîs·cHénn *radis*
Ragout n ra·gou *ragoût*
Rahm m râm *crème*
Rebhuhn n rêp·houn *perdrix*
Regensburger m ré·guénns·bour·guér *saucisse fumée très épicée*
Reh n rê *chevreuil*
—pfeffer m rê·pfé·fer *chevreuil braisé dans sa marinade, servi avec de la crème fraîche*
—rücken m râ·ru·kénn *selle de chevreuil*
Reibekuchen m ray·beu·kou·cHénn *galettes de pommes de terre*
Reis m rays *riz*
Remouladensauce f re·mu·lâ·dénn·zô·se *sauce mayonnaise avec moutarde, anchois, capres, cornichons, vinaigre à l'estragon et cerfeuil*

Rettich m re·tikh *radis*
Rhabarber m ra·bar·bér *rhubarbe*
Rheinischer Sauerbraten m mit Kartoffelklößen ray·ni·chér zao·ér·brâ·ténn mit kar·to·fél·kleuh·sén *viande marinée, puis rôtie, légèrement acide, servie avec des quenelles de pomme de terre*
Rindfleisch n rint·flaich *bœuf*
Rippenspeer m ri·pen·chpair *entrecôte*
Rogen m rô·gen *seigle*
Roggenbrot n ro·gen·brôt *pain de seigle*
Rohkost f rô·kost *légumes crus • aliments végétariens*
Rollmops m rol·mops *filet de hareng roulé autour d'un oignon ou d'un cornichon et conservé au vinaigre*
Rosenkohl m rô·zen·kôl *choux de Bruxelles*
Rosinen f pl ro·zî·nen *raisins*
Rosmarin m rôs·ma·rîn *romarin*
Rost
—braten m rost·brâ·ténn *rôti*
—brätl n rost·brétl *viande grillée*
—hähnchen n rost·hên·cHénn *poulet rôti*
Rösti pl rers·tî *pommes de terre râpées et frites à la poêle (Suisse)*
rot rôt *rouge*
—e Beete f rô·te bé·te *betterave*
—e Grütze f rô·te grut·se *gelée aux fruits rouges servie avec une crème anglaise*
—e Johannisbeere f rô·te yo·ha·nis·bér·reu *groseille*
—kohl m rôt·kôl *chou rouge*
—e Rüben f pl rô·te ru·ben *betterave*
—wurst f rôt·vourst *saucisson*
Roulade f ru·lâ·de *tranche de bœuf farcie aux oignons, au bacon et à l'aneth, puis braisée*
Rühreier n pl rur·ay·ér *œufs brouillés*
Russische Eier n pl ru·si·che ai·er *"œufs à la russe" – œufs à la mayonnaise*

S

Sahne f zah·ne *crème fraîche ou Chantilly*
Salat m za·lât *salade*
grüner Salat m gru·nér za·lât *salade verte*
italienischer Salat m i·tal·yé·ni·chér za·lât *salade composée d'émincé de veau, de salami, d'anchois, de tomates, de concombre et de céléri, avec une sauce mayonnaise*
Salbei m zal·bai *sauge*
Salz n zalts *sel*
Salzburger Nockerln n pl zalts·bur·ger no·kerln *dessert autrichien de boulettes pochées dans du lait et servies avec une sauce chaude à la vanille*
Salzkartoffeln f pl zalts·kar·to·féln *pommes de terre bouillies*
Sauerbraten m zao·er·brâ·ténn *bœuf mariné et rôti, servi avec une sauce acidulée à la crème*
Sauerkraut n zao·ér·kraôt *choucroûte*
Schafskäse m châfs·ké·zeu *fromage de brebis*
Schellfisch m chél·fich *haddock*
Schinken m ching·kénn *jambon*
gekochter Schinken m gué·koRch·tér ching·ken *jambon cuit*
geräucherter Schinken m gué·roy·cHér·ter ching·kénn *jambon fumé*
Schlachtplatte f chlaRcht·pla·te *sélection de charcuterie de porc et de saucisses*
Schmalzbrot n chmalts·brôt *tartines de pain au saindoux épicé et oignons* frits
Schmorbraten m chmôr·brâ·ténn *bœuf rôti au pot*
Schnitte f chni·te *tranche de pain • petit morceau de gâteau*
Schnittlauch m chnit·laoRch *ciboulette*
Schnitzel n chni·tsel *escalope de porc, veau ou blanc de poulet pané et frit*
Holsteiner Schnitzel n hol·chtay·nér chni·tsél *schnitzel de veau et œuf sur le plat, accompagné de fruits de mer*
Wiener Schnitzel n vî·ner chni·tsél *escalope de veau panée*
Scholle f cho·le *sole*
schwarze Johannisbeere f chvar·tse yo·ha·nis·bair·re *cassis*
Schwarzwälder Kirschtorte f chvarts·vel·der kirch·tor·te *forêt-noire (biscuit au chocolat aromatisé au Kirsch et fourré à la crème Chantilly et aux cerises)*
Schwein n chvayn *porc*
—ebraten m chvay·ne·brâ·ténn *rôti de porc*
—efleisch n chvay·ne·flaych *porc*
—shaxe f chvayns·hak·seu *jamboneau rôti, à la croûte craquante, servi avec des quenelles de pommes de terre*
Seezunge f zé·tsoung·e *sole*
Seidfleisch n zait·flaich *viande cuite*
Sekt m zékt *champagne fait en Allemagne*
Selchfleisch n zelcH·flaych *porc fumé*
Sellerie m zé·le·rî *céleri*
Semmel f zé·mél *petit pain (Autriche et Bavière)*
Senf m zénnf *moutarde*
—knödel m pl ze·mel·kneu·dél *boulettes de pain de mie trempées dans du lait (Bavière)*
Sonnenblumenkerne m pl zo·nénn·blou·ménn·kér·neu *graines de tournesol*
Soße f zô·se *sauce*
spanische Soße f chpâ·ni·cheu zô·se *sauce foncée aux herbes*
Spanferkel n chpân·fer·kél *cochon de lait*
Spargel m chpar·guél *asperges*
Spätzle pl chpéts·le *pâtes aux œufs (spécialité du sud de l'Allemagne et d'Alsace)*
Speck m chpék *bacon*
Spekulatius m chpé·kou·lâ·tsi·ous *biscuits secs épicés aux amandes*
Spiegelei n chpî·guél·ay *œuf au plat*
Spinat m chpi·nât *épinard*
Sprossenkohl m chpro·sénn·kôl *choux de Bruxelles*
Sprotten f pl chpro·ténn *sprats (anchois de Norvège)*

Steckrübe f chtèk·ru·beu *navet*
Steinbuscher m chtayn·bou·chér *fromage crémeux à l'arôme fort légèrement amer*
Steinbutt m chtain·but *turbot*
Stelze f chtel·tse *jarret de porc*
Sterz m chtérts *polenta à l'autrichienne*
Stollen m chto·len *cake épicé aux raisins et fruits secs, traditionellement fait à Noël*
Strammer Max m chtra·mér maks *tranche de pain de style Poilâne au jambon (ou saucisse, ou émincé de porc), servi avec un œuf sur le plat et des oignons*
Streichkäse m chtraycH·ké·zeu *toute préparation à base de fromage à tartiner*
Streuselkuchen m chtroy·zel·kou·cHénn *gâteau de type crumble, c'est-à-dire dont la surface est couverte d'un appareil à base de beurre, de sucre, de farine et de canelle*
Strudel m chtrou·dél *roulé fourré d'une farce sucrée ou salée*
Suppe f zou·peu *soupe*

T

Tascherl n ta·chérl *énorme ravioli fourré de viande, de fromage ou de jambon*
Tatarenbrot n ta·tâ·ren·brôt *tartine garni de steak tartare*
Teigwaren pl tayk·vâ·ren *terme générique pour pâtes et nouilles*
Thunfisch m toun·fich *thon*
Thüringer f tu·rinng·ér *saucisse longue, mince et épicée*
Thymian m tu·mi·ân *thym*
Toast m tôst *toast*
Tomate f to·mâ·te *tomate*
—nketchup m to·mâ·ténn·két·chap *sauce tomate*
—nsuppe f to·mâ·ténn·zou·peu *soupe de tomate*
Topfen m top·fén *fromage blanc (Autriche)*
Törtchen n teuhrt·cHénn *petite tarte ou petit gâteau*
Torte f tor·te *tarte à la crème*
Truthahn m trout·hân *dindon*
Tunke f tung·ke *sauce*

V

Vollkornbrot n fol·korn·brôt *pain complet*
Voressen n fôr·e·sen *ragoût*

W

Wachtel f vaRch·tél *caille*
Walnuss f val·nous *noix*
Wecke f vé·keu *petit pain (Autriche et sud de l'Allemagne)*
Weichkäse m vaycH·ké·zeu *fromage à pâte molle*
Weinbergschnecken f pl vayn·berk·chné·kénn *escargots*
Weinkraut n vayn·kraot *chou blanc braisé et pommes cuisinés au vin blanc*
Weintraube f vain·trao·be *raisin frais*
Weißbrot n vais·brôt *pain blanc*
Weißwurst f vais·vourst *saucisse de veau ou boudin blanc (spécialité du sud de l'Allemagne) – se mange impérativement avant midi accompagnée d'une moutarde sucrée*
Westfälischer Schinken m vést·fé·li·chér ching·kénn *jambon fumé*
Wiener vî·nér
— Würstchen n vî·nér vurst·cHénn *nom de la saucisse de Francfort à Vienne*
— Schnitzel n vî·ner chni·tsél *escalope de veau panée*
Weizenbrot n vay·tsénn·brôt *pain au blé*
Wild n vilt *gibier*
—braten m vilt·brâ·ténn *rôti de gibier*
—ente f vilt·énn·te *canard sauvage*
—schwein n vilt·chvayn *sanglier*
Wilstermarschkäse m vils·tér·march·ké·zeu *fromage à pâte demi-dure*
Wurst f vourst *saucisse*
Würstchen n vurst·cHénn *petite saucisse*

Wurstplatte f *vourst*·pla·te *charcuterie en tranches*

Z

Ziege f *tsî*·gue *chèvre*
Zimt m tsimmt *canelle*
Zitrone f tsi·*trô*·ne *citron*
Zucker m *tsou*·ker *sucre*
Zunge f *tsoung*·e *langue*
Zwetschge f *tsvétch*·gué *prune*
—**ndatschi m** *tsvétch*·guén·dat·chi *tarte aux prunes*

Zwieback m *tsvî*·bak *biscotte sucrée*
Zwiebel f *tsvî*·bel *oignon*
—**fleisch n** *tsvî*·bel·flaych *bœuf sauté aux oignons*
—**kuchen m** *tsvî*·bel·kou·cHénn *tarte à l'oignon , souvent servie avec du* Federweißer *(vin nouveau)*
—**suppe f** *tsvî*·bel·zou·peu *soupe à l'oignon*
—**wurst f** *tsvî*·bel·vourst *pâté de foie aux oignons à tartiner*
Zwischenrippenstück n *tsvi*·chénn·ri·pen·chtuk *entrecôte*

l'essentiel

Notfälle

Au secours !	*Hilfe!*	*hil*·feu
Stop !	*Halt!*	halt
Allez-vous en !	*Gehen Sie weg!*	*gué*·énn zî vék
Au voleur !	*Dieb!*	dîb
Au feu !	*Feuer!*	*foy*·ér
Attention !	*Vorsicht!*	for·*zicHt*

panneaux signalétiques

Unfallstation	oun·fal·sta·*tsyôn*	**Urgences médicales**
Polizei	po·li·*tsay*	**Police**
Polizeirevier	po·li·*tsay*·ré·vîr	**Commissariat**

C'est une urgence !
Es ist ein Notfall! — es ist ayn *nôt*·fal

Appelez la police !
Rufen Sie die Polizei! — *rou*·fénn zî dî po·li·*tsay*

Appelez un médecin !
Rufen Sie einen Arzt! — *rou*·fénn zî *ay*·nénn artst

Appelez une ambulance !
Rufen Sie einen Krankenwagen! — *rou*·fénn zî *ay*·nénn *krang*·kénn·vâ·génn

Je suis malade.
Ich bin krank. — icH bin krank

Mon ami(e) est malade.
Mein Freund/Meine Freundin ist krank. **m/f** — mayn froynd/*may*·ne *froyn*·dinn ist krank

Pouvez-vous m'aider/nous aider, s'il vous plaît ?
Könnten Sie mir/uns bitte helfen? — *keuhnn*·ténn zî mîr/ouns *bi*·te *hél*·fénn

Je dois téléphoner.
Ich muss das Telefon benutzen. icH mouss das té·lé·*fôn* bé·*nou*·tsénn

Je suis perdu(e).
Ich habe mich verirrt. icH *hâ*·beu micH fer·*irt*

police

Polizei

Où est le commissariat ?
Wo ist das Polizeirevier? vô isst das po·li·*tsay*·ré·vîr

Je viens déposer une plainte.
Ich möchte eine Straftat melden. icH *meuhcH*·te *ay*·ne *chtrâf*·tât *mél*·dénn

On m'a volé…	*Man hat mir ... gestohlen.*	mann hat mîr ... gué·*chtô*·lénn
J'ai perdu…	*Ich habe ... verloren.*	icH *hâ*·be ... fer·*lô*·rénn
mon argent	*mein Geld*	mayn gelt
mes bagages	*meine Reisetaschen*	*may*·ne *ray*·ze·ta·chénn
mes bijoux	*meinen Schmuck*	*may*·nénn chmouk
ma carte de crédit	*meine Kreditkarte*	*may*·ne kré·*dît*·karte
mes chèques de voyage	*meine Reiseschecks*	*may*·ne *ray*·ze·chèks
mes papiers	*meine Papiere*	*may*·ne pa·*pî*·re
mon passeport	*meinen Pass*	*may*·nénn pass
mon portefeuille	*meine Brieftasche*	*may*·ne *brîf*·ta·cheu
mon porte-monnaie	*mein Portemonnaie*	mayn port·mo·*né*
mon sac à dos	*meinen Rucksack*	*may*·nénn *rouk*·zak
mon sac à main	*meine Handtasche*	*may*·ne *hannt*·ta·cheu
Elle/Il a tenté de me…	*Sie/Er hat versucht, mich zu ...*	zî/ér hat fer·*zouRcht* micH tsou ...
agresser	*überfallen*	*u*·bér·fa·lénn
violer	*vergewaltigen*	fer·gué·*val*·ti·génn
voler	*bestehlen*	bé·*chté*·lénn

J'ai été…	*Ich bin ... worden.*	icH bin ... *vor*·dénn
Il/Elle a été…	*Er/Sie ist ... worden.*	air/zî ist ... *vor*·dénn
agressé(e)	*angegriffen*	*an*·gué·gri·fénn
violé(e)	*vergewaltigt*	fer·gué·*val*·ticHt
volé(e)	*bestohlen*	bé·*chtô*·lénn

Je suis assuré(e).
Ich bin versichert. icH bin fer·*zi*·cHért

Je vous prie de m'excuser.
Entschuldigen Sie bitte. énnt·*choul*·di·génn zî *bi*·te

Je ne pensais pas faire quelque chose de mal.
Ich war mir nicht bewusst, etwas Unrechtes getan zu haben. icH vâr mîr nicHt bé·*voust* *ét*·vas *oun*·récH·tés gué·*tân* tsou *hâ*·bénn

Ce n'était pas moi.
Das habe ich nicht getan. das *hâ*·be icH nicHt gué·*tân*

Je suis innocent(e).
Ich bin unschuldig. icH bin *oun*·choul·dicH

Puis-je téléphoner ?
Kann ich jemanden anrufen? kan icH *yé*·mann·dénn *ann*·rou·fénn

Puis-je appeler un avocat ?
Kann ich einen Rechtsanwalt anrufen? kann icH *ay*·nénn *recHts*·ann·valt *ann*·rou·fénn

Puis-je avoir un avocat qui parle français ?
Kann ich einen Rechtsanwalt haben, der Französisch spricht? kan icH *ay*·nénn *recHts*·ann·valt *hâ*·bénn dér frann·*zeuh*·sich chpricHt

Est-ce qu'une amende suffirait à régler ce problème ?
Können wir eine Geldbuße dafür bezahlen? *keuh*·nénn vîr *ay*·ne *gélt*·bou·se da·*fur* bé·*tsâ*·lénn

Je souhaite contacter mon…	*Ich möchte mich mit ... in Verbindung setzen.*	icH *meuhcH*·te micH mit ... inn fer·*bin*·doung *ze*·tsénn
consulat	*meinem Konsulat*	*may*·ném kon·zu·*lât*
ambassade	*meiner Botschaft*	*may*·nér *bôt*·chaft

C'est pour mon usage personnel.
Dies ist für meinen persönlichen Gebrauch. — *dîz* ist fur *may*·nénn per·*zeuhn*·li·cHénn gué·*braoRch*

J'ai une ordonnance pour ce médicament.
Ich habe ein Rezept für dieses Medikament. — icH *hâ*·beu ayn ré·*tsépt* fur *dî*·zès mé·di·ka·*ménnt*

Je (ne) comprends (pas).
Ich verstehe (nicht). — icH fer·*chté*·euh (nicHt)

Je connais mes droits.
Ich kenne meine Rechte. — icH *ke*·neuh *may*·ne *récH*·te

De quoi suis-je accusé ?
Wessen werde ich beschuldigt? — *vé*·sénn *ver*·de icH bé·*choul*·dicHt

expressions courantes

Vous êtes accusé de…	*Sie werden … beschuldigt.*	zî *ver*·dénn … be·*choul*·dicHt
Il/elle est accusé(e) de…	*Er/Sie wird … beschuldigt.*	ér/zî virt … be·*choul*·dicHt
agression sur une personne	*des Überfalls*	des *ü*·ber·fals
avoir un visa qui n'est plus valide	*der Überschreitung der Gültigkeitsdauer Ihres Visums*	dér u·bér·*chray*·toung dér *gul*·ticH·kayts·dao·er *î*·rés *vî*·zoums
détenir (des substances illégales)	*des Besitzes (illegaler Substanzen)*	dés bé·*zi*·tsés (*i*·lé·gupa·lér zoup·*stann*·tsénn)
excès de vitesse	*der Geschwindigkeitsüberschreitung*	dér gué·*chvinn*·dicH·kayts·u·bér·chray·toung
ne pas avoir de visa	*der Einreise ohne Visum*	dér *ayn*·ray·ze *ô*·ne *vî*·zoum
vol à l'étalage	*des Ladendiebstahls*	des *lâ*·dénn·dîp·chtâls

Où se trouve le/la… le/la plus proche ?	*Wo ist der/die/das nächste ...?* **m/f/n**	vô ist dér/dî/das *nécHs*·teu ...
pharmacie	*Apotheke* **f**	a·po·*té*·keu
dentiste	*Zahnarzt* **m**	*tsân*·artst
médecin	*Arzt* **m**	artst
hôpital	*Krankenhaus* **n**	*kranng*·kénn·haos
opticien	*Augenoptiker* **m**	*ao*·guénn·op·ti·ker

Je voudrais voir un médecin (qui parle français).
Ich brauche einen Arzt (der Französisch spricht). — icH *brao*·cHe *ay*·nénn artst (dér frann·*zeuh*·sich chpricHt)

Puis-je voir un médecin femme ?
Könnte ich von einer Ärztin behandelt werden? — *keuhn*·te icH fon *ay*·nér *érts*·tin bé·*hann*·délt *ver*·dénn

Le médecin peut-il se déplacer à mon domicile ?
Könnte der Arzt hierher kommen? — *keuhnn*·te dér artst hîr·*hér* *ko*·ménn

Y a-t-il une pharmacie (ouverte la nuit) près d'ici ?
Gibt es in der Nähe eine (Nacht)Apotheke? — gipt ess in dér *né*·e *ay*·neu (*naRcht*·)a·po·té·keu

Je ne veux pas de transfusion sanguine.
Ich möchte keine Bluttransfusion. — icH *meuhcH*·te *kay*·neu *blout*·trans·fou·zyôn

Pourriez-vous utiliser une nouvelle seringue.
Bitte benutzen Sie eine neue Spritze. — *bi*·te bé·*nou*·tsénn zî *ay*·neu *noy*·e *chpri*·tseu

J'ai ma propre seringue.
Ich habe meine eigene Spritze. — icH *hâ*·be *may*·neu *ay*·gué·né *chpri*·tseu

Je suis vacciné(e) contre…	*Ich bin gegen … geimpft worden.*	icH bin *gué*·guénn … gué·*immpft vor*·dénn
Il/Elle est vacciné(e) contre…	*Er/Sie ist gegen … geimpft worden.*	ér/zî isst *gué*·guénn … gué·*immpft vor*·dénn
la fièvre…	*…Fieber*	…fî·bér
l'hépatite A/B/C	*Hepatitis A/B/C*	hé·pa·*tî*·tis â/bé/tsé
le tétanos	*Tätanus*	*té*·ta·nous
la typhoïde	*Typhus*	*tu*·fous

J'ai besoin de…	*Ich brauche …*	icH *brao*·cHeuh …
nouvelles lentilles de contact	*neue Kontaktlinsen*	*noy*·euh kon·*takt*·linn·zen
lunettes	*eine neue Brille*	*ay*·ne *noy*·euh *bri*·le

Je n'ai plus de médicaments.
Ich habe keine Medikamente mehr. — icH *hâ*·be *kay*·ne mé·di·ka·*ménn*·te mér

Mon ordonnance est…
Mein Rezept ist … — mayn ré·*tsépt* isst …

Puis-je avoir un reçu pour l'assurance que j'ai souscrite ?
Kann ich eine Quittung für meine Versicherung bekommen? — kann icH *ay*·ne *kvi*·toung fur *may*·ne fer·*zi*·cHé·roung bé·*ko*·ménn

ce que le médecin dira peut-être…

Quel est votre problème ?
vas félt *î*·nénn — *Was fehlt Ihnen?*

Où avez-vous mal ?
vô tout éss vé — *Wo tut es weh?*

Avez-vous de la fièvre ?
hâ·ben zî *fî*·bér — *Haben Sie Fieber?*

Depuis quand vous sentez-vous comme ça ?
zayt van *hâ*·ben zî *dî*·ze bé·*chvér*·dénn — *Seit wann haben Sie diese Beschwerden?*

Avez-vous déja eu ça ?

ha·ténn zî das chôn *ayn*·mâl — *Hatten Sie das schon einmal?*

Combien de temps comptez-vous voyager ?

vî *lang*·e *dao*·ért *î*·re *ray*·zeu — *Wie lange dauert Ihre Reise?*

Prenez-vous des médicaments ?

né·ménn zî *ir*·guénnt·vél·cHeu mé·di·ka·*ménn*·te — *Nehmen Sie irgendwelche Medikamente?*

Êtes-vous sujet à des allergies ?

zint zî *gué*·guénn bé·*chtim*·teu *chto*·feu a·*lér*·guich — *Sind Sie gegen bestimmte Stoffe allergisch?*

Est-ce que vous… ?

buvez	*trinng*·ken zî	*Trinken Sie?*
fumez	*rao*·cHén zî	*Rauchen Sie?*
consommez des drogues	*né*·ménn zî *drô*·guénn	*Nehmen Sie Drogen?*

Avez-vous des relations sexuelles ?

zint zî zék·sou·*él* ak·*tîf* — *Sind Sie sexuell aktiv?*

Avez-vous eu des rapports non protégés ?

ha·ténn zî *oun*·gué·chuts·ténn gué·*chlécHts*·fer·kér — *Hatten Sie ungeschützten Geschlechtsverkehr?*

Il faut vous hospitaliser.

zî *mu*·sénn in ayn *krang*·kénn·haos *ayn*·gué·vî·zen *ver*·dénn — *Sie müssen in ein Krankenhaus eingewiesen werden.*

Vous devriez faire des examens dès votre retour chez vous.

zî *zol*·ténn ess tsou *hao*·zeu oun·ter·*zou*·cHénn *la*·sén — *Sie sollten es zu Hause untersuchen lassen.*

Vous devriez rentrer chez vous pour vous faire soigner.

zî *zol*·ténn nacH *hao*·zeu *fâ*·ren oum zicH bé·*hann*·déln tsou *la*·sénn — *Sie sollten nach Hause fahren, um sich behandeln zu lassen.*

symptômes et condition physique

Symptome und Zustände

Je suis malade.
Ich bin krank. — icH bin krangk

Mon ami(e) est malade.
Mein Freund/Meine Freundin ist krank. **m/f** — mayn froynt/*may*·nè *froyn*·dinn ist krangk

Ça me fait mal ici.
Es tut hier weh. — ess tout hîr *vé*

J'ai vomi.
Ich habe mich übergeben. — icH *hâ*·beu micH *u*·bér·*gué*·bénn

Je ne dors plus.
Ich kann nicht schlafen. — icH kan nicHt *chlâ*·fénn

Je me sens…

bizarre	*Mir ist komisch.*	mîr ist *kô*·mich
faible	*Ich fühle mich schwach.*	icH *fu*·le micH chvaRch
mieux	*Ich fühle mich besser.*	icH *fû*·le micH *be*·sér
nauséeux/nauséeuse	*Mir ist übel.*	mîr isst *u*·bel
plus mal	*Ich fühle mich schlechter.*	icH *fu*·le micH *chlecH*·ter

Je suis…

anxieux/anxieuse	*Ich habe Ängste.*	icH *hâ*·beu *énngs*·te
déprimé(e)	*Ich bin deprimiert.*	icH bin dé·pri·*mîrt*
étourdi(e)	*Mir ist schwindelig.*	mîr isst *chvin*·dé·licH
grelottant(e)	*Mich fröstelt.*	micH *freuhs*·télt

J'ai…	*Ich habe …*	icH *hâ*·beu …
la diarrhée	*Durchfall*	*durcH*·fal
de la fièvre	*Fieber*	*fi*·bér
mal à la tête	*Kopfschmerzen*	*kopf*·chmér·tsénn
des douleurs	*Schmerzen*	*chmér*·tsénn

J'ai tantôt chaud, tantôt froid.
Mir ist abwechselnd heiß und kalt — mîr ist *ap*·vék·selnt hays ount kalt

J'ai remarqué un gonflement ici.
Ich habe hier einen Knoten bemerkt. — icH *hâ*·beu hîr *ay*·nénn *knô*·ténn bé·*merkt*

J'ai eu récemment…
Ich hatte vor kurzem ... — icH *ha*·te fôr *kour*·tsémm ...

Il/Elle a eu récemment…
Er/Sie hatte vor kurzem ... — ér/zî *ha*·teu fôr *kour*·tsémm ...

Il y a des antécédants médicaux indiquant…
Es gibt eine Vorgeschichte mit ... — es gipt *ay*·ne *fôr*·ge·chicH·teu mit ...

Je prends des médicaments contre…
Ich nehme Medikamente gegen ... — icH *né*·meu mé·di·ka·*ménn*·te *gué*·guénn ...

Il/Elle prend des médicaments contre…
Er/Sie nimmt Medikamente gegen ... — ér/zî nimt mé·di·ka·*ménn*·te *gué*·guén ...

asthme	*Asthma* **n**	*ast*·ma
problèmes de cœur	*Herzbeschwerden* **f**	*hérts*·bé·chvér·dén
MST	*Geschlechts-krankheit* **f**	gué·*chlécHts*·krangk·hayt

Voir le **dictionnaire** pour plus de vocabulaire sur la santé.

santé au féminin

Gesundheit bei Frauen

(Je pense que) Je suis enceinte.
(Ich glaube) Ich bin schwanger. — (icH *glao*·beu) icH bin *chvang*·er

Je n'ai pas eu mes règles depuis … semaines.
Ich habe seit ... Wochen meine Periode nicht gehabt. — icH *hâ*·be zayt ... *vo*·cHénn *may*·ne pé·ri·ô·de nicHt gué·*hâpt*

Je prends la pilule.
Ich nehme die Pille. icH *né*·meu dî *pi*·le

ce que le médecin dira peut-être...

Utilisez-vous un moyen de contraception ?
bé·*nou*·tsénn zî fer·*hu*·toungks·mi·tél — *Benutzen Sie Verhütungsmittel?*

Avez-vous toujours vos règles ?
hâ·ben zî *î*·re pé·ri·*ô*·de — *Haben Sie Ihre Periode?*

Êtes-vous enceinte ?
zint zî *chvang*·ér — *Sind Sie schwanger?*

De quand datent vos dernières règles ?
vann *ha*·ténn zî *î*·re *léts*·te pé·ri·*ô*·de — *Wann hatten Sie Ihre letzte Periode?*

Vous êtes enceinte.
zî zint *chvang*·ér — *Sie sind schwanger.*

allergies

Allergien

Je fais des allergies cutanées.
Ich habe eine Hautallergie. icH *hâ*·beu *ay*·ne haot·a·lér·guî

Je suis allergique à/aux...	*Ich bin allergisch gegen ...*	icH bin a·*lér*·guich *gué*·guénn ...
Il/Elle est allergique à/aux...	*Er/Sie ist allergisch gegen ...*	ér/zî isst a·*lér*·gich *gué*·guénn ...
antibiotiques	*Antibiotika*	ann·ti·bi·*ô*·ti·ka
anti-inflammatoires	*entzündungshemmende Mittel*	énn·*tsun*·doungks·hè·ménn·de *mi*·tél
aspirine	*Aspirin*	as·pi·*rînn*
piqûres d'abeilles	*Bienen*	*bî*·nénn
codéine	*Kodein*	ko·dé·*în*
pénicilline	*Penizillin*	pé·ni·tsi·*lîn*
pollen	*Pollen*	*po*·len

antihistaminiques	*Antihistamine* **n pl**	ann·ti·his·ta·*mî*·ne
inhalateur	*Inhalator* **m**	in·ha·*lâ*·tor
injection	*Injektion* **f**	in·yék·*tsyôn*

Voir également la rubrique **allergies et régimes spéciaux** p. 161.

les parties du corps

Körperteile

J'ai mal à/au…
Mir tut der/die/ das ... weh. **m/f/n** — mîr tout dér/dî/ das ... vé

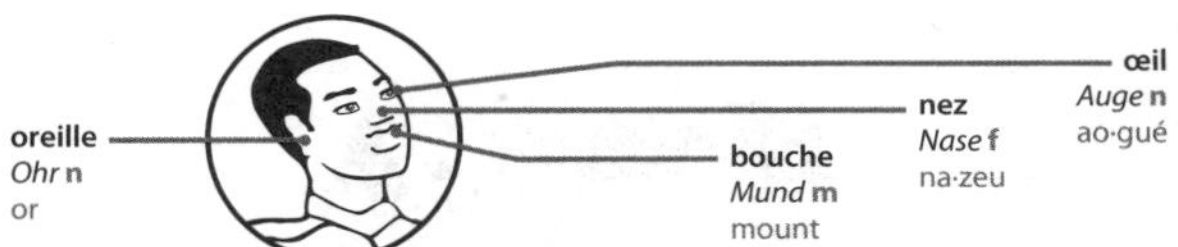

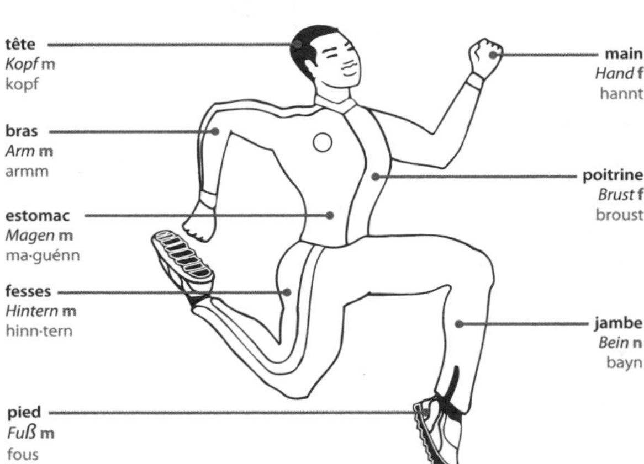

Je ne peux plus bouger le/la/les…

Ich kann meinen/meine/mein … nicht bewegen. **m/f/n** — icH kann *may*·nénn/*may*·ne/mayn … nicHt bé·*vé*·guénn

J'ai une crampe à la/au…

Ich habe einen Krampf in meinem/meiner/meinem … **m/f/n** — icH *hâ*·be *ay*·nénn krampf in *may*·némm/*may*·nér/*may*·némm…

J'ai le/la … enflé(e).

Mein/Meine/Mein … ist geschwollen. **m/f/n** — mayn/*may*·nè/mayn … ist gué·*chvo*·lénn

Voir le **dictionnaire** pour d'avantage de termes médicaux.

à la pharmacie

die Apotheke

J'ai besoin de quelque chose pour...

Ich brauche etwas gegen... — icH *brao*·cHe *ét*·vas *gué*·guénn…

Ai-je besoin d'une ordonnance pour... ?

Brauche ich für ... ein Rezept? — *brao*·cHeu icH fur … ayn ré·*tsépt*

Combien de fois par jour ?

Wie oft am Tag? — vî oft amm tâk

Y a-t-il un risque d'assoupissement ?

Macht es müde? — maRcht es *mu*·deu

Voir le **dictionnaire** pour plus de vocabulaire lié à la pharmacie.

expressions courantes

hâ·ben zî das chôn *ayn*·mâl *ayn*·gué·no·ménn

Haben Sie das schon einmal eingenommen?	**Avez-vous déjà pris ce médicament ?**

tsvay·mâl am tâk (tsoum *é*·sén)

Zweimal am Tag (zum Essen).	**Deux fois par jour (au cours des repas).**

zî *ker*·nén es in (*tsvann*·tsicH mi·*nou*·ténn) *ap*·hô·lénn

Sie können es in (zwanzig Minuten) abholen.	**Vous pouvez venir le chercher dans (20 minutes).**

zî *mu*·sén dî mé·di·ka·*ménn*·te bis tsoum *enn*·de *ayn*·né·mén

Sie müssen die Medikamente bis zum Ende einnehmen.	**Vous devez suivre le traitement jusqu'au bout.**

chez le dentiste

der Zahnarzt

J'ai un(e)...	*Ich habe...*	icH *hâ*·be ...
dent cassée	*einen abgebrochenen Zahn*	*ay*·nén *ap*·gué·bro·cHé·nén tsân
trou dans une dent	*ein Loch*	ayn loRch
rage de dents	*Zahnschmerzen*	*tsân*·chmér·tsén
Il me faudrait…	*Ich brauche...*	icH *brao*·cHe...
une anesthésie	*eine Betäubung*	*ay*·nè bé·*toy*·boung
un plombage	*eine Füllung*	*ay*·nè *fu*·loung

expressions courantes

bay·sén zî hîr draof
Beißen Sie hier drauf. **Mordez ceci.**

be·*vé*·guénn zî zicH nicHt
Bewegen Sie sich nicht. **Ne bougez pas.**

bi·te dén mount vayt *euhf*·nénn
Bitte den Mund weit öffnen. **Ouvrez grand.**

das tout fi·*laycHt* ayn *bis*·cHénn *vé*
Das tut vielleicht ein bisschen weh. **Cela va faire un peu mal.**

das tout gar nicHt vé
Das tut gar nicht weh. **Ça ne fait pas mal.**

ko·ménn zî tsou·*ruk* icH bin noRch nicHt *fer*·ticH
Kommen Sie zurück, ich bin noch nicht fertig! **Revenez, je n'ai pas fini !**

chpu·lénn
Spülen. **Rincez-vous la bouche.**

J'ai perdu un plombage.
Ich habe eine Füllung verloren. icH *hâ*·be ay·nè *fu*·loung fer·*lô*·ren

J'ai cassé mon appareil dentaire.
Mein fasches Gebiss ist zerbrochen. mayn fal·chéss gué·*bis* isst tsér·*bro*·cHénn

J'ai mal aux gencives.
Das Zahnfleisch tut mir weh. das *tsân*·flaych tout mîr vé

Je ne veux pas que vous me l'arrachiez.
Ich will ihn nicht ziehen lassen. icH vil înn nicHt *tsî*·énn *la*·sen

Aïe !
Aua! ao·â

À l'heure des grands débats sur l'avenir de la planète, la question des effets du tourisme se pose avec de plus en plus d'insistance. L'une des réponses dans le cadre de vos voyages consiste à faire en sorte que votre impact sur l'environnement, les cultures régionales et l'économie locale soit aussi positif que possible. Voici quelques phrases basiques pour vous aider…

différences culturelles et communication

J'aimerais apprendre quelques mots et phrases du dialecte local.

Ich möchte ein paar Wörter und Ausdrücke aus dem lokalen Dialekt lernen.	icH *meuhcH*·te ayn pâr *veuhr*·ter ount *aos*·dru·ke aos dém lô·*kâ*·len di·a·*lekt* *lair*·nen

Voulez-vous que je vous apprenne un peu de français ?

Möchten Sie, dass ich Ihnen ein bisschen Französisch beibringe?	*meuhcH*·ten zî das icH *i*·nen ayn *bis*·cHen *frann*·tseuh·zich *bay*·bring·e

Est-ce une coutume locale ou régionale ?

Ist dies ein lokaler oder landesweiter Brauch?	ist dîs ayn lo·*kâ*·ler ô·der *lan*·des·vay·ter braocH

Je respecte vos coutumes.

Ich respektiere Ihre Bräuche.	icH res·pek·*tî*·re *i*·re *broy*·cHe

problèmes de société

À quelles difficultés est confrontée cette communauté ?

Welche Probleme gibt es hier?	*vel*·cHe pro·*blé*·me gipt es hîr

chômage	*Arbeitslosigkeit* f	*ar*·bayts·lô·zicH·kayt
intégration des immigrés	*Integration von Einwanderern* f	in·té·gra·*tsyawn* fon *ayn*·van·de·rern
mondialisation	*Globalisierung* f	glô·bâ·li·*zî*·rung
racisme	*Rassismus* m	ra·*sis*·mus
vieillissement de la population	*Überalterung* f	u·ber·*al*·te·rung

J'aimerais proposer mes compétences.

Ich möchte meine Mitarbeit als Freiwilliger anbieten. — icH *meuhcH*·te *may*·ne *mit*·ar·bayt als *fray*·vi·li·ger *an*·bî·ten

Existe-t-il des programmes de bénévolat dans la région ?

Gibt es hier in der Region irgendwelche Freiwilligenprogramme? — gipt es hîr in dér re·*gyawn* *ir*·guénnt·vel·cHe *fray*·vi·li·guénn·pro·gra·me

environnement

Où puis-je recycler ceci ?

Wo kann ich das recyceln? — vô kan icH das ri·*say*·kéln

transports

Peut-on s'y rendre en transport public ?

Können wir mit öffentlichen Verkehrsmitteln dahin kommen? — *keuh*·nen vir mit *euh*·fent·li·cHen fayr·*kayrs*·mi·teln dâ·*hin* *ko*·men

Peut-on s'y rendre en vélo ?

Können wir mit dem Fahrrad dahin kommen? — *keuh*nen vir mit dém *fâ*·rât dâ·*hin* *ko*·men

Je préfère y aller à pied.

Ich gehe lieber zu Fuß dahin. — icH *gay*·e *lî*·ber tsou fous dâ·*hin*

hébergement

Existe-t-il des éco-hôtels ici ?

Gibt es hier irgendwelche Öko-Hotels? — gipt es hîr *ir*·guénnt·vel·cHe *euh*·kô·ho·tels

J'aimerais loger dans un hôtel géré localement.

Ich möchte in einem Hotel übernachten, das Einheimischen gehört. — icH *meuhcH*·te in *ay*·nem ho·*tel* u·ber·*nacH*·ten das *ayn*·hay·mi·chen ge·*heuht*

Puis-je arrêter l'air conditionné et ouvrir la fenêtre ?

Kann ich die Klimaanlage ausschalten und das Fenster öffnen? — kan icH dî *kli*·ma·an·lâ·ge *aos*·chal·ten ount das *fens*·ter *euhf*·nen

Ce n'est pas la peine de changer mes draps/serviettes.

Sie brauchen meine Bettwäsche/Handtücher nicht zu wechseln. — zî *brow*·cHen *may*·ne *bet*·ve·che/*han*·tu·cHer nicHt tsou *ve*·kseln

achats

Où puis-je acheter des objets/souvenirs produits localement ?

Wo kann ich örtlich produzierte Waren/ Andenken kaufen? — vô kan icH *euht*·licH pro·du·*tsîr*·te *vâ*·ren/ *an*·deng·ken *kao*·fen

Est-ce que vous vendez des produits du commerce équitable ?

Verkaufen Sie Produkte aus fairem Handel? — fer·*kao*·fen zî pro·*duk*·te aos *fayr*·rem *han*·del

alimentation

Pouvez-vous me dire quels plats traditionnels je dois goûter ?

Können Sie mir sagen, welche traditionellen Speisen ich probieren sollte? — *keuh*·nen zî mir *zâ*·guénn *vel*·cHe tra·di·tsyo·*ne*·len *chpay*·zen icH pro·*bî*·ren *zol*·te

Vendez-vous… ?	*Verkaufen Sie …?*	fer·*kao*·fen zî…
des produits alimentaires locaux	*örtlich produzierte Lebensmittel*	*euht*·licH pro·du·*tsîr*·te *lé*·bens·mi·tel
des produits bio	*Bioprodukte*	*bi*·o·pro·duk·te

visites touristiques

Est-ce que votre agence fait appel à des guides locaux ?
Beschäftigt Ihre Firma Führer von hier? — be·*chef*·ticHt *i*·re *fir*·ma *fu*·rer fon hîr

Est-ce que votre agence donne de l'argent pour des causes humanitaires ?
Spendet Ihre Firma Geld für wohltätige Zwecke? — *chpen*·det *i*·re *fir*·ma gelt fur *vôl*·tay·ti·ge *tsve*·ke

Est-ce que votre agence propose des visites de commerces locaux ?
Besucht Ihre Firma örtliche Betriebe? — bé·*zoucHt i*·re *fir*·ma *euht*·li·cHe be·*trî*·be

Proposez-vous des circuits culturels ?
Gibt es Kulturtouren? — gipt es koul·*tour*·tou·ren

Est-ce que le guide parle le dialecte local ?
Spricht der Führer den örtlichen Dialekt? — chpricHt dér *fu*·rer dén *euht*·li·cHen di·a·*lekt*

bavarois	*Bairisch* n	*bay*·rich
bas-allemand	*Plattdeutsch* n	*plat*·doytch
saxon	*Sächsisch* n	*ze*·ksich
swabian	*Schwäbisch* n	*chvay*·bich
suisse allemand	*Schwyzerdütsch* n	*chvi*·tser·dutch

DICTIONNAIRE > français-allemand
französisch-deutsch

Les mots et les expressions de ce dictionnaire sont classés par ordre alphabétique. Pour rechercher une expression, rendez-vous au premier mot (par exemple : **contrat de location** *Vertrag Mietvertrag*, est classée à "contrat").

Le genre des mots sera indiqué par **m**, **f** ou **n**. Le pluriel des noms sera désigné par **pl**. Dans le cas où un mot peut être à la fois un nom ou un verbe, et si le genre n'est pas indiqué, il s'agira d'un verbe. Pour reconnaître s'il s'agit d'un nom ou d'un adjectif, sachez que tous les noms (propres et communs) prennent une majuscule en allemand. Tous les noms de ce dictionnaire sont indiqués au nominatif (voir la rubrique **déclinaison** p. 15).

A

à bord *an Bord* **m** ann bort
à cause de *wegen* *vé*·guén
à côté de *neben* *né*·bénn
à l'écart *abseits* *ap*·zayts
à l'étranger *im Ausland* **n** im *aos*·lannt
à travers *durch* dourcH
abeille *Biene* **f** *bî*·ne
abricot *Aprikose* **f** a·pri·*kô*·zeu
accident *Unfall* **m** *oun*·fal
accompagnateur/accompagnatrice *Begleiter(in)* **m/f** bé·*glay*·ter(inn)
acheter *kaufen* *kao*·fénn
acompte *Anzahlung* **f** *an*·tsâ·loung
acteur *Schauspieler(in)* **m/f** *chao*·chpî·ler(inn)
activiste *Aktivist(in)* **m/f** ak·ti·*vist*(inn)
actualité *Aktuelles* **n** ak·tou·è·léss
acupuncture *Akupunktur* **f** a·kou·poungk·*tour*
adaptateur (électrique) *Adapter* **m** a·*dap*·ter
addition *Rechnung* **f** *recH*·noung
administration *Verwaltung* **f** fer·*val*·toung
admirer *bewundern* be·*voun*·dérn
adresse *Adresse* **f** a·*dré*·seu
adulte *Erwachsene* **m** er·*vak*·sé·ne
aérobique *Aerobics* **pl f** é·*ro*·biks
aérogramme *Aerogramm* **n** é·ro·*gramme*
aéroport *Flughafen* **m** *flouk*·hâ·fénn
affaires *Geschäft* **n** gué·*chéft*
affamé *hungrig* *houng*·ricH
affranchissement *Porto* **n** *por*·to
Afrique *Afrika* **n** *a*·fri·kâ
âge *Alter* **n** *al*·ter
agence de voyages *Reisebüro* **n** *ray*·ze·bu·rô
agenda *Terminkalender* **m** ter·*mînn*·ka·lénn·dér
agent immobilier *Makler(in)* **m/f** *mâk*·lér/*mâk*·lér·inn
agneau *Lamm* **n** lamm
agriculture *Landwirtschaft* **f** *lannt*·virt·chaft
aider *helfen* *hél*·fénn
aiguille *Nadel* **f** *nâ*·dél
ail *Knoblauch* **m** *knôp*·laoRch
ailes *Flügel* **pl m** *flu*·guél
aimable *freundlich* *froynt*·licH
• *nett* net
aimant *liebevoll* *lî*·bé·fol
aimer (amour) *lieben* *lî*·bénn
• **(apprécier)** *mögen* *meuh*·guénn
air *Luft* **f** louft
— **conditionné** *Klimaanlage* **f** *klî*·ma·ann·lâ·gué
alcool *Alkohol* **m** *al*·ko·hôl
alcoolique *alkoholisch* al·ko·*hô*·lich

A

alcoolique *Alkoholiker(in)* **m/f** al·ko·*hô*·li·ker(inn)
aliments pour bébé *Babynahrung* **f** *bé*·bi·nâ·roung
Allemagne *Deutschland* **n** *doytch*·lannt
Allemand *Deutscher/Deutsche* **m/f** doytch·ér/doytch·euh
allemand *deutsch* doytch
aller (à pied) *gehen* *gué*·énn
• **(en avion)** *fliegen* *flî*·gouénn
• **(en voiture, train)** *fahren* *fâ*·rénn
allergie *Allergie* **f** a·lér·*gî*
Allô. *hallo* *ha*·lo
allocations sociales *Sozialhilfe* **f** zo·*tsyâl*·hil·feu
allumettes *Streichhölzer* **pl n** *chtraycH*·heuhl·tsér
altitude *Höhe* **f** *heuh*·è
amande *Mandel* **f** *mann*·dél
amant *Liebhaber(in)* **m/f** *lîp*·hâ·bér/*lîp*·hâ·bé·rin
amateur *Amateur(in)* **m/f** a·ma·*teuhr*(inn)
ambassade *Botschaft* **f** *bôt*·chaft
ambassadeur *Botschafter(in)* **m/f** *bôt*·chaf·ter(inn)
ambulance *Krankenwagen* **m** *kranng*·kénn·vâ·guén
amende *Geldbuße* **f** *guélt*·bou·se
amer *bitter* *bi*·ter
ami/amie *Freund(in)* **m/f** froynt/*froyn*·din
• **petit ami/petite amie** *Freund/in* **m/f** froynt/froyn·dinn
ampoule (électricité) *Glühbirne* **f** *glu*·bir·ne
• **(cloque)** *Blase* **f** *blâ*·seuh
amusement *Spaß* **m** chpâs
amuser *amüsieren* a·mu·*zî*·rénn
analyse de sang *Bluttest* **m** *blout*·test
ananas *Ananas* **f** *a*·na·nas
anarchiste *Anarchist(in)* **m/f** a·nar·*cHist*(inn)
ancien *alt* alt
anesthésie *Betäubung* **f** bé·*toy*·boung
animal *Tier* **n** tîr
année (cette) *Jahr (dieses)* **n** yâr (*dî*·zes)
anniversaire *Geburtstag* **m** gué·*bourts*·tâk
annonce *Anzeige* **f** *ann*·tsay·gué
annuaire téléphonique *Telefonbuch* **n** te·le·*fôn*·bouRch
annuler *stornieren* chtor·*nî*·ren
antibiotiques *Antibiotika* **pl f** ann·ti·bi·*ô*·ti·ka
anti-douleur *Schmerzmittel* **n** *chmerts*·mi·tél
anti-moustique *Insektenschutzmittel* **n** in·*zek*·ténn·chouts·mi·tél
anti-nucléaire *Anti-Atom-* *ann*·ti·a·*tôm*·
antique *Antiquität* **f** ann·ti·kvi·*têt*
antiseptique *Antiseptikum* **n** ann·ti·*zép*·ti·koum
aphte *Mundfäule* **f** *mount*·foy·le
appareil auditif *Hörgerät* **n** *heuhr*·gué·rét
appareil photo *Kamera* **f** *ka*·mé·ra
appartement *Wohnung* **f** *vô*·noung
appât *Köder* **m** *keuh*·dér
appendice *Blinddarm* **m** *blinnt*·darme
apporter *bringen* *brinng*·énn
apprendre *lernen* *ler*·nénn
apprenti(e) *Auszubildende* **m/f pl** *aos*·tsou·bil·dénn·dè
approximatif *ungefähr* oun·gué·*fér*
après *nach* nâRch
après-demain *übermorgen* *u*·bér·mor·guénn
après-midi (cet) *(heute) Nachmittag* **m** (*hoy*·te) *naRch*·mi·tâk
après-shampoing *Aftershave* **n** *âf*·ter·chève
arachide *Erdnüsse* **pl f** *ért*·nu·se
araignée *Spinne* **f** *chpi*·ne
arbitre *Schiedsrichter(in)* **m/f** *chîts*·ricH·ter/*chîts*·ricH·té·rinn
arbre *Baum* **m** baom
— de Noël *Weihnachtsbaum* **m** *vay*·naRchts·baom
archéologie **f** *archäologie* ar·cHé·o·*lô*·gi
architecture *Architektur* **f** ar·cHi·ték·*tour*
argent *Geld* **n** guélt
argenté *silbern* *zil*·bérn
arme *Waffe* **f** *va*·feu
armoire *Schrank* **m** chranngk
arrestation *Verhaftung* **f** fer·*haf*·toung
arrêt de bus *Bushaltestelle* **f** *bouss*·hal·te·chté·le
arrêter *anhalten* *an*·hal·ténn

A

DICTIONNAIRE

arrivée *Ankunft* **f** *ann*·kounft
arriver *ankommen* *ann*·ko·ménn
art *Kunst* **f** kounst
artisanat (objets) *Kunstgewerbe* **n** *kounst*·gué·ver·beu • **(art)** *Handwerk* **n** *hannt*·vérk
artiste *Künstler(in)* **m/f** *kunst*·lèr/(inn)
arts graphiques *grafische Kunst* **f** *grâ*·fi·che kounst
arts martiaux *Kampfsport* **m** *kampf*·chport
ascenseur *Lift* **m** lift
Asie *Asien* **n** *â*·zi·énn
asperges *Spargel* **m** *chpar*·guél
aspirine *Kopfschmerztablette* **f** *kopf*·chmérts·ta·blé·teu
assez *genug* gué·*nouk*
assiette *Teller* **m** *té*·lér
assistance publique *Wohlfahrt* **f** *vôl*·fârt
assoiffé *durstig* *dours*·ticH
assurance *Versicherung* **f** fer·*zi*·cHé·roung
asthme *Asthma* **n** *ast*·ma
asticots *Würmer* **pl m** *vur*·mer
atelier *Werkstatt* **f** *vérk*·chtat • **(d'artiste)** *Atelier* **n** a·tél·*yé*
athlétisme *Leichtathletik* **f** *laycHt*·at·lé·tik
atmosphère *Atmosphäre* **f** at·mos·*fér*·reu
attaché-case *Aktentasche* **f** *ak*·ténn·ta·cheu
attendre *warten* *var*·ténn
attention Achtung **f** *acH*·tounng • **faire attention** *aufpassen* *aof*·pa·sénn
attrape-nigaud *Abzockerei* **f** ap·tso·ké·*ray*
auberge de jeunesse *Jugendherberge* **f** *you*·guénnt·hér·bér·gué
aubergine *Aubergine* **f** ô·bér·*djî*·ne
au-dessus *über* *u*·bér
aujourd'hui *heute* *hoy*·te
aussi *auch* aoRch
autel *Altar* **m** al·*târ*
auteur *Autor(in)* **m/f** *ao*·tôr(inn)
automatique *automatisch* ao·to·*mâ*·tich
automne *Herbst* **m** hérpst
autoroute *Autobahn* **f** *ao*·to·bân
autre *andere* *an*·dé·re
Autriche *Österreich* **n** *euhs*·ter·raycH
avalanche *Lawine* **f** la·*vî*·neu
avant *vor* fôr
avant-hier *vorgestern* *fôr*·gués·tern
avec *mit* mit
avenue *Allee* **f** a·*lé*
avertir *warnen* *var*·nénn
aveugle *blind* blinnt
avion *Flugzeug* **n** *flouk*·tsoyk
aviron *Rudern* **n** *rou*·dérn
avocat (fruit) *Avokado* **f** a·vo·*kâ*·do • **(profession)** *Rechtsanwalt/ Rechtsanwältin* **m/f** *récHts*·an·valt/ *recHts*·an·vél·t(inn)
avoine *Hafer(flocken)* **pl f** *hâ*·fer(·flo·kénn)
avoir *haben* *hâ*·bénn
— **besoin** *brauchen* *brao*·cHénn
avortement *Abtreibung* **f** *ap*·tray·boung
avouer *zugeben* *tsou*·gué·ben

B

babysitter *Babysitter* **m** *bé*·bi·si·ter
bacon *Frühstücksspeck* **m** *fru*·chtuks·chpék
bagage *Gepäck* **n** gué·*pék*
bague *Ring* **m** ring
baie *Bucht* **f** bouRcht
bain *Bad* **n** bât
baiser (un) *Kuss* **m** kous
balade à cheval *Ritt* **m** rit
balcon *Balkon* **m** bal·*kôn*
balle *Ball* **m** bal
— **de golf** *Golfball* **m** *golf*·bal
ballet *Ballett* **n** ba·*léte*
banane *Hüfttasche* **f** *huft*·ta·cheu
bandage *Verband* **m** fer·*bannt*
banlieue *Vorort* **m** *fôr*·ort
banque *Bank* **f** banngk
baptême *Taufe* **f** *tao*·feu
bar *Lokal* **n** lo·*kâl*
bas *niedrig* *nî*·dricH • **en bas** *unten* *oun*·ténn • **vers le bas** *abwärts* *ap*·verts
bas (collants) *Strümpfe* **pl m** *chtrump*·fe
baseball *Baseball* **m** *bés*·bôl
bataille *Kampf* **m** kampf
bateau (grand) *Schiff* **n** chif • **(petit)** *Boot* **n** bôt
— **à moteur** *Motorboot* **n** *mô*·tor·bôt

bâtiment *Gebäude* **n** gué·*boy*·de
bâtir *bauen* *bao*·énn
baume pour les lèvres *Lippenbalsam* **n** *li*·pénn·bal·zâm
beau/belle (objet) *schön* cheuhn
• **(personne)** *gutaussehend* *gout*·aos·zé·énnt
beaucoup *viel* fîl
beau-fils *Schwiegersohn* **m** *chvî*·guér·zôn
beau-père *Schwiegervater* **m** *chvî*·guér·fâ·ter
bébé *Baby* **n** *bé*·bi
Belgique *Belgien* **n** *bél*·guy·énn
belle-mère *Schwiegermutter* **f** *chvî*·gouér·mou·ter
bénir *segnen* *zég*·nénn
betterave *rote Beete* **f** *rô*·teu *bé*·te
beurre *Butter* **f** *bou*·ter
bible *Bibel* **f** *bî*·bel
bien *gut* gout
bientôt *bald* balt
bienvenu *willkommen* vil·*ko*·ménn
bière *Bier* **n** bîr
— **blonde** *Pils* **n** *pilss*
bijoux *Schmuck* **m** chmouk
billard *Billard* **n** *bil*·yart
billet (monnaie) *Geldschein* **m** *guélt*·chayn
billet d'avion *Flugticket* **n** *flouk*·ti·két
billetterie d'un théâtre *Theaterkasse* **f** te·*â*·ter·ka·se
biscuit *Keks* **m** kéks
blague *Witz* **m** vits
blaireau (animal) *Dachs* **m** daks
blanc *weiß* vays
— **de poulet** *Hühnerbrust* **f** *hu*·nér·broust
blesser *verletzen* fer·*lè*·tsénn
• **se blesser** *weh tun (sich)* zicH vé toun
blessure *Verletzung* **f** fer·*lè*·tsoung
bleu (couleur) *blau* blao
• **(hématome)** *blauer Fleck* *blao*·ér flék
bloqué *blockiert* blo·*kîrt*
bœuf *Rindfleisch* **n** *rinnt*·flaych
boire *trinken* *tring*·kénn
bois *Holz* **n** holts
— **de chauffage** *Brennholz* **n** *brénn*·holts
boisson *Getränk* **n** gué·*trénngk*
— **sans alcool** *alkoholfreies Getränk* **n** al·ko·*hôl*·fray·éss gué·*trénngk*
boîte *Karton* **m** kar·*tong*
— **à lettres** *Briefkasten* **m** *brîf*·kas·ténn
— **de conserve** *Dose* **f** *dô*·zeu
— **de vitesse** *Kupplung* **f** *koup*·loung
bon *gut* gout
— **marché** *billig* *bi*·licH
bonbon *Bonbon* **n** bong·*bong*
• **bonbons à la menthe** *Pfefferminzbonbons* **pl n** pfé·fer·*mints*·bong·bongs
bondé *überfüllt* u·bér·*fult*
bonheur *Glück* **n** gluk
botte *Stiefel* **m** *chtî*·fél
bouche *Mund* **m** mount
boucherie/charcuterie *Metzgerei* **f** méts·gué·*ray*
bouchon *Stöpsel* **m** *chteuhp*·sel
bouchons d'oreilles *Ohrenstöpsel* **m** *ô*·rénn·chteuhrp·sel
boucles d'oreilles *Ohrringe* **pl m** *ôr*·ring·è
bouddhiste *Buddhist(in)* **m/f** bou·*dist*(inn)
boue *Schlamm* **m** chlam
bougie *Kerze* **f** *kér*·tseu
bouilloire *Kessel* **m** *kè*·sel
boulangerie *Bäckerei* **f** bé·ké·*ray*
boussole *Kompass* **m** *kom*·pas
bouteille *Flasche* **f** *flé*·cheu
— **d'eau** *Wasserflasche* **f** *va*·ser·fla·cheu
— **de gaz** *Gasflasche* **f** *gâs*·fla·cheu
bouton *Knopf* **m** knopf
boxer *boxen* *bok*·sén
Braille *Blindenschrift* **f** *blinn*·dénn·chrift
bras *Arm* **m** arme
brave *mutig* *mou*·ticH
brillant *brillant* bril·*yannt*
briquet *Feuerzeug* **n** *foy*·er·tsoyk
brochure *Broschüre* **f** bro·*chu*·reu
brocoli *Brokkoli* **pl m** *bro*·ko·li
broderie *Stickerei* **f** chti·kè·*ray*
bronchite *Bronchitis* **f** bron·*cHî*·tis

brosse à cheveux *Haarbürste* **f** *hâr*·burs·teuh
brosse à dents *Zahnbürste* **f** *tsân*·burs·teuh
brûlant *heiß* hays
brûler *(ver)brennen* (fer·)*bré*·nénn
brumeux *neblig* *né*·blicH
bruyant *laut* laot
buanderie *Waschküche* **f** *vach*·ku·cHeu
buffet *Buffet* **n** bu·*fé*
bureau *Büro* **n** bu·*rô*
— **de change** *Geldwechsel* **m** *guélt*·vék·sel
— **des objets trouvés** *Fundbüro* **n** *fount*·bu·rô
— **de poste** *Postamt* **n** *post*·amt
bus *Bus* **m** bouss
but *Ziel* **n** tsîl • **(foot)** *Tor* **n** tôr
marquer un but *ein Tor schießen* **n** ayn tôr *chî*·sénn

C

cabine téléphonique *Telefonzelle* **f** té·lé·*fôn*·tsé·le
— **à pièces** *Münztelefon* **n** *munts*·té·lé·fôn
câblage *Kabel* **n** *kâ*·bel
câble de démarrage *Überbrückungskabel* **n** u·bér·*bru*·koungks·kâ·bél
cacao *Kakao* **m** ka·*kao*
cachet (médicament) *Pille* **f** *pi*·le
cadeau *Geschenk* **n** gué·*chénngk*
— **de mariage** *Hochzeitsgeschenk* **n** *hoRch*·tsayts·gué·chénngk
cadenas *Vorhängeschloss* **n** *fôr*·hénng·è·chloss
cadre *Rahmen* **m** *râ*·ménn
cafard *Kakerlake* **f** *kâ*·ker·lâ·keu
café (lieu) *Café* **n** ka·*fé* • **(boisson)** *Kaffee* **m** *ka*·fé
— **Internet** *Internetcafé* **n** *in*·ter·net·ka·fé
caisse *Kasse* **f** *ka*·sseu
caissier *Kassierer(in)* **m/f** ka·*sî*·rér(inn)
calculatrice *Taschenrechner* **m** *ta*·chénn·réch·nér

calendrier *Kalender* **m** ka·*lénn*·dér
calme *ruhig* *rou*·icH
camion *Lastwagen* **m** *last*·vâ·guénn
— **de livraison** *Lieferwagen* **m** *lî*·fer·vâ·guénn
campagne *Land* **n** lannt
camping *Campingplatz* **m** *kém*·pinng·plats • **faire du camping** *zelten* *tsél*·ténn
camping car *Wohnwagen* **m** *vôn*·vâ·guén
Canada *Kanada* **n** *ka*·na·dâ
canard *Ente* **f** *énn*·te
canari *Kanarienvogel* **m** ka·*nâ*·ri·en·fô·guél
cancer *Krebs* **m** kréps
canne à pêche *Angel* **f** *ang*·él
cantine *Kantine* **f** kann·*tî*·ne
cap *Kap* **n** kap
capitalisme *Kapitalismus* **m** ka·pi·ta·*lis*·mouss
car *Fernbus* **m** *férn*·bouss
carambolage *Zusammenstoß* **m** tsou·*za*·mén·stôss
carburateur *Vergaser* **m** fer·*gâ*·zér
carnet de notes *Notizbuch* **n** no·*tîts*·bouRch
carotte *Mohrrübe* **f** *môr*·ru·be
carte *Karte* **f** *kar*·teuh • **(menu)** *Speisekarte* **f** *chpay*·ze·kar·teuh
— **d'embarquement** *Bordkarte* **f** *bort*·kar·teu
— **d'étudiant** *Studentenausweis* **m** chtou·*dénn*·ténn·aos·vays
— **d'identité** *Personalausweis* **m** per·zo·*nâl*·aos·vays
— **de crédit** *Kreditkarte* **f** kré·*dît*·kar·teu
— **postale** *Postkarte* **f** *post*·kar·teuh
— **routière** *Straßenkarte* **f** *chtrâ*·sénn·kar·teuh
— **téléphonique** *Telefonkarte* **f** té·lé·*fôn*·kar·teuh
carton *Karton* **m** kar·*tong*
casino *Kasino* **n** ka·*zî*·no
casque *Helm* hélm
cassé *kaputt* ka·*pout*
casser *(zer)brechen* (tser·)*bré*·cHénn
casserole *Topf* **m** topf

cassette *Kassette* **f** ka·*sé*·teu
— **vidéo** *Videokassette* **f** *vî*·de·o·ka·se·teu
cathédrale *Dom* **m** dôm
catholique *Katholik(in)* **m/f** ka·to·*lîk*(inn)
cave *Keller* **m** *ké*·lér
caverne *Höhle* **f** *heuh*·le
caviar *Kaviar* **m** *kâ*·vi·âr
caviste *Getränkehandel* **m** gué·*trénng*·ke·han·dél
CD *CD* **f** tsé·*dé*
ceinture *Gürtel* **m** *gur*·tél
— **de sécurité** *Sicherheitsgurt* **m** *zi*·cHér·hayts·gourt
célébration *Feier* **f** *fay*·er
célibataire *ledig* *lé*·dicH
célibataire *Single* **m/f** singl
celui-là/celle-là *dieser/diese/dieses* **m/f/n** *dî*·zér/*dî*·zeuh/*dî*·zès
cendrier *Aschenbecher* **m** *a*·chénn·bé·cHer
cent *hundert* *houn*·dert
centimètre *Zentimeter* **m** tsénn·ti·*mé*·ter
centrale téléphonique *Telefonzentrale* **f** té·lé·*fôn*·tsénn·trâ·le
centre *Zentrum* **n** *tsénn*·troum
— **commercial** *Einkaufszentrum* **n** *ayn*·kaofs·tsénn·troum
— **équestre** *Reitschule* **f** *rayt*·chou·le
centre-ville *Innenstadt* **f** *i*·nénn·chtat
céramique *Keramik* **f** ké·*râ*·mik
céréales *Frühstücksflocke* **f** *fru*·chtuks·flo·keu
certificat *Zertifikat* **n** tsér·ti·fi·*kât*
— **de naissance** *Geburtsurkunde* **f** gué·*bourts*·our·koun·deu
chacun/chacune *jeder/jede/jedes* **m/f/n** *yé*·dér/*yé*·de/*yé*·dés
chaîne *Kette* **f** *ké*·teu
— **de montagne** *Gebirgszug* **m** goué·*birks*·tsouuk
— **de vélo** *Fahrradkette* **f** *fâr*·rât·ké·teu
— **hifi** *Stereoanlage* **f** *chtér*·ré·o·ann·lâ·gué
chaise *Stuhl* **m** chtoul
— **roulante** *Rollstuhl* **m** *rol*·chtoul
chaleur *Hitze* **f** *hi*·tseu
chambre *Zimmer* **n** *tsi*·mer
— **à air** *Schlauch* **m** chlaoRch
— **à coucher** *Schlafzimmer* **n** *chlâf*·tsi·mer
— **d'hôte** *Pension* **f** pâng·*zyôn*
— **simple** *Einzelzimmer* **n** *ayn*·tsél·tsi·mer
champignon *Pilz* **m** pilts
championnat *Meisterschaften* **pl f** *mays*·ter·chaf·ténn
— **du monde** *Weltmeisterschaft* **f** *vélt*·mays·ter·chaft
champs *Feld* **n** félt
chance *Glück* **n** gluk
chandail *Pullover* **m** pou·*lô*·ver
change (monnaie) *Umtausch* **m** *oum*·taoch
changer *wechseln* *vék*·séln • **(train)** *umsteigen* *oum*·chtay·guén
chanson *Lied* **n** lît
chanter *singen* *zing*·énn
chanteur *Sänger(in)* **m/f** *zénng*·ér/*zénng*·è·rin
chapeau *Hut* **m** hout
chapelle *Kapelle* **f** ka·*pé*·le
chaque *jeder/jede/jedes* **m/f/n** *yé*·dér/*yé*·de/*yé*·dés
charcuterie *Wurst* **f** vourst
charmant *charmant* char·*mannt*
charpentier *Schreiner(in)* **m** *chray*·nér(inn)
chasse *Jagd* **f** yâkt
chat *Katze* **f** *ka*·tseu
château *Schloss* **n** chloss
— **fort** *Burg* **f** bourk
chaton *Kätzchen* **n** *kéts*·cHénn
chaud *warm* varm
chauffage *Heizgerät* **n** *hayts*·gué·rét
— **central** *Zentralheizung* **f** tsénn·*trâl*·hay·tsoung
chaussettes *Socken* **pl f** *zo*·kénn
chaussures *Schuhe* **pl m** *chou*·è
— **de randonnée** *Wanderstiefel* **pl m** *van*·dér·chtî·fel
check-in (aéroport) *Abfertigungsschalter* **m** *ap*·fer·ti·goun gks·chal·ter

chemin *Weg* **m** vék • **(sentier)** *Pfad* **m** pfât
— de fer *Bahn* **f** bânn
— de montagne *Bergweg* **m** *berk*·vêk
— de randonnée *Wanderweg* **m** *van*·der·vêk
chemise *Hemd* **n** hémmt
chèque *Scheck* **m** chèk
— de voyage *Reisescheck* **m** *ray*·ze·chèk
cher *teuer* *toy*·ér
chercher *suchen nach* *zou*·cHénn naRch
cheval *Pferd* **n** pfért
cheveux *Haare* **n pl** hâr·euh
cheville *Knöchel* **m** *kneuh*·cHél
chèvre *Ziege* **f** *tsî*·gué
chewing-gum *Kaugummi* **n** *kao*·gou·mi
chez *bei* bay
chez soi (le) *Heim* **n** haym
chien *Hund* **m** hount
chien-guide d'aveugle *Blindenhund* **m** *blin*·dénn·hount
chiffre *Zahl* **f** tsâl
chili *Chili* **n** *chi*·li
chocolat *Schokolade* **f** cho·ko·*lâ*·deu
choisir *(aus)wählen* *(aos·)vé*·lénn
chômage *Arbeitslosigkeit* **f** *ar*·bayts·lô·zicH·kayt
au chômage *arbeitslos* *ar*·bayts·lôs
chou *Kohl* **m** kôl
chou-fleur *Blumenkohl* **m** *blou*·mén·kôl
choux de Bruxelles *Rosenkohl* **m** *rô*·zen·kôl
chrétien *Christ(in)* **m/f** krist(inn)
chute d'eau *Wasserfall* **m** *va*·ser·fal
cidre *Apfelmost* **m** *ap*·fél·most
ciel *Himmel* **m** *hi*·mél
cigare *Zigarre* **f** tsi·*gua*·reu
cigarette *Zigarette* **f** tsi·gua·*rè*·teu
cimetière *Friedhof* **m** *frît*·hôf
cinéma *Kino* **n** *kî*·no
circuit *Rennbahn* **f** *rénn*·bân
• **circuit guidé** *Führung* **f** *fu*·roung
circulation *Verkehr* **m** fer·*kér*
cirque *Zirkus* **m** *tsir*·kous
ciseaux *Schere* **f** *chér*·re
citron *Zitrone* **f** tsi·*trô*·ne
— vert *Limone* **f** li·*mô*·ne
clair *hell* hel
classe (catégorie) *Klasse* **f** *kla*·seu
• **première classe** *erste Klasse* **f** *ers*·te *kla*·seu
— affaires *Business Class* **f** *biz*·néss klâss
— économique *Touristenklasse* **f** tou·*ris*·ténn·kla·se
classique *klassisch* *kla*·sich
clavier (ordinateur) *Tastatur* **f** tas·ta·*tour*
clé *Schlüssel* **m** *chlu*·sel
client(e) *Kunde/Kundin* **m/f** *koun*·de/*koun*·dinn
clignotant *Blinker* **m** *bling*·kér
climat *Klima* **n** *klî*·ma
cloque *Blase* **f** *blâ*·zeu
clou de girofle *Gewürznelke* **f** gué·*vurts*·nél·keu
cochon *Schwein* **n** chvayn
code postal *Postleitzahl* **f** *post*·lay·tsâl
cœur *Herz* **n** hérts
coffre *Kofferraum* **m** *ko*·fer·raom
— fort *Safe* **m** séjf
cognac *Weinbrand* **m** *vayn*·brannt
coiffeur *Friseur(in)* **m** fri·*zeuhr*/fri·*zeuhr*·rinn
coin *Ecke* **f** *è*·keu
collant (bas) *Strumpfhose* **f** *chtroumpf*·hô·zeu
collection d'art *Kunstsammlung* **f** *kounst*·zamm·loung
collège *College* **n** *ko*·lèdj
collègue *Kollege/Kollegin* **m/f** ko·*lé*·gué/ko·*lé*·ginn
collier *Halskette* **f** *hals*·kè·te
colline *Hügel* **m** *hu*·guél
combles *Dachboden* m *daRch*·bô·dénn
comédie *Komödie* **f** ko·*meuh*·di·è
commande *Bestellung* **f** bé·*chte*·loung
commencer *anfangen* *an*·fang·énn • *beginnen* bé·*gui*·nénn
comment *wie* vî
commerce *Handel* **m** *han*·dél
commissariat *Polizeirevier* **n** po·li·*tsay*·ré·vîr

communion *Kommunion* **f** ko·moun·*yôn*
complet *ausgebucht* *aos*·gué·bouRcht
comprendre *verstehen* fer·*chté*·énn
comptable *Buchhalter(in)* **m/f** *bouRch*·hal·ter(inn)
compte bancaire *Bankkonto* **n** *banngk*·kon·to
comptoir *Theke* **f** *té*·keu
concert *Konzert* **n** kon·*tsért*
concevoir (faire un plan) *entwerfen* énnt·*ver*·fénn
concombre *Gurke* **f** *gour*·keu
conducteur/conductrice *Schaffner(in)* **m/f** *chaf*·nér(inn)
conduire *fahren* *fâ*·rénn
confession (religion) *Beichte* **f** *baycH*·teu
confiance *Vertrauen* **n** *vér*·*trao*·énn
• **faire confiance** *trauen* *trao*·énn
confirmer *bestätigen* bé·*chté*·ti·guén
confiture *Marmelade* **f** mar·mé·*lâ*·de
confortable *bequem* bé·*kvêm*
congeler *gefrieren* gué·*frî*·rénn
congés payés *Urlaub* **m** *our*·laop
connaître *kennen* *ke*·nénn
conseil *Rat* **m** rât
conseiller *raten* *râ*·ténn
conservateur *konservativ* *konn*·zér·va·tîf
consigne à bagages *Gepäckaufbewahrung* **f** gué·*pék*·aof·bé·vâ·roung
• *Schließfächer* **pl n** *chlîs*·fé·cHer
constipation *Verstopfung* **f** fer·*chtop*·foung
consulat *Konsulat* **n** kon·zou·*lât*
conter *zählen* *tsé*·lénn
contraceptif *Verhütungsmittel* **n** fer·*hu*·toungks·mi·tél
contrat *Vertrag* **m** fer·*trâk*
— de location *Mietvertrag* **m** *mît*·fer·trâk
contre *gegen* *gué*·génn
contrôleur *Fahrkartenkontrolleur/in* **m/f** *fâr*·kar·ténn·kon·tro·leuhr(inn)
corbeille *Korb* **m** korp
corde *Seil* **n** zayl
cornflakes *Cornflakes* **pl m** *korn*·fléks
corps *Körper* **m** *keuhr*·pér
correct *richtig* *ricH*·ticH
corrompre *bestechen* bé·*chté*·cHén
corrompu *korrupt* ko·*roupt*
côte (géographie) *Meeresküste* **f** *mér*·rés·kus·teu • *Küste* **f** *kus*·teu
coton *Baumwolle* **f** *baom*·vo·le
cotons démaquillants *Watte-Pads* **pl f** *va*·te·padz
couche (bébé) *Windel* **f** *vin*·dél
couche d'ozone *Ozonschicht* **f** *ozôn*·chicHt
coucher du soleil *Sonnenuntergang* **m** *zo*·nénn·oun·ter·gang
coudre *nähen* *né*·énn
couleur *Farbe* **f** *far*·beu
couloir *Gang* **m** ganng
coup de soleil *Sonnenbrand* **m** *zo*·nénn·brant
coup défendu *Foul* **n** faol
coupe-ongles *Nagelknipser* **pl m** *nâ*·guél·knip·sér
couper *schneiden* *chnay*·dénn
coupon *Coupon* **m** kou·*pong*
courgette *Zucchini* **f** tsou·*kî*·ni
courir *laufen* *lao*·fénn
courant *Strom* **m** chtrôm
courrier *Post* **f** post
— (ordinaire) *Post (normale)* **f** nor·*mâ*·le post
courroie de transmission *Keilriemen* **m** *kayl*·rî·ménn
course (sport) *Rennen* **n** *rè*·nénn
court (adj) *kurz* kourts
court de tennis *Tennisplatz* **m** *té*·nis·plats
couscous *Couscous* **m** *kous*·kous
cousin(e) *Cousin(e)* **m/f** kou·*zeng*/ kou·*zî*·neu
couteau *Messer* **n** *mé*·sér
couteau suisse *Taschenmesser* **n** *ta*·chénn·mé·sér
coûter *kosten* *kos*·ténn
couvent *Kloster* **n** *klôs*·ter
couverts *Besteck* **n** bé·*chték*
couverture *Decke* **f** *dé*·keu
cracker *Cracker* **m** *kré*·ker
crampe *Krampf* **m** krampf
crayon *Bleistift* **m** *blay*·chtift
crèche *Kinderkrippe* **f** *kinn*·dér·kri·peu
crème Chantilly *Sahne* **f** *zâ*·neu

crème de rasage *Rasiercreme* ra·*zîr*·krém
crème solaire *Sonnencreme* **f** *zo*·nénn·krém
crème fraîche *Schmand* **m** chmannt
crème hydratante *Feuchtigkeitscreme* **f** *foycH*·ticH·kayts·krém
crépuscule *Dämmerung* **f** *dè*·mè·roung
crevaison *Reifenpanne* **f** *ray*·fénn·pa·ne
crevettes *Garnele* **f** gar·*né*·le
cricket *Cricket* **n** *kri*·két
crier *schreien* *chray*·énn
critique (arts) *Kritik* **f** kri·*tîk*
croix *Kreuz* **n** kroyts
croyant *religiös* re·li·*gyeuhs*
cru *roh* rô
cueillette des fruits *Obsternte* **f** *ôpst*·érn·te
cueillir *pflücken* *pflu*·kénn
cuillère *Löffel* **m** *leuh*·fél • **petite cuillère** *Teelöffel* **m** *té*·leuh·fél
cuir *Leder* **n** *lé*·der
cuisine *Küche* **f** *ku*·cHeu
cuisiner *kochen* *ko*·Rchénn
cuisinier/cuisinière *Koch/Köchin* **m/f** koRch/*keuh*·cHinn
cuisse de poulet *Hähnchenschenkel* **m** *hén*·cHénn·chéng·kél
cure-dent *Zahnstocher* **m** *tsân*·chto·cHér
curriculum vitae (CV) *Lebenslauf* **m** *lé*·bénns·laof
curry (poudre de) *Curry(pulver)* **n** *keuh*·ri (poul·ver)
CV *Lebenslauf* **m** *lé*·béns·laof
cycle *Fahrrad* **n** *fâr*·rât
cyclisme *Radsport* **m** *rât*·chport
cycliste *Radfahrer(in)* **m/f** *rât*·fâ·rer(inn)
cystite *Blasenentzündung* **f** *blâ*·zen·énn·tsoun·doung

D

danger *Gefahr* f gué·*fâr* • **(espèce) en danger** *bedrohte (Art)* bé·*drô*·te *art*
dangereux *gefährlich* gué·*fér*·licH
dans *in* inn
danser *tanzen* *tan*·tsénn
date *Datum* **n** *dâ*·toum
— de naissance *Geburtsdatum* **n** gué·*bourts*·dâ·toum
de *aus* aos • *von* fon
début *Beginn* **m** be·*ginn*
décalage horaire *Jetlag* **m** *djét*·lèg • *Zeitunterschied* **m** *tsayt*·oun·ter·chît
décapsuleur *Flaschenöffner* **m** *fla*·chénn·euhf·nèr
déchets nucléaires *Atommüll* **m** a·*tôm*·mul
déchets toxiques *Giftmüll* **m** *gift*·mul
décider *entscheiden* énnt·*chay*·dénn
décollage *Abflug* **m** *ap*·flouk
dedans *innen* *i*·nénn
déforestation *Abholzung* **f** *ap*·hol·tsoung
degré *Grad* **m** grât
dehors *draußen* *drao*·sénn
déjà *schon* chôn
déjeuner *Mittagessen* **n** *mi*·tâk·è·sénn
délicieux *köstlich* *keuhst*·licH
deltaplane *Drachenfliegen* **n** *dra*·cHénn·flî·guénn
demain *morgen* *mor*·guénn
— matin *morgen früh* *mor*·guénn *fru*
demande (réclamation) *Forderung* **f** *for*·dè·roung
demander quelque chose *um etwas bitten* oum *ét*·vas *bi*·ténn
demandeur d'asile *Asylant(in)* **m/f** a·zu·*lannt*(inn)
démangeaison *Juckreiz* **m** *youk*·rayts
démêlant (capillaire) *Spülung* **f** *chpu*·loung
demi-(litre) *halb* • *(ein halber Liter)* ayn *hal*·bér *lî*·tér
démissionner (job) *kündigen* *kun*·di·guénn
démocratie *Demokratie* **f** dé·mo·kra·*tî*
dent *Zahn* **m** tsânn • **dents** *Zähne* **pl m** *tsé*·neu
dentelle *Spitze* **f** *chpi*·tseu
dentifrice *Zahnpasta* **f** *tsânn*·pas·ta
dentiste *Zahnarzt/Zahnärztin* **m/f** *tsânn*·artst/*tsânn*·erts·tin
déodorant *Deo* **n** *dé*·o

départ *Abfahrt* **f** *ap*·fârt
dépôt-vente *Secondhandgeschäft* **n** se·kénnd·*hénnd*·gué·chéft
depuis (mai) *seit (Mai)* zayt (may)
derrière *hinter* *hinn*·ter
dés (jeu) *Würfel* **m** *vur*·fél
descendant *Nachkomme* **m** *naRch*·ko·meu
désert *Wüste* **f** *vus*·te
dessous *unten* *oun*·ténn
destination *(Reise)Ziel* **n** (*ray*·ze·)tsîl
détail *Detail* **n** de·*tay*
deux fois *zweimal* *tsvay*·mâl
devant *vor* fôr
— nous *vor uns* fôr ouns
deviner *raten* *râ*·ténn
devise *Währung* **f** *vér*·roung
devoir (quelque-chose à quelqu'un) *schulden* *choul*·dénn
diabète *Diabetis* **f** di·a·*bé*·tis
diaphragme *Zwerchfell* **n** *tsvercH*·fel
diapositive *Dia* **n** *dî*·a
diarrhée *Durchfall* **m** *dourcH*·fal
dictionnaire *Wörterbuch* **n** *veuhr*·ter·bouRch
Dieu *Gott* **m** got
difficile *schwierig* *chvî*·ricH
dimanche *Sonntag* **m** *zon*·tâk
dindon *Truthahn* **m** *trout*·hân
dîner *Abendessen* **n** *â*·bénnt·è·sénn
dire *sagen* *zâ*·guénn
direct *direkt* di·*rekt*
discothèque *Disko(thek)* **f** *dis*·ko(·*ték*)
discrimination *Diskriminierung* **f** dis·kri·mi·*nî*·roung
dispute *Streit* **m** chtrayt
disputer (se) *streiten* *chtray*·ténn
distribuer (cartes) *austeilen* *aos*·tay·lénn
distributeur de billets (argent) *Geldautomat* **m** *guélt*·ao·to·mât • **(train, métro, etc.)** *Fahrkartenautomat* **m** *fâr*·kar·ténn·ao·to·mât
dix *zehn* tsén
docteur (médecin) *Arzt/Ärztin* **m/f** artst/*erts*·tin
Docteur (titre) *Doktor(in)* **m/f** *dok*·tor/ dok·*tô*·rin

documentaire *Dokumentation* **f** do·kou·ménn·ta·*tsyôn*
doigt *Finger* **m** *fing*·ér
— de pied *Zehe* **f** *tsé*·euh
dollar *Dollar* **m** *do*·lâr
donner *geben* *gué*·bénn
— un coup de pied *treten* *tré*·ténn
dormir *schlafen* *chlâ*·fénn
dos *Rücken* **m** *ru*·kénn
douane *Zoll* **m** tsol
double *doppelt* *do*·pélt
doucement *langsam* *lang*·zâm
douche *Dusche* **f** *dou*·cheu
douleur *Schmerz* **m** chmèrts
• **douleurs menstruelles** *Menstruationsbeschwerden* **pl/ f** ménns·trou·a·*tsyôns*·be·chver·dénn
douloureux *schmerzhaft* *chmerts*·haft
doux *süß* zus
douzaine *Dutzend* **n** *dou*·tsénnt
draguer *anbaggern* *ann*·ba·guérn
drap *Bettlaken* **n** *bet*·lâ·kénn • **draps** *Bettzeug* **n** *bet*·tsoyk • **draps de lit et taies** *Bettwäsche* **f** *bét*·vè·cheu
drapeau *Flagge* **f** *fla*·gue
droit (ligne) *gerade* gue·*râ*·deu • **(études)** *Jura* **n** *you*·ra • **(loi)** *Gesetz* **n** gué·*zets*
droit d'entrée *Eintrittsgeld* **n** *ayn*·trits·guélt
droite *rechts* recHts
droits civiques *Bürgerrechte* **pl n** *bur*·guér·recH·teu
droits de l'homme *Menschenrechte* **pl n** *ménn*·chénn·recH·te
drôle *lustig* *lous*·ticH
dur (difficile) *schwer* chvér • **(matériau)** *hart* hart
durant (1 heure) *innerhalb (einer Stunde)* *i*·ner·halp

E

eau *Wasser* **n** *va*·ser
— chaude *warmes Wasser* *var*·mes *va*·ser
— robinet *Leitungswasser* **n** *lay*·toungks·va·ser

— gazeuse *Mineralwasser* **n** mi·ne·*râl*·va·ser
— plate *ohne Kohlensäure* **f** *ô*·ne *kô*·lénn·soy·reu
écharpe *Schal* **m** châl
échec (défaite) *Niederlage* **f** chaRch
• **(jeu)** *Schach* **n** chaRch
éclair *Blitz* **m** blits
école *Schule* **f** *chou*·leu
économiser *sparen* *chpâ*·rénn
écouter *zuhören* *zou*·heuh·rénn
écran *Bildschirm* **m** *bilt*·chirm
écrire *schreiben* *chray*·bénn
écrivain *Schriftsteller(in)* **m/f** *chrift*·chtè·lér/*chrift*·chtè·le·rinn
eczéma *Ekzem* **n** ék·*tsêmm*
éditeur *Herausgeber(in)* **m/f** hé·*raos*·gué·ber/he·*raos*·gué·be·rin
éducation *Erziehung* **f** ér·*tsî*·oung
également *auch* aoRch
égalité *Gleichheit* **f** *glaycH*·hayt
— des chances *Chancengleichheit* **f** *châng*·sénn·glaycH·hayt
église *Kirche* **f** *kir*·cHeu
égoïste *egoistisch* é·go·*is*·tich
égratignure *Schramme* **f** *chra*·meu
élections *Wahlen* **pl** *vâ*·lénn
électricien *Elektriker(in)* **m/f** é·*lék*·tri·ker/é·*lék*·tri·kè·rin
électricité *Elektrizität* **f** é·lék·tri·tsi·*tét*
elle *sie* zî • **à elle** *ihr* îr
elles *sie* zî
emballage *Packung* **f** *pa*·koung
embarquer *besteigen* bé·*chtay*·guén
embarrassé *verlegen* fer·*lé*·guénn
embrasser *küssen* *ku*·sénn • **s'embrasser** *umarmen* oum·*ar*·ménn
émotionnel *emotional* é·mo·tsyo·*nâl*
empêcher *verhindern* fer·*hinn*·dérn
emplacement de tente *Zeltplatz* **m** *tsélt*·plats
employé(e) (personne) *Angestellter/Angestellte* **m/f** *an*·gué·chtèl·teu
employés de bureau *Büroangestellte* **m** bu·*rô*·ann·gué·chtèl·teu
employeur *Arbeitgeber(in)* **m/f** ar·bayt·*gué*·bèr
emprunter *(aus)leihen* (*aos*·)*lay*·énn
en (coton) *aus (Baumwolle)* aos
en-dessous *unter* *oun*·ter
en face *gegenüber* gué·guénn·*u*·bér
en sécurité *sicher* zich·ér
encaisser (un chèque) *einlösen (einen Scheck)* (*ay*·nénn chék) *ayn*·leuh·zen
en-cas *Snack* **m** snèk
enceinte *schwanger* *chvang*·ér
encore *wieder* *vî*·dér
endormi *schläfrig* *chléf*·ricH
énergie *Energie* **f** é·nér·*guî*
— nucléaire *Atomenergie* **f** a·*tôm*·é·nér·guî
enfant *Kind* **n** kinnt
• **enfants** *Kinder* **pl n** *kinn*·dér
• **enfants des rues** *Straßenkinder* **pl n** *chtrâ*·sénn·kin·der
ennuyé *gelangweilt* gué·*lanng*·vaylt
ennuyeux *langweilig* *lanng*·vay·licH
énorme *riesig* *rî*·zicH
enregistrement *Aufnahme* **f** *aof*·nâ·me
ensemble *zusammen* tsou·*za*·ménn
ensoleillé *sonnig* *zo*·nicH
entendre *hören* *heuhr*·rénn
enterrement *Begräbnis* **n** bé·*grép*·nis
entier *ganz* gants
entraînement *Training* **n** *tré*·ning
entraîneur (sport) *Trainer(in)* **m/f** *tré*·nér(inn)
entre *zwischen* *tsvi*·chénn
entrer *eintreten* *ayn*·tré·ténn
enveloppe *Briefumschlag* **m** *brîf*·oum·chlâk
environs *Nähe* • **dans les environs** *in der Nähe* in dér *né*·è
environnement *Umwelt* **f** *oum*·vèlt
envoyer *senden* *zénn*·dénn
épais *dick* dik
épaule *Schulter* **f** *choul*·ter
épicé *würzig* *vur*·tsicH
épicerie *Lebensmittelladen* **m** *lé*·bénns·mi·tel·lâ·dénn
— fine *Feinkostgeschäft* **n** *fayn*·kost·gué·cheft
épicier *Lebensmittelhändler* **m** *lé*·bénns·mi·tel·hénn·dlér

épilepsie *Epilepsie* **f** è·pi·lèp·*sî*
épinards *Spinat* **m** chpi·*nât*
épouse *Ehefrau* **f** *é*·euh·frao
équipe *Mannschaft* **f** *mann*·chaft
équipement *Ausrüstung* **f** *aos*·rus·toung
erreur *Fehler* **m** *fé*·lér
éruption (cutanée) *Ausschlag* **m** *aos*·chlâk
érythème fessier *Windeldermatitis* **f** *vin*·dél·dér·ma·tî·tis
escalade *Bergsteigen* **n** *berk*·chtay·guénn
escalader *klettern* *klé*·térn
escalier *Treppe* **f** *tré*·peu
— roulant *Rolltreppe* **f** *rol*·tré·peu
escargot *Schnecke* **f** *chnè*·keu
escarpé *steil* chtayl
escrime *Fechten* **n** *fécH*·ténn
escroc *Betrüger(in)* **m/f** be·*tru*·guér(inn)
espace *Raum* **m** raom
Espagne *Spanien* **n** *chpâ*·ni·énn
essais nucléaires *Atomtest* **m** a·*tôm*·test
essayer *versuchen* fer·*zou*·cHénn
essence *Benzin* **n** bénn·*tsînn*
est (direction) *Osten* **m** *os*·ténn
estomac *Magen* **m** *mâ*·guénn
et *und* ount
étage *Stock* **m** chtok
étagère *Regal* **n** ré·*gâl*
étanche *wasserdicht* *va*·sér·dicHt
État *Staat* **m** chtât
état civil *Familienstand* **m** fa·*mî*·li·énn·chtant
État social *Sozialstaat* **m** zo·*tsyâl*·chtât
été *Sommer* **m** *zo*·mer
étiquette à bagages *Adressanhänger* **m** a·*dres*·ann·héng·ér
étoile *Stern* **m** chtérn
• **(quatre-) étoiles** *(Vier-)Sterne-* *(fîr·)chtér*·neu
étonnant *erstaunlich* ér·*chtaon*·licH
étourdi (se sentir) *schwindelig* *chvin*·de·licH
étranger (adj) *ausländisch* *aos*·lénn·dich • *fremd* frémmt • **(nom)** *Fremde* **m/f** *frémm*·de • **à l'étranger** *im Ausland* **n** imm *aos*·lannt

être *sein* zayn
— d'accord *zustimmen* *tsou*·chti·ménn
— enrhumé *erkältet sein* ér·*kél*·tét zayn
— capable *können* *keuh*·nénn
— assis *sitzen* *zi*·tsénn
— allongé *liegen* *lî*·guénn
— à la maison *zu Hause sein* **n** tsou *hao*·ze sayn
— pressé *in Eile sein* **f** in *ay*·le
étroit *eng* énng
étudiant(e) *Student(in)* **m/f** chtou·*dénnt*(inn)
étudier *studieren* chtou·*dî*·rénn
euro *Euro* **m** *oy*·ro
Europe *Europa* **n** *oy*·rô·pa
euthanasie *Euthanasie* **f** oy·ta·na·*zî*
évident *offensichtlich* o·fénn·*zicHt*·licH
excédent de bagage *Übergepäck* **n** *u*·bér·gué·pék
excellent *ausgezeichnet* aos·gué·*tsaycH*·net
exclu *ausgeschlossen* *aos*·gué·chlo·sénn
exemple *Beispiel* **n** *bay*·chpîl • **par exemple** *zum Beispiel* tsoum *bay*·chpîl
expérience *Erfahrung* **f** er·*fâ*·roung
exploitation *Ausbeutung* **f** *aos*·boy·toung
exposition *Ausstellung* **f** *aos*·chte·loung
express *Express-* **m** éks·*préss*·

F

facile *leicht* laycHt
faible *schwach* chvaRch
faire *tun* toun • *machen* *ma*·cHénn
— de l'autostop *trampen* *trém*·pénn
— du roller *Rollschuhfahren* **n** *rol*·chou·fâ·rénn
— du shopping *einkaufen gehen* *ayn*·kao·fénn *gué*·énn
— les courses *einkaufen gehen* *ayn*·kao·fénn *gué*·énn
fait main *handgemacht* *hant*·gué·maRcht
falaise *Klippe* **f** *kli*·peu
fameux *berühmt* bé·*rumt*
famille *Familie* **f** fa·*mî*·li·è
fan (sport) *Fan* **m** fénn
farine *Mehl* **n** mél

fatigué(e) *müde* *mu*·de
fatiguer *ermüden* ér·*mu*·dénn
fausse-couche *Fehlgeburt* **f** *fél*·gué·bourt
faute *Schuld* **f** choult
fautif *schuldig* *choul*·dicH
faux *falsch* falch
fax *Fax* **n** faks
femme *Frau* **f** frao
• **(mariée)** *Ehefrau* **f** *é*·euh·frao
fenêtre *Fenster* **n** *fénns*·ter
ferme *Bauernhof* **m** *bao*·ern·hôf
fermé *geschlossen* gué·*chlo*·sén
— **à clé** *abgeschlossen* *ap*·gué·chlo·sénn
fermer *schließen* *chlî*·sénn
fermeture éclair *Reißverschluss* **m** *rays*·fer·chlous
fermier *Bauer/Bäuerin* **m/f** *bao*·ér/ *boy*·é·rinn
fête *Fest* **n** fest
feu *Feuer* **n** *foy*·er
— **rouge** *Ampel* **f** *amm*·pél
feuille *Blatt* **n** blat
fiançailles *Verlobung* **f** fer·*lô*·boung
fiancé *Verlobte(r)* **m/f** fer·*lôp*·te
ficelle *Schnur* **f** chnour
fièvre *Fieber* **n** *fî*·bér
— **glandulaire** *Drüsenfieber* **n** *dru*·zénn·fî·bér
figue *Feige* **f** *fay*·gué
fil à linge *Wäscheleine* **f** *vé*·cheu·lay·neu
fil de fer *Draht* **m** drât
fil dentaire *Zahnseide* **f** *tsân*·zay·de
filet (viande/poisson) *Filet* **n** fi·*lé* ; **(de pêche)** *Netz* **n** néts
fille (filiation) *Tochter* **f** *toRch*·ter
• **(contraire de garçon)** *Mädchen* **n** *mét*·cHénn
— **belle-fille** *Schwiegertochter* **f** *chvî*·guér·toRch·ter
film (cinéma) *Film* **m** film
fils *Sohn* **m** zôn
filtré *gefiltert* gué·*fil*·tért
fin *Ende* **n** *énn*·de
finir *beenden* bé·*énn*·dénn

flash *Blitz* **m** blits
fleur *Blume* **f** *blou*·me
fleuriste *Blumenhändler/in* **m/f** *blou*·ménn·hénn·dlér(inn)
fleuve *Fluss* **m** flouss
foie *Leber* **f** *lé*·bér
fois (une) *einmal* *ayn*·mâl
foncé *dunkel* *doung*·kel
fonctionnaire *Beamter/Beamtin* **m/f** bé·*am*·ter/bé·*am*·tinn
fontaine *Brunnen* **m** *brou*·nénn
football *Fußball* **m** *fous*·bal
forêt *Wald* **m** valt
forme *Form* **f** form
formel *formell* for·*mél*
fort *stark* chtark
fou *verrückt* fé·*rukt*
four *Ofen* **m** *ô*·fénn
fourchette *Gabel* **f** *gâ*·bel
fourmi *Ameise* **f** *â*·may·*ze*
foyer (logis) *Foyer* **n** fo·a·*yé*
• **(four)** *Herd* **m** hért
fragile *zerbrechlich* tsér·*brécH*·licH
frais *frisch* frich
fraise *Erdbeere* **f** *ért*·bér·re
framboise *Himbeere* **f** *him*·bér·re
français(e) *französisch* *frann*·zeuh·sich
Français(e) *Franzose/Französin* **m/f** *frann*·zô·se/ *frann*·zeuh·sinn
France *Frankreich* **n** *frangk*·raycH
franchise de bagages *Freigepäck* **n** *fray*·gué·pek
freins *Bremsen* **pl f** *brém*·zen
frère *Bruder* **m** *brou*·dér
frire (à la poêle) *braten* *brâ*·ténn
froid *kalt* kalt
froissement d'un muscle *Muskelzerrung* **f** *mous*·kel·tsér·roung
fromage *Käse* **m** *ké*·zeu
— **frais** *Frischkäse* **m** *frich*·ké·zeu
frontière *Grenze* **f** *grénn*·tseu
frottis vaginal *Abstrich* **m** *ap*·chtricH
fruit *Frucht* **f** froucHt
fruits secs *Trockenobst* **n** *tro*·kénn·ôpst
fuel *Brennstoff* **m** *brénn*·chtof
fumer *rauchen* *rao*·cHénn
furieux *wütend* *vu*·ténnt

fusible *Sicherung* **f** *zi*·cHe·roung
futur *Zukunft* **f** *tsou*·kounft

G

gagner (de l'argent) *verdienen* fer·*dî*·nénn • **(au loto)** *gewinnen* gué·*vi*·nénn
galerie d'art *Kunstgalerie* **f** *kounst*·ga·lé·rî
gant de toilette *Waschlappen* **m** *vach*·la·pénn
garage (abris) *Garage* **f** gua·*râ*·je • **(réparation)** *Werkstatt* **f** *vérk*·chtat
garçon *Junge* **m** *young*·e
— **de café** *Kellner(in)* **m/f** *kél*·nér(inn)
garde d'enfants *Kinderbetreuung* **f** *kinn*·dér·bé·troy·oung
garde-robe *Garderobe* **f** gar·*drô*·be
gardien de but *Torwart/Torhüterin* **m/f** *tôr*·vart/*tôr*·hu·te·rin
gare *Bahnhof* **m** *bân*·hôf
— **routière** *Busbahnhof* **m** *bouss*·bân·hôf
gastroentérite *Magen-Darm-Katarrh* **m** *mâ*·guénn·*darm*·ka·*tar*
gâteau *Kuchen* **m** *kou*·cHénn
— **de mariage** *Hochzeitstorte* **f** *hoRch*·tsayts·tor·te
gauche *links* lingks
gay *schwul* chvoul
gaz *Gas* **n** gâs
gel (froid) *Frost* **m** frost
gencives *Zahnfleisch* **n** *tsân*·flaych
général *allgemein* al·gué·*mayn*
genou *Knie* **n** knî
gens *Menschen* **pl m** *ménn*·chénn
gilet de sauvetage *Schwimmweste* **f** *chvim*·ves·teu
gin *Gin* **m** djin
gingembre *Ingwer* **m** *ing*·ver
glace (à manger) *Eiscreme* **f** *ays*·krém
glacier (commerce) *Eisdiele* **f** *ays*·dî·le • **(géographie)** *Gletscher* **m** *glét*·chér
glaçon *Eis* **n** ays
glissant *glatt* glat
gorge (géographie) *Schlucht* **f** chloucHt • **(corps)** *Hals* **m** hals

gousse d'ail *Knoblauchzehe* **f** *tsé*·è
gouttes oculaires *Augentropfen* **pl m** *ao*·guénn·trop·fénn
gouvernement *Regierung* **f** ré·*guî*·roung
gramme *Gramm* **n** gram
grand *groß* grôss
— **magasin** *Warenhaus* **n** *vâ*·rénn·haos
grand-mère *Großmutter* • *Oma* **f** *grôs*·mou·ter • *ô*·ma
grand-père *Großvater* *grôs*·fâ·ter • *Opa* **m** *ô*·pa
grands-parents *Großeltern* **pl** *grôs*·él·térn
grappe *Rebe* **f** *ré*·beu
gras *dick* dik
gratuit *gratis* *grâ*·tis
grenier *Dachboden* **m** *daRch*·bô·dénn
grenouille *Frosch* **m** froch
grève *Streik* chtrayk • **(faire la) grève** *streiken* *chtray*·kénn
grille-pain *Toaster* **m** *tôs*·ter
grippe *Grippe* **f** *gri*·peu
gris *grau* grao ; **(ivre)** *blau* blao
groupe *Gruppe* **f** grou·peu
— **de musique** *Band* **f** bénnt
— **de rock** *Rockband* **f** *rok*·bénnt
— **sanguin** *Blutgruppe* **f** *blout*·grou·peu
guêpe *Wespe* **f** *vès*·peu
guerre *Krieg* **m** krîk
guide (livre) *Reiseführer* **m** *ray*·ze·fu·rer • **(personne, audio)** *Führer* **m** *fu*·rer
guide de conversation *Sprachführer* **m** *chpraRch*·fu·rer
guidon *Lenker* **m** *lénng*·kér
guitare *Gitarre* **f** guy·*ta*·reu
gymnastique *Gymnastik* **f** gum·*nas*·tik
gynécologue *Gynäkologe/Gynäkologin* **m/f** gu·né·ko·*lô*·gue/gu·né·ko·*lô*·gin

H

habiter *wohnen* *vô*·nénn
hache *Axt* **f** akst
hachis (Parmentier) *Haschee* **n** ha·*ché*
haïr *hassen* *ha*·sénn
halal *Halal-* ha·*lal*
halluciner *halluzinieren* ha·lou·tsi·*nî*·rénn
hamac *Hängematte* **f** *hénng*·è·ma·teu

hamster *Hamster* **m** *hamms*·ter
handicapé(e) *behindert* bé·*hinn*·dért
harassement *Belästigung* **f** bé·*lés*·ti·goung
hareng *Hering* **m** *hé*·ring
haricot *Bohne* **f** *bô*·neu
hasard *Zufall* **m** *tsou*·fal
haut *hoch* hôcH • **en haut** *oben* *ô*·bénn • **vers le haut** *nach oben* naRch *ô*·bénn
hébergement *Unterkunft* **f** *oun*·ter·kounft
hépatite *Hepatitis* **f** hé·pa·*tî*·tis
herbes *Kräuter* **pl n** *kroy*·ter
heure *Uhr* **f** our
heures d'ouverture *Öffnungszeiten* **pl f** *euhf*·noungks·tsay·ténn
heureux *glücklich* *gluk*·licH
hier *gestern* *gués*·térn
hindouiste *Hindu* **m** *hin*·dou
histoire *Geschichte* **f** gué·*chicH*·teu
historique *historisch* his·*tô*·rich
hiver *Winter* **m** *vin*·ter
hockey *Hockey* **n** *ho*·ki
— **sur glace** *Eishockey* **n** *ays*·ho·ki
homme *Mann* **m** mann • **(être humain)** *Mensch* **m** ménnch
homme/femme au foyer *Hausmann/Hausfrau* **m/f** *haos*·mann/*haos*·frao
homme/femme d'affaires *Geschäftsmann/Geschäftsfrau* **m/f** gué·*chéfts*·mann/gué·*chéfts*·frao
homosexuel *homosexuell* hô·mo·zek·sou·*él*
honnête *ehrlich* *ér*·licH
hôpital *Krankenhaus* **n** *krang*·kénn·haos
horaires (train, bus) *Fahrplan* **m** *fâr*·plân
horloge coucou *Kuckucksuhr* **f** *kou*·kouks·our
horoscope *Horoskop* **n** ho·ros·*kôp*
hors jeu *abseits* *ap*·zayts
hospitalité *Gastfreundschaft* **f** *gast*·froynt·chaft
hôtel *Hotel* **n** ho·*tél*
huile *Öl* **n** euhl
— **d'olive** *Olivenöl* **n** o·*lî*·vénn·euhl
huître *Auster* **f** *aos*·ter
humain *menschlich* *ménnch*·licH
humide *feucht* foycHt

I

ici *hier* hîr
idée *Idee* **f** i·*dé*
idiot *Idiot* **m** i·di·*ôt*
ignition *Zündung* **f** *tsun*·doung
il *er* ér
il y a (3 jours) *vor (drei Tagen)* fôr (dray *tâ*·guénn)
île *Insel* **f** *in*·zèl
illégal *illegal* *i*·lé·gâl
ils *sie* zî
imagination *Phantasie* **f** fann·ta·*zî*
immatriculation *(PKW-)Zulassung* **f** (*pé*·kâ·vé·)*tsou*·la·soung
immédiatement *sofort* zo·*fort*
immigration *Immigration* **f** i·mi·gra·*tsyôn*
imperméable *Regenmantel* **m** *ré*·guénn·man·tél
important *wichtig* *vicH*·ticH
impossible *unmöglich* oun·*meuhk*·licH
impôts *Steuer* **f** *chtoy*·ér
— **sur le revenu** *Einkommensteuer* **f** *ayn*·ko·ménn·chtoy·ér
impression *Druck* **m** drouk
inclus(e) *inbegriffen* *in*·be·gri·fénn
inconfortable *unbequem* *oun*·bé·kvém
Inde *Indien* **n** *in*·di·énn
indemnité de chômage *Arbeitslosengeld* **n** *ar*·bayts·lô·zénn·guélt
indicatif de la ville *Vorwahl* **f** *fôr*·vâl
indigestion *Magenverstimmung* **f** *mâ*·guénn·fer·chti·moung
industrie *Industrie* **f** in·dous·*trî*
inégalité *Ungleichheit* **f** *oun*·glaycH·hayt
infection *Entzündung* **f** énn·*tsun*·doung
infirmier/infirmière *Krankenpfleger/Krankenschwester* **m/f** *krang*·kénn·pflé·guér/*krang*·kénn·chvès·ter
inflammation *Entzündung* **f** énn·*tsun*·doung
information *Auskunft* **f** *aos*·kounft
informatique *Informationstechnologie* **f** in·for·ma·*tsyôns*·técH·no·lo·guî
ingénierie *Ingenieurwesen* **n** in·dje·*nyeuhr*·vé·zénn

ingénieur *Ingenieuer(in)* **m/f** inn·dje·*nyeuhr*/inn·dje·*nyeuhr*·rinn
ingrédient *Zutat* **f** *tsou*·tât
inhabituel *ungewöhnlich* *oun*·gué·veuhn·licH
injecter *injizieren* in·yi·*tsî*·rénn
injection (médical) *Injektion* **f** in·yek·*tsyôn* • **(voiture)** *Einspritzung* **f** *ayn*·chpri·tsoung
injuste *unfair* *oun*·fer
innocent *unschuldig* *oun*·choul·dicH
inondation *Überschwemmung* **f** u·ber·*chvè*·moung
insecte *Insekt* **n** inn·*zékt*
instructeur *Lehrer(in)* **m/f** *lér*·rer/*lér*·re·rin
intéressant *interessant* in·tré·*sant*
international *international* in·ter·na·tsyo·*nâl*
Internet *Internet* **n** *in*·ter·net
interprète *Dolmetscher(in)* **m/f** *dol*·met·cher/*dol*·met·che·rin
interview *Interview* **n** *in*·ter·vyou
intoxication alimentaire *Lebensmittelvergiftung* **f** *lé*·bénns·mi·tel·fer·*gif*·toung
inviter *einladen* *ayn*·lâ·dénn
Irlande *Irland* *ir*·lant
itinéraire *Reiseroute* **f** *ray*·ze·rou·te
ivre *betrunken* be·*troung*·kénn

J

jaloux *eifersüchtig* *ay*·fer·zucH·ticH
jamais *nie* nî
jambe *Bein* **n** bayn
jambon *Schinken* **m** *ching*·kénn
Japon *Japan* **n** *yâ*·pân
jardin *Garten* **m** *gar*·ténn
— **botanique** *Botanischer Garten* **m** bo·*tâ*·ni·cher *guar*·ténn
— **d'enfants** *Kindergarten* **m** *kin*·der·gar·ténn
jatte *Schüssel* **f** *chu*·sel
jaune *gelb* guélp
je *ich* icH
jeans *Jeans* **pl** djînns
jeep *Jeep* **m** djîp
jerrican à essence *Benzinkanister* **m** bénn·*tsînn*·ka·nis·ter
jeu *Spiel* **n** chpîl
— **sur ordinateur** *Computerspiel* **n** kom·*pjou*·tér·chpîl
jeudi *Donnerstag* **m** *do*·ners·tâk
jeune *jung* young
jeûne (période) *Fastenzeit* **f** *fas*·ténn·tsayt
jeux Olympiques *Olympische Spiele* **pl f** o·*lum*·pi·che
jockey *Jockey* **m** *djo*·ki
jogging *Joggen* **n** *djo*·guénn
joli *hübsch* hupch
jouer *spielen* *chpî*·lénn
jouet *Spielzeug* **n** *chpîl*·tsoyk
jour *Tag* **m** tâk • **tous les jours** *täglich* *ték*·licH • **quinze jours** *vierzehn Tage* **pl m** *fîr*·tsén *tâ*·gué
— **de l'an** *Neujahrstag* **m** *noy*·yârs·tâk
— **de Noël** *Weihnachtsfeiertag (erster)* **m** (*ers*·ter) *vay*·naRchts·fay·er·tâk
journal *Zeitung* **f** *tsay*·toung
— **intime** *Tagebuch* **n** *tâ*·gué·bouRch
journaliste *Journalist(in)* **m/f** djour·na·*list*/djour·na·*lis*·tin
juge *Richter(in)* **m/f** *ricH*·ter/*ricH*·te·rin
juif *jüdisch* *yu*·dich
jumeaux *Zwillinge* **pl** *tsvi*·ling·e
jumelles *Fernglas* **n** *fern*·glâs
jupe *Rock* **m** rok
jus *Saft* **m** zaft
— **d'orange** *Orangensaft* **m** o·*râng*·djénn·zaft
jusqu'à *bis zu* bis tsou • **jusqu'à (juin)** *bis (Juni)* bis (*you*·ni)
juste là *gleich dort* glaycH dort
justice *Gerechtigkeit* **f** gué·*recH*·ticH·kayt

K

kasher *koscher* *kô*·cher
ketchup *Ketchup* **m** *ket*·chap
kilogramme *Kilogramm* **n** *kî*·lo·gram
kilomètre *Kilometer* **m** ki·lo·*mé*·ter
kiosque à journaux *Zeitungskiosk* **m** *tsay*·toungks·kî·osk

kit de secours *Verbandskasten* **m** fer·*bants*·kas·ténn
kiwi *Kiwifrucht* **f** *kî*·vi·froucHt
kyste ovarien *Eierstockzyste* **f** *ay*·er·chtok·tsus·te

L

là-bas *dort* dort
lac *See* **f** zé
laine *Wolle* **f** *vo*·le
laisser entrer *einlassen* *ayn*·la·sèn
lait *Milch* **f** milcH
— **écrémé** *Milch fettarme* **f** *fet*·ar·me milcH
— **de bronzage** *Bräunungsmilch* **f** *broy*·noungks·milcH
— **de soja** *Sojamilch* **f** *zô*·ya·milcH
lames de rasoir *Rasierklingen* **pl f** ra·*zîr*·kling·énn
langue *Sprache* **f** *chprâ*·cHe
lapin *Kaninchen* **n** ka·*neénn*·cHénn
large *breit* brayt
laver (se) *waschen(sich)* zicH *va*·chénn
lavomatique *Wäscherei* **f** ve·che·*ray*
laxatif *Abführmittel* **n** *ap*·fur·mi·tel
leader *Anführer* **m** *an*·fu·rer
lecteur MP3 *MP3-Player* **m** emm·pé·dray *pléy*·ér
lecture *Lesung* **f** *lé*·zoung
légal *legal* le·*gâl*
léger *leicht* laycHt
législation *Gesetzgebung* **f** gué·*zets*·gué·boung
légume sec *Hülsenfrucht* **f** *hul*·zénn·froucHt
légumes *Gemüse* **n** gué·*mu*·ze
lentement *langsam* *lang*·zâm
lentille (graines) *Linse* **f** *lin*·ze
• **(photographique)** *Objektiv* **n** op·yek·*tîf*
lentilles de contact *Kontaktlinsen* **pl f** kon·*takt*·linn·zen
les deux *beide* *bay*·deu
lesbienne *Lesbierin* **f** *les*·bi·e·rin
lettre *Brief* **m** brîf
lever du soleil *Sonnenaufgang* **m** *zo*·nénn·aof·gang
lèvres *Lippen* **pl f** *li*·pénn
lézard *Echse* **f** *ek*·se
liaison *Verbindung* **f** fer·*binn*·doung
librairie *Bibliothek* **f** bi·bli·o·*ték*
• **(boutique)** *Buchhandlung* **f** *bouRch*·hannd·loung
libre *frei* fray
lieu de naissance *Geburtsort* **m** gué·*bourts*·ort
lieu de spectacle *Veranstaltungsort* **m** fer·*an*·chtal·toungks·ort
ligne *Linie* **f** *lî*·ni·e
— **aérienne** *Fluglinie* **f** *flouk*·lî·ni·e
limitation de vitesse *Geschwindigkeits-begrenzung* **f** gué·*chvin*·dicH·kayts·be·grénn·tsoung
limonade *Limonade* **f** li·mo·*nâ*·de
lin *Leinen* **n** *lay*·nénn
linge de corps *Unterwäsche* **f** *oun*·ter·vé·cheuh
liquide (argent) *Bargeld* **n** *bâr*·guélt
lire *lesen* *lé*·zénn
lit *Bett* **n** bet • **deux lits** *zwei Einzelbetten* **pl** tsvay *ayn*·tsel·be·ténn
• **grand lit** *Doppelbett* **n** *do*·pel·bet
livre *Buch* **n** bouRch • **(poids)** *Pfund* **n** pfount
— **de poche** *Taschenbuch* **n** *ta*·chénn·bouRch
livrer *(aus)liefern* (*aos*·)*lî*·fern
location de voiture *Autoverleih* **m** *ao*·to·fer·lay
loin *weit* vayt
long *lang* lang
louer *mieten* *mî*·ténn
lourd *schwer* chvér • **(météo)** *schwül* chvul
lubrifiant *Schmiermittel* **n** *chmîr*·mi·tél
luge *Schlitten* **m** *chli*·ténn • **faire de la luge** *rodeln* **n** *rô*·deln
lui *er* ér • **à lui** *sein* zayn
lumière *Licht* **n** licHt
lundi *Montag* **m** *môn*·tâk
lune *Mond* **m** mônt • **pleine lune** *Vollmond* **m** *fol*·mônt

— **de miel** *Flitterwochen* **pl f** *fli*·ter·vo·cHénn
lunettes *Brille* **f** *bri*·le
— **de ski** *Skibrille* **f** *chî*·bri·le
— **de soleil** *Sonnenbrille* **f** *zo*·nénn·bri·le
luxueux *luxuriös* louk·sou·ri·*euhs*

M

ma *meine* **f** *may*·ne
machine *Maschine* **f** ma·*chî*·ne
— **à laver** *Waschmaschine* **f** *vach*·ma·chî·ne
mâchoire *Kiefer* **m** *kî*·fer
maçon *Maurer(in)* **m/f** *mao*·rér(inn)
magasin *Geschäft* **n** gué·*cheft*
— **de vêtements** *Bekleidungs-geschäft* **n** be·*klay*·doungks·gué·chéft
— **d'électroménager** *Elektro-geschäft* **n** e·*lek*·tro·gué·cheft
— **de chaussures** *Schuhgeschäft* **n** *chou*·gué·cheft
— **de souvenirs** *Souvenirladen* **m** zou·ve·*nîr*·lâ·dénn
magazine *Zeitschrift* **f** *tsayt*·chrift
magicien *Zauberer(in)* **m/f** *tsao*·be·rer(inn)
maillot de bain *Badeanzug* **m** *bâ*·de·ann·tsouk
maillot de corps *Unterhemd* **n** *oun*·ter·hemmt
main *Hand* **f** hant • **de deuxième main** *gebraucht* gué·*braoRcht*
maintenant *jetzt* yetst
maire *Bürgermeister(in)* **m/f** *bur*·guér·mays·ter(inn)
mais *aber* *â*·bér
maison *Haus* **n** haos • **(rentrer) à la maison** *nach Hause gehen* naRch *hao*·ze gué·énn
maître de conférence *Dozent(in)* **m/f** do·*tsénnt*/do·*tsénn*·tin
mal à la gorge *Halsschmerzen* **pl m** *hals*·chmer·tsénn
mal à la tête *Kopfschmerzen* **pl f** *kopf*·chmer·tsénn
mal au cœur *Magenschmerzen* **pl f** *mâ*·guénn·chmer·tsénn
mal aux dents *Zahnschmerzen* **pl f** *tsân*·chmer·tsénn
mal de l'air *Luftkrankheit* **f** *luft*·kranngk·hayt
mal de mer *seekrank sein* *zé*·krangk sayn
mal des transports *Reisekrankheit* **f** *ray*·ze·krangk·hayt
mal du pays (avoir le) *Heimweh haben* **n** *haym*·véhâ·bénn
malade *krank* krangk
maladie *Krankheit* **f** *krangk*·hayt
maman *Mama* **f** *ma*·ma
mammographie *Mammogramm* **n** ma·mo·*gram*
manager *Manager(in)* **m/f** *mé*·nè·djér/*mé*·nè·djé·rinn
manche *Ärmel* **m** ér·mél • **à manches courtes** *kurzärmelig* *kourts*·ér·mé·licH • **à manches longues** *langärmelig* *lang*·ér·mé·licH
mandarine *Mandarine* **f** man·da·*rî*·ne
manger *essen* *e*·sénn
mangue *Mango* **f** *mang*·go
manifestation *Demonstration* **f** dé·mons·tra·*tsyôn*
manque (sensation) *vermissen* fer·*mi*·sénn
manteau *Mantel* **m** *mann*·tél
maquillage *Schminke* **f** *chming*·ke
marchand de journaux *Zeitungshändler* **m** *tsay*·toungks·hénn·dler
marché *Markt* **m** markt
— **aux puces** *Flohmarkt* **m** *flô*·markt
marche (escalier) *Stufe* **f** *chtou*·fe
mardi *Dienstag* **m** *dîns*·tâk
marées *Gezeiten* **pl** gué·*tsay*·ténn
margarine *Margarine* **f** mar·ga·*rî*·ne
mari *Ehemann* **m** *é*·e·man
mariage *Ehe* **f** *é*·euh • *Hochzeit* **f** *hoRch*·tsayt • **(se) marier** *heiraten* *hay*·râ·ténn
marron *braun* braon
marquer un but *ein Tor schießen* **n** ayn tôr *chî*·sénn
marteau *Hammer* **m** *ha*·mer

massage *Massage* **f** ma·*sâ*·je
masseur *Masseur/in* **m/f** ma·*seuhr(inn)*
mat *Matte* **f** *ma*·te
match (sport) *Spiel* **n** chpîl
matelas *Matratze* **f** ma·*tra*·tse
matériel *Material* **n** ma·te·ri·*âl*
matin *Morgen* **m** *mor*·gouénn
matinée *Vormittag* **m** *fôr*·mi·tâk
mauvais *schlecht* chlécHt
mayonnaise *Majonnaise* **f** ma·yo·*né*·ze
mécanicien *Mechaniker(in)* **m/f** me·*cHâ*·ni·ker(rinn)
médecine *Medizin* **f** mé·di·*tsînn*
média *Medien* **pl** *mé*·di·énn
médicament homéopathique *homöopathisches Mittel* **n** hô·meuh·o·*pâ*·ti·ches *mi*·tel
médicine naturelle *Naturheilkunde* **f** na·*tour*·hayl·koun·de
méditation *Meditation* **f** me·di·ta·*tsyôn*
meilleur *beste* *bes*·teu
mélanger *mischen* *mi*·chénn
mélodie *Melodie* **f** me·lo·*dî*
melon *Melone* **f** me·*lô*·ne
— **jaune** *Beutelmelone* **f** *boy*·tél·mé·lô·ne
membre *Mitglied* **n** *mit*·glît
— **du parlement** *Abgeordnete* **m** *ap*·gué·ord·ne·te
même *gleich* *glay*·cHe
mendiant *Bettler(in)* **m/f** *bét*·ler(inn)
menstruation *Menstruation* **f** ménns·trou·a·*tsyôn*
menteur *Lügner(in)* **m/f** *lug*·ne(rinn)
mer *Meer* **n** mayr
mercredi *Mittwoch* **m** *mit*·voRch
mère *Mutter* **f** *mou*·ter
merveilleux *wunderbar* *voun*·der·bâr
message *Mitteilung* **f** *mi*·tay·loung
messe *Messe* **f** *me*·se • **aller à la messe** *einen Gottesdienst besuchen* **m** *ay*·nénn *go*·tes·dînnst be·*zou*·cHénn
métal *Metall* **n** mé·*tal*
mètre *Meter* **m** *mé*·ter
métro *U-Bahn* **f** *ou*·bânn
metteur en scène *Regisseur(in)* **m/f** ré·ji·*seuhr*(inn)

meubles *Möbel* **pl n** *meuh*·bel
micro-ondes *Mikrowelle* **f** *mî*·kro·vé·le
midi *Mittag* **m** *mi*·tâk
miel *Honig* **m** *hô*·nicH
mieux *besser* *bé*·sér
mignon *süß* zus
migraine *Migräne* **f** mi·*gré*·ne
militaire *Militär* **n** mi·li·*tér*
mille *tausend* *tao*·zénnt
millimètre *Millimeter* **m** mi·li·*mé*·ter
million *Million* **f** mi·*li*·*ôn*
mince *dünn* dunn
minuit *Mitternacht* **f** *mi*·ter·naRcht
minuscule *winzig* *vin*·tsicH
minute *Minute* **f** mi·*nou*·te
miroir *Spiegel* **m** *chpî*·guél
mise en relation *Vermittlung* **f** fer·*mit*·loung
modem *Modem* **n** *mô*·dem
moins *weniger* *vé*·ni·guér
mois *Monat* **m** *mô*·nat • **ce mois-ci** *diesen (Monat)* *dî*·zénn (*mô*·nat)
moisson *Feldfrucht* **f** *félt*·frouRcht
moitié *Hälfte* **f** *hélf*·te
mon *mein* m/n mayn
monastère *Kloster* **n** *klôs*·ter
monde *Welt* **f** velt
monnaie *Wechselgeld* **n** *vék*·sel·guélt • **petite monnaie** *Kleingeld* **n** *klayn*·guélt
montagne *Berg* **m** berk
montant (argent) *Betrag* **m** bé·*trâk*
monter à cheval *reiten* *ray*·ténn
montre *Uhr* **f** our
montrer *zeigen* *tsay*·guénn
monument *Denkmal* **m** *dénngk*·mâl
morsure *Biss* **m** bis
mort *tot* tôt
mosquée *Moschee* **f** mo·*ché*
mot *Wort* **n** vort
moteur *Motor* **m** *mô*·tor
motocyclette *Motorrad* **n** *mô*·tor·rât
mouche *Fliege* **f** *flî*·gue
mouchoir en papier *Papiertaschentücher* **pl n** pa·*pîr*·ta·chénn·tu·cHer
mouette *Möwe* **f** *meuh*·ve
mouillé *nass* nas

moule *Muschel* **f** *mou*·chél
mourir *sterben* *chter*·bénn
moustique *Stechmücke* **f** *cHtécH*·mu·keu
moutarde *Senf* **m** zénnf
mouton *Schaf* **n** châf
Moyen-Orient *Nahe Osten* **m** *nâ*·e *os*·ténn
MST *Geschlechtskrankheit* **f** gué·*chlecHts*·krangk·hayt
muesli *Müsli* **n** *mus*·li
mur *Mauer* **f** *mao*·er
muscle *Muskel* **m** *mous*·kel
musée *Museum* **n** mou·*zé*·oum
musicien *Musiker(in)* **m/f** *mou*·zi·ker(inn)
— **de rue** *Straßenmusiker(in)* **m/f** *chtrâ*·ssén·mou·zi·ker(inn)
musique *Musik* **f** mou·*zîk*
musulman *Moslem/Moslimin* **m/f** *mos*·lémm/mos·*lî*·minn
muet *stumm* chtoum

N

nager *schwimmen* *chvi*·ménn
nappe *Tischdecke* **f** *tich*·dé·keu
nationalité *Staatsbürgerschaft* **f** *chtâts*·bur·guér·chaft
nature *Natur* **f** na·*tour*
nausée *Übelkeit* **f** *u*·bel·kayt
ne … pas *nicht* nicHt
nécessaire *notwendig* *nôt*·vénn·dicH
neige *Schnee* **m** chné
neveu *Neffe* **m** *né*·feu
nez *Nase* **f** *nâ*·zeu
niche (chien) *Hütte* **f** *hu*·teu
nièce *Nichte* **f** *nicH*·teu
Noël *Weihnachten* **n** *vay*·naRch·ténn
nœud *Knoten* **m** *knô*·ténn
noir *schwarz* chvarts • **noir et blanc (pellicule)** *schwarzweiß* chvarts·*vays*
noix *Nuss* **f** nous
— **de cajou** *Cashewnuss* **f** *kech*·ou·nouss
nom *Name* **m** *nâ*·meu
— **de famille** *Nachname* **m** *naRch*·nâ·me
non *nein* nayn
• **non plus** *auch nicht* aoRch nicHt
non-fumeur *Nichtraucher-* **m** *nicHt*·rao·cHér
nord *Norden* **m** *nor*·dénn
notre *unser* *oun*·zér
nourrir *füttern* *fu*·térn
nourriture *Essen* **n** *è*·sénn
nous *wir* vîr
nouveau *neu* noy
nouvelles (actualité) *Nachrichten* **pl f** *naRch*·ricH·ténn
nuage *Wolke* **f** *vol*·keu
nuageux *wolkig* *vol*·kicH
nuit *Nacht* **f** naRcht
• **toute la nuit** *über Nacht* **f** u·ber naRcht
numéro *Nummer* **f** *nou*·mer
— **de passeport** *Passnummer* **f** *pas*·nou·mer
— **direct (téléphone)** *Durchwahl* **f** *dourcH*·vâl

O

observer *beobachten* be·ô·baRch·ténn
occupé (personne) *beschäftigt* bé·*chéf*·ticHt • **(téléphone)** *besetzt* bé·*zétst* • **s'occuper de** *sich kümmern um* zicH *ku*·mern oum
océan *Ozean* **m** *ô*·tsé·ân
odeur *Geruch* **m** gué·*rouRch*
œil *Auge* **n** *ao*·gué
œuf *Ei* **n** ay
office du tourisme *Fremdenverkehrsbüro* **n** *frémm*·dénn·fer·kérs·bu·rô
oignon *Zwiebel* **f** *tsvî*·bel
oiseau *Vogel* **m** *fô*·guél
OK *okay* o·*ké*
olive *Olive* **f** o·*lî*·veu
ombre *Schatten* **m** *cha*·ténn
oncle *Onkel* **m** *ong*·kél
onde *Welle* **f** *ve*·leu
opéra (œuvre) *Oper* **f** *ô*·per
• **(bâtiment)** *Opernhaus* **n** *ô*·pern·haos
opération *Operation* **f** o·pe·ra·*tsyôn*
opinion *Meinung* **f** *may*·noung

opticien *Optiker(in)* **m/f** *op*·ti·ker/ *op*·ti·ke·rin
or (métal) *Gold* **n** golt
orage *Sturm* **m** chtourm
orange (couleur) *orange* o·*râng*·*je*
• **(fruit)** *Orange* **f** o·*râng*·je
orchestre *Orchester* **n** or·*kés*·ter
ordinaire *normal* nor·*mâl*
ordinateur *Computer* **m** kom·*pyou*·tér
— **portable** *Laptop* **n** *lép*·top
oreille *Ohr* **n** ôr
oreiller *Kissen* **n** *kis*·sénn
organiser *organisieren* or·ga·ni·*zî*·rénn
orgasme *Orgasmus* **m** or·*gas*·mous
orgue *Orgel* **f** *or*·guél
original (première version) *Original-* **n** o·ri·guy·*nâl*·
orteil *Zehe* **f** *tsé*·e
os *Knochen* **m** *kno*·cHénn
ou *oder* *ô*·der
où *wo* vô
oublier *vergessen* fer·*gué*·sénn
ouest *Westen* **m** *vés*·ténn
oui *ja* yâ
ours *Bär* **m** bér
outils *Werkzeug* **n** *verk*·tsoyk
ouvert *offen* *o*·fénn
ouvre-boîte *Dosenöffner* **m** *dô*·zen·euhf·nér
ouvrier *Fabrikarbeiter(in)* **m/f** fa·*brîk*·ar·bay·ter/fa·*brîk*·ar·bay·te·rin
ouvrir *öffnen* *euhf*·nénn
oxygène *Sauerstoff* **m** *zao*·er·chtof

page *Seite* **f** *zay*·**te**
paiement *Zahlung* **f** *tsâ*·loung
pain *Brot* **n** brôt
— **grillé** *Toast* **m** tôst
paire *Paar* **n** pâr
paix *Frieden* **m** *frî*·dénn
palissade *Zaun* **m** tsaon
pamplemousse *Pampelmuse* **f** pam·pél·*mou*·ze
panne *Panne* **f** *pa*·neu
panneau *Schild* **n** chilt
— **indicateur** *Wegweiser* **m** *vék*·vay·zer
pansement *Pflaster* **n** *pflas*·ter
pantalon *Hose* **f** *hô*·ze
papa *Papa* **m** *pa*·pa
papeterie *Schreibwarenhandlung* **f** *chrayp*·vâ·rénn·han·dloung
papier *Papier* **n** pa·*pîr*
— **toilette** *Toilettenpapier* **n** to·a·*le*·ténn·pa·pîr
papiers (voiture) *Fahrzeugpapiere* **pl f** *fâr*·tsoyk·pa·pî·re
papiers d'identité *Ausweis* **m** *aos*·vays
papillon *Schmetterling* *chmé*·ter·linng
Pâques *Ostern* **n** *ôs*·tern
paquet *Paket* **n** pa·*két*
par *pro* prô
parachutisme *Fallschirmspringen* **n** *fal*·chirm·chpring·énn
parapente *Gleitschirmfliegen* **n** *glayt*·chirm·flî·guénn
paraplégique *Querschnittsgelähmte(r)* **f/m** *kvér*·chnits·gué·lém·te(r)
parapluie *Regenschirm* **m** *ré*·guénn·chirm
parc *Park* **m** park
— **national** *Nationalpark* **m** na·tsyo·*nâl*·park
parce que *weil* vayl • *darum* da·roum
parcours de golf *Golfplatz* **m** *golf*·plats
pardonner *verzeihen* fer·*tsay*·énn
pare-brise *Windschutzscheibe* **f** *vint*·chouts·chay·be
parents *Eltern* **pl** *él*·térn
paresseux *faul* faol
parfois *manchmal* *mancH*·mâl
parfum *Parfüm* **n** par·*fum* • **(glace)** *Geschmack* **m** gué·*chmak*
pari *Wette* **f** *vé*·teu
parking *Parkplatz* **m/f** *park*·plats
parlement *Parlament* **f** par·la·*ménnt*
parler *sprechen* *chpre*·cHénn
parmi *unter* *oun*·ter
part *Teil* **m** tayl • **à part cela** *außer* *ao*·sser
partager (avec) *teilen (mit)* *tay*·lénn (mit)
participer *beteiligen (sich)* zicH bé·*tay*·li·guénn
parti (politique) *Partei* **f** par·*tay*

P

français-allemand

partir *weggehen* *wék*·gué·énn • **(voiture, train)** *abfahren* *ap*·fâ·rénn
pas de *kein/keine/keines* **m/f/n** *kayn/ kay*·ne/*kay*·nés
pas encore *noch nicht* noRch nicHt
passager (avion) *Fluggast* **m** *flouk*·gast
passager (bus, taxi) *Fahrgast* **m** *fâr*·gast • **(train)** *Reisende(r)* **f/m** *ray*·zénn·de/ dér
passé *Vergangenheit* **f** fér·*guang*·énn·hayt
passeport *(Reise)Pass* **m** (*ray*·ze)pas
passer commande *bestellen* bé·*chtè*·lénn
passer la nuit (hôtel) *übernachten* u·ber·*naRch*·ténn
pastèque *Wassermelone* **f** *va*·ser·mé·lô·ne
pâté en croûte *Pastete* **f** pas·*té*·te
pâtes *Nudeln* **pl f** *nou*·deln
patinage (sur glace) *Eislaufen* **n** *ays*·lao·fénn
patiner (sur glace) *eislaufen* *ays*·lao·fénn
pâtisserie *Konditorei* **f** konn·dî·to·*ray*
pause *Pause* **f** *pao*·ze • **faire une pause** *eine Pause machen* **f** *ay*·ne *pao*·ze *ma*·cHénn
pauvre *arm* arm
pauvreté *Armut* **f** *ar*·mout
payer *bezahlen* be·*tsâ*·lénn
pays *Land* **n** lannt
paysage *Landschaft* **f** *lant*·chaft
Pays-Bas *Niederlande* **pl f** *nî*·der·lan·de
PCV (appel) *R-Gespräch* **n** *ayr*·gué·chprècH
peau *Haut* **f** haot
pêche (poisson) *Fischen* **n** *fi*·chénn • **(fruit)** *Pfirsich* **m** *pfir*·zicH
pédale *Pedal* **n** pe·*dâl*
peigne *Kamm* **m** kam
peintre *Maler(in)* **m/f** mâ·lér
peinture (art) *Malerei* **f** mâ·le·*ray* • **(couleurs)** *Farben* **pl f** *far*·bénn
pèlerinage *Pilgerfahrt* **f** *pil*·guér·fârt
pelle *Spaten* **m** *chpâ*·ténn
pellicule *Film* **m** film
pelouse *Gras* **n** grâs
pendant *während* *vê*·rénnt
pénis *Penis* **m** *pé*·nis
penser *denken* *dénng*·kénn
pension *Pension* **f** pâng·*zyôn*
pénurie *Knappheit* **f** *knap*·hayt
perdre *verlieren* fer·*lî*·rénn
perdu *verloren* fer·*lô*·rénn
père *Vater* **m** *fâ*·ter
permettre *erlauben* er·*lao*·ben
permis *Genehmigung* **f** gué·*né*·mi·goung
— de conduire *Führerschein* **m** *fu*·rér·chayn
— de travail *Arbeitserlaubnis* **f** *ar*·bayts·ér·laop·nis
permission *Erlaubnis* **f** ér·*laop*·nis • **avoir la permission** *können* *keuh*·nénn
perroquet *Papagei* **m** pa·pa·*gay*
persil *Petersilie* **f** pé·ter·*zî*·li·e
personne *Person* **f** per·*zôn*
personnellement *persönlich* per·*zeuhn*·licH
peser *wiegen* *vî*·guénn
petit *klein* klayn
— ami *Freund* **m** froynt
— boulot *Gelegenheitsarbeit* **f** gué·*lé*·g uén·hayts·ar·bayt
— pain *Brötchen* **n** *breuht*·cHénn
petit-déjeuner *Frühstück* **n** *fru*·chtuk
petit-fils/petite-fille *Enkelkind* **n** *énng*·kél·kint
petite amie *Freundin* **f** froyn·dinn
pétition *Petition* **f** pé·ti·*tsyôn*
petits pois *Erbsen* **pl f** *érp*·se
peu *wenig* *vé*·nicH • **(un) peu** *ein bisschen* *ayn biss*·*chénn*
peu importe lequel/le *irgendein* ir·guénnt·*ayn*
peu importe quoi *(irgend)etwas* (*ir*·guént·)*ét*·vas
peur (avoir) *Angst (haben)* **f** anngkst (*hâ*·ben)
peut-être *vielleicht* fi·*laycHt*
phares *Scheinwerfer* **pl m** *chayn*·ver·fer
pharmacie *Apotheke* **f** a·po·*té*·keu
pharmacien *Apotheker/in* **m/f** a·po·*té*·kér(inn)
photo *Foto* **f** fo·to
photographie *Fotografie* **n** *fô*·to·gra·*fî*

photographier *fotografieren* fo·to·gra·*fi*·rénn
physique *Physik* **f** fu·*zîk*
piano *Klavier* **n** kla·*vîr*
pic à glace *Eispickel* **m** *ays*·pi·kel
pièce (morceau) *Stück* **n** chtuk
pièce de théâtre *Schauspiel* **n** *chao*·chpîl
pièces de monnaie *Münzen* **pl f** *mun*·tsén
pied *Fuß* **m** fouss
pierre *Stein* **m** chtayn
piéton *Fußgänger(in)* **m/f** *fous*·guénng·er(inn)
pile *Batterie* **f** ba·té·*rî*
pilule (la) *die Pille* **f** dî *pi*·le
pince à épiler *Pinzette* **f** pin·*tse*·te
ping-pong *Tischtennis* **n** *tich*·te·nis
pingre *geizig* *gay*·tsicH
piolet *Spitzhacke* **f** *chpits*·ha·ke
pipe *Pfeife* **f** *pfay*·fe
pique-nique *Picknick* **n** *pik*·nik
piqûre (insecte) *Stich* **m** chticH
pire *schlechter* *chlecH*·ter
piscine couverte *Hallenbad* **n** *ha*·lénn·bât
piscine découverte *Freibad* **n** *fray*·bât
pistache *Pistazie* **f** pis·*tâ*·tsi·e
piste *Hang* **m** hang
— **cyclable** *Radweg* **m** *rât*·vék
place *Platz* **m** plats • **(à la) place de** *(an)statt* (an)*chtat*
— **de parking** *Parkplatz* **m** *park*·plats
— **debout** *Stehplatz* **m** *chté*·plats
— **du marché** *Marktplatz* **m** *markt*·plats
plage *Strand* **m** chtrannt
plaindre (se) *beschweren (sich)* bé·*chvér*·ren (zicH)
plaine *Ebene* **f** *é*·be·ne
planche *Brett* **n** brét
— **de surf** *Surfbrett* **n** *seuhrf*·brèt
planète *Planet* **m** pla·*nét*
plante *Pflanze* **f** *pflan*·tse
plaque d'immatriculation *Autokenn-zeichen* **n** *ao*·to·kénn·tsay·cHénn
plastique *plastik* *plas*·tik
plat *flach* flaRch
plateau (géographie) *Hochebene* **f** *hôcH*·é·be·ne
plateforme *Bahnsteig* **m** *bân*·chtayk
plein *voll* fol
plombier *Klempner(in)* **m/f** klémmp·nér(inn)
plonger *tauchen* *tao*·cHénn
pluie *Regen* **m** *ré*·guénn
plus *mehr* mer
plusieurs *einige* *ay*·ni·gué
pneu *Reifen* **m** *ray*·fénn
poche *Tasche* **f** *ta*·che
poêle *Pfanne* **f** *pfa*·ne
— **à frire** *Bratpfanne* **f** *brât*·pfa·ne
poésie *Dichtung* **f** *dicH*·toung
poids *Gewicht* **n** gué·*vicHt*
point *Punkt* **m** poungkt
— **de vue** *Aussichtspunkt* **m** *aos*·zicHts·poungkt
poire *Birne* **f** *bir*·ne
poireau *Lauch* **m** laoRch
pois chiches *Kichererbse* **f** *ki*·cHér·érp·se
pois gourmands *Zuckererbse* **f** *tsou*·ker·erp·se
poisson *Fisch* **m** fich
poissonnier *Fischgeschäft* **n** *fich*·gué·cheft
poitrine (femme) *Brust* **f** broust
• **(homme)** *Brustkorb* **m** *broust*·korp
poivre *Pfeffer* **m** *pfe*·fer
poivron *Paprika* **m** *pap*·ri·kâ
poker *Poker* **n** *pô*·ker
police *Polizei* **f** po·li·*tsay*
politicien *Politiker(in)* **m/f** po·*lî*·ti·ker(inn)
politique *Politik* **f** po·li·*tîk*
pollen *Pollen* **m** *po*·lénn
pollution *Umweltverschmutzung* **f** *oum*·velt·fer·chmou·tsoung
— **de l'air** *Luftverschmutzung* **f** *louft*·fer·chmou·tsoung
pomme *Apfel* **m** *ap*·fél
— **de terre** *Kartoffel* **f** kar·*to*·fél
pompe (à air) *(Luft)Pumpe* **f** *(louft)* *poum*·peuh
pompe à essence *Tankstelle* **f** *tangk*·chté·le
poney *Pony* **n** *po*·ni

pont *Brücke* **f** *bru*·keu
populaire *beliebt* bé·*lîpt*
porc *Schweinefleisch* **n** *chvay*·ne·flaych
port *Hafen* **m** *hâ*·fénn
portail *Tor* **n** tôr
porte *Tür* **f** tur
porter *tragen* *trâ*·guénn
posemètre *Belichtungsmesser* **m** be·*licH*·toungks·mé·ser
poser (horizontal) *legen* *lé*·guénn
poser (vertical) *stellen* *chtè*·lénn
possible *möglich* *meuhk*·licH
poste (travail) *Arbeitsstelle* **f** *ar*·bayts·chte·le
poste aérienne *Luftpost* **f** *louft*·post
poste express *Expresspost* **f** eks·*pres*·post
poste restante *postlagernd* *post*·lâ·guérnt
poster *Plakat* **n** pla·*kât*
pot d'échappement *Auspuff* **m** *aos*·pouf
poterie *Töpferwaren* **pl f** *teuhp*·fer·vâ·rénn
potiron *Kürbis* **m** *kur*·bis
poubelles *Müll* **m** mul
• *Abfall* **m** *ap*·fal
poubelle (récipient) *Mülleimer* **m** *mul*·ay·mer
poudre à laver *Waschpulver* **n** *vach*·poul·vér
poulet *Huhn* **n** houn
poumon *Lunge* **f** *loung*·è
poupée *Puppe* **f** *pou*·pe
pour *für* fur
pourboire *Trinkgeld* **n** *tringk*·guélt
pourcent *Prozent* **m** pro·*tsénnt*
pourpre *lila* *lî*·la
pourquoi *warum* va·*roum*
pousser *wachsen* *vak*·sénn
• *schieben* *chî*·bénn
pouvoir *können* *keuh*·nénn
poux *Läuse* **pl f** *loy*·ze
pratiquant *religiös* re·li·*gyeuhs*
pratique *praktisch* *prak*·tich
précautionneux *vorsichtig* *fôr*·zicH·ticH
précieux *wertvoll* *vert*·fol
préférer *vorziehen* *fôr*·tsî·énn
Premier ministre *Premierminister(in)* **m/f** prêmm·*yé*·mi·nis·ter(rinn)
— **(en Allemagne et en Autriche)** *Bundeskanzler(in)* **m/f** *boun*·dés·kannts·lér(inn)
première *erste* *ers*·te
prendre *nehmen* *né*·ménn
prénom *Vorname* **m** *fôr*·nâ·meu
préparer *vorbereiten* *fôr*·be·ray·ténn
présent *Gegenwart* **f** *gué*·guénn·vart
préservatif *Kondom* **n** kon·*dôm*
président *Präsident(in)* **m/f** pre·zi·*dénnt*(inn)
presque *fast* fasst
pressing *Reinigung (chemische)* **f** *cHé*·mi·che *ray*·ni·goung
pression sanguine *Blutdruck* **m** *blout*·drouk
prêt *fertig* *fer*·ticH
prêtre *Priester* **m** *prîs*·ter
prière *Gebet* **n** gué·*bét*
principal *Haupt-* *haopt*·
printemps *Frühling* **m** *fru*·ling
prise mâle *Stecker* **m** *chte*·ker
prison *Gefängnis* **n** gué·*fénng*·nis
prisonnier *Gefangener* **m** gué·*fanng*·è·nér
privé *privat* pri·*vât*
prix *Preis* **m** prays
— **d'entrée** *Eintrittspreis* **m** *ayn*·trits·prays
prochain *nächste* *nécHs*·te
proche *nahe* *nâ*·e • **le/la plus proche** *nächste* *nécHs*·te • **proches (famille)** *Verwandte* **m pl** fer·*van*·te
produire *produzieren* pro·dou·*tsî*·rénn
produits laitiers *Milchprodukte* **pl n** *milcH*·pro·douk·teu
professeur *Lehrer(in)* **m/f** *lér*·rer(inn)
profession *Beruf* **m** be·*rouf*
— **libérale** *selbstständig* *zelpst*·chténn·dicH
profit *Gewinn* **m** gué·*vin*
profond *tief* tîf
programme *Programm* **n** pro·*gram*
— **des sorties** *Veranstaltungs-kalender* **m** fer·*an*·chtal·toungks·ka·lénn·der
projecteur *Projektor* **m** pro·*yék*·tor
• **phares** *Scheinwerfer* **pl m** *chayn*·ver·fer

prolongation (visa) *Verlängerung* **f** fer·*lénng*·e·roung
promettre *versprechen* fer·*chprè*·cHénn
proposition *Vorschlag* **m** *fôr*·chlâk
propre *sauber* *zao*·bér
propriétaire *Besitzer(in)* **m/f** be·*zi*·tser(inn) • **(qui loue)** *Vermieter/in* **m/f** fer·*mî*·tér(inn)
prose *Prosa* **f** *prô*·za
prostituée *Prostituierte* **f** pros·ti·tou·*îr*·te
protection périodique *Damenbinden* **pl f** *dâ*·ménn·bin·dénn
protégé *geschützt* gué·*chutst*
protéger *beschützen* bé·*chu*·tsénn
protège-slip *Slipeinlage* **f** *slip*·ayn·lâ·gué
protestation *Protest* **m** pro·*test*
protester *protestieren* pro·tes·*tî*·rénn
provision *Vorrat* **m** *fôr*·rât • **provisions** *Verpflegung* **f** fer·*pflé*·goung
prune *Pflaume* **f** *pflao*·me
psychologie *Psychologie* **f** psu·cHo·lo·*guy*
puce *Floh* **m** flô
puissance *Kraft* **f** kraft
pull *Pullover* **m** pou·*lô*·ver
punir *bestrafen* be·*chtrâ*·fénn
pur *rein* rayn

qualifications *Qualifikationen* **pl f** kva·li·fi·ka·*tsyô*·nénn
qualité *Qualität* **f** kva·li·*tét*
quand (à quel moment) *wann* van • **peu importe quand** *wann immer* van *i*·mer • **quand (si)** *wenn* vénn
quarantaine *Quarantäne* **f** ka·rann·*té*·ne
quartier *Viertel* **n** *fîr*·tel
quelque chose *etwas* *et*·vas
quelque part *irgendwo* ir·guént·*vô*
quelques *einige* *ay*·ni·gué
quelqu'un *jemand* *yé*·mant
question *Frage* **f** *frâ*·gué • **poser une question** eine *Frage stellen* *ay*·ne *frâ*·gué *chté*·lénn
queue (faire la) *Schlange (stehen)* **f** *chlang*·e (chté·ènn)
queue (animal) *Schwanz* **m** chvants
qui *wer* ver
quincaillerie *Eisenwarengeschäft* **n** *ay*·zénn·vâ·rénn·gué·chéft
quittance *Quittung* **f** *kvi*·toung
quoi *was* vas
quotidien (tous les jours) *alltäglich* al·*ték*·licH

rabais *Rabatt* **m** ra·*bat*
raccourcis *Abkürzung* **f** *ap*·kur·tsoung
racisme *Rassismus* **m** ra·*sis*·mous
raconter *erzählen* ér·*tsé*·lénn
radiateur (voiture) *Kühler* **m** *ku*·ler
radio *Radio* **n** *râ*·di·o
raifort *Meerrettich* **m** *mér*·rè·ticH
raisin *Weintrauben* **pl f** *vayn*·trao·bénn
— **sec** *Rosine* **f** ro·*zî*·ne
raison *Grund* **m** grount
raisonnable *vernünftig* fer·*nunf*·ticH
rallye *Rallye* **f** *rè*·li
ramasser *aufheben* *aof*·hé·bénn
randonnée *Wandern* **n** *van*·dérn
randonner *wandern* *van*·dérn
rapide *schnell* chnél
rapides (courant) *Stromschnellen* **pl f** *chtrôm*·chne·lénn
rapports sexuels protégés *Safe Sex* **m** séf seks
raquette *Schläger* **m** *chlé*·guér
rare *selten* *sel*·ténn
(se) raser *sich rasieren* ra·*zî*·rénn
rasoir *Rasierer* **m** ra·*zî*·rer
rat *Ratte* **f** *ra*·te
rater (bus) *verpassen* fer·*pa*·sénn
rayons (vélo) *Speichen* **pl f** *chpay*·cHénn
réaliste *realistisch* re·a·*lis*·tich
recevoir *erhalten* er·*hal*·ténn
recharger *aufladen* *aof*·lâ·dénn
réchaud *Kocher* **m** *ko*·cHér
recommandée (lettre) *Einschreiben* **n** *ayn*·chray·bénn
recommander *empfehlen* emp·*fé*·lénn
reculé (isolé) *abgelegen* *ap*·gué·lé·guénn
recyclable *wiederverwertbar* *vî*·dér·fer·vert·bâr

recycler *recyceln* ri·*say*·kéln
référendum *Volksentscheid* **m** *folks*·énnt·chayt
réfrigérateur *Kühlschrank* **m** *kul*·chrangk
refuge *Berghütte* **f** *berk*·hu·teu
réfugié *Flüchtling* **m** *flucHt*·ling
refuser *ablehnen* *ap*·lé·nénn
regarder *(an)sehen* (*an*·)*zé*·énn
• **regarder la télévision** *fernsehen* *fern*·zé·énn
régime (alimentaire) *Diät* **f** di·*ét*
région *Region* **f** re·*gyôn*
régional *örtlich* *euhrt*·licH
règle *Vorschrift* **f** *fôr*·chrift
• **règles (jeu)** *Regeln* **pl f** *ré*·guéln
reine *Königin* **f** *keuh*·ni·gin
relation *Beziehung* **f** be·*tsî*·oung
(se) relaxer (sich) *entspannen* zicH énnt·*chpa*·nénn
relevé de compte *Bankauszug* **m** *banngk*·aos·tsouk
religieuse *Nonne* **f** *no*·ne
religion *Religion* **f** re·li·*gyôn*
reliquaire *Schrein* **m** chrayn
relique (religion) *Reliquie* **f** re·*lî*·kvi·e
remboursement *Rückzahlung* **f** *ruk*·tsâ·loung
remercier *danken* *dang*·kénn
remorque *Anhänger* **pl m** *an*·hénng·er
remplir *füllen* *fu*·lénn
rencontrer *treffen* *tre*·fénn
rendez-vous (professionnel) *Termin* **m** ter·*mîne* • **(amis)** *Verabredung* **f** fer·*ap*·ré·doung • **(galant)** *Stelldichein* **n** *chtéll*·dicH·ayn
renseignements (téléphoniques) *Telefon-auskunft* **f** té·lé·*fôn*·aos·kounft
réparer *reparieren* ré·pa·*rî*·rénn
repasser (vêtements) *bügeln* **n** *bu*·guéln
répéter *wiederholen* vî·der·*hô*·lénn
répondre *antworten* *annt*·vor·ténn
réponse *Antwort* **f** *annt*·vort
république *Republik* **f** re·pou·*blîk*
réservation *Reservierung* **f** re·zer·*vî*·roung
réserve naturelle *Naturreservat* **n** na·*tour*·ré·zer·vât
réserver *reservieren* re·zer·*vî*·rénn
• *buchen* *bou*·Rchénn
respirer *atmen* *ât*·ménn
ressort (spirale) *Feder* **f** *fé*·der
restaurant *Restaurant* **n** res·to·*râng*
rester *bleiben* *blay*·bénn
retard *Verspätung* **f** fer·*chpé*·toung
retour *zurück* tsou·*ruk*
retour (billet) *Rückfahrkarte* **f** *ruk*·fâr·kar·te
retourner *zurückkommen* tsou·*ruk*·ko·ménn
retraité *Rentner(in)* **m/f** *rénnt*·nér(inn)
retraité *pensioniert* pâng·zyo·*nîrt*
réveil *Wecker* **m** *vé*·ker
réveillon de Noël *Heiligabend* **m** hay·licH·*â*·bént
réveillon du nouvel an *Silvester* zil·*vés*·ter
rêver *träumen* *troy*·ménn
rhum *Rum* **m** roum
rhume des foins *Heuschnupfen* **m** *hoy*·chnoup·fénn
riche *reich* raycH
rien *nichts* nicHts
rire *lachen* *la*·cHénn
risque *Risiko* **n** *rî*·zi·ko
riz *Reis* **m** rays
robe *Kleid* **n** klayt
robinet *Wasserhahn* **m** *va*·ser·hân
rocher *Fels* **m** fels
rock (musique) *Rockmusik* **f** *rok*·mou·zîk
roi *König* **m** *keuh*·nicH
roller (faire du) *Rollschuhfahren* **n** *rol*·chou·fâ·rénn
romantique *romantisch* ro·*man*·tich
rond *rund* rount
rond-point *Kreisverkehr* **m** *krays*·fer·kér
rose *rosa* *rô*·za
roue *Rad* **n** rât • **roue de secours** *Reservereifen* **m** re·*zer*·ve·ray·fénn
rouge *rot* rôt
— **à lèvres** *Lippenstift* **m** *li*·pénn·chtift
rougeole *Masern* **pl** *mâ*·zern
route *Route* **f** *rou*·te
rue *Straße* **f** *chtrâ*·se
rugby *Rugby* **n** *rag*·bi
ruine *Ruinen* **pl f** rou·*î*·nénn

ruisseau *Bach* **m** baRch
rythme *Rhythmus* **m** *rut*·mouss

S

sabbat *Sabbat* **m** *za*·bat
sable *Sand* **m** zant
sac *Tasche* **f** *ta*·cheu
 — à dos *Rucksack* **m** *rouk*·zak
 — à main *Handtasche* **f** *hant*·ta·cheu
 — de couchage *Schlafsack* **m** *chlâf*·zak
 — en plastique *Tüte* **f** *tu*·te
sacré *heilig* *hay*·licH
sage-femme *Hebamme* **m/f** *hêb*·amm·euh
saindoux *Schmalz* **n** chmalts
saint *Heiliger/Heilige* **m/f** *hay*·li·gué/guér
saison *Jahreszeit* **f** *yâ*·rés·tsayt
salade *Salat* **m** za·*lât*
 — verte *Kopfsalat* **m** *kopf*·za·lât
saladier *Schüssel* **f** *chu*·sel
salaire *Gehalt* **n** gué·*halt*
 — d'ouvrier *Lohn* **m** *lôn*
salami *Salami* **f** za·*lâ*·mi
sale *schmutzig* *chmou*·tsicH
salle d'attente (gare) *Wartesaal* **m** *var*·te·zâl • **(médécin)** *Wartezimmer* **n** *var*·te·tsi·mer
salle de bains *Badezimmer* **n** *bâ*·deu·tsi·mer
salle de concert *Konzerthalle* **f** kon·*tsért*·ha·le
salle de gym *Fitness-Studio* **n** *fit*·nes·chtou·di·o
salle de transit *Transitraum* **m** tran·*zît*·raom
salon de beauté *Schönheitssalon* **m** *cheuhn*·hayts·za·long
salon professionnel *Messe* **f** *me*·se
samedi *Samstag* **m** *zams*·tâk
sandales *Sandalen* **pl f** zan·*dâ*·lénn
sang *Blut* **n** blout
sanglier *Wildschwein* **n** *vilt*·chvayn
sans *ohne* *ô*·ne
 — plomb *bleifrei* *blay*·fray
sans-abri *obdachlos* *op*·daRch·lôs
santé *Gesundheit* **f** gué·*zount*·hayt

sardine *Sardine* **f** zar·*dî*·ne
sardines (tente) *Heringe* **m** *hé*·ring·e
s'arrêter *anhalten* *an*·hal·ténn
sauce *Sauce/Soße* **f** *zô*·se
 — soja *Sojasauce* **f** *zô*·ya·zô·se
 — tomate *Tomatensauce* **f** to·*mâ*·ténn·zô·se
saucisse *Wurst* **f** vourst
sauf (excepté) *außer* *ao*·sser
saumon *Lachs* **m** laks
sauna *Sauna* **f** *zao*·na
sauter *springen* *chpring*·énn
sauvage *wild* vilt
sauver *retten* *re*·ténn
savoir *wissen* *vi*·sénn
savon *Seife* **f** *zay*·fe
savoureux *schmackhaft* *chmak*·haft
scène (théâtre) *Bühne* **f** *bu*·ne
science *Wissenschaft* **f** *vi*·sénn·chaft
sciences humaines *Geisteswissenschaften* **pl f** *gays*·tes·vi·sénn·chaf·ténn
scientifique *Wissenschaftler(in)* **m/f** *vi*·sénn·chaft·ler(inn)
secondaire (scolarité) *Sekundarschule* **f** ze·koun·*dâr*·chou·le
script *Drehbuch* **n** *dré*·bouRch
sculpture *Skulptur* **f** skoulp·*tour*
(se) plaindre *(sich) beschweren* (zicH) bé·*chvér*·ren
(se) raser *sich rasieren* (zicH) ra·*zî*·rénn
(se) relaxer (sich) *entspannen* (zicH) énnt·*chpa*·nénn
(se) rencontrer (*sich*) *treffen* (zicH) *tre*·fénn
seau *Eimer* **m** *ay*·mer
sec *trocken* *tro*·kénn
sécher (vêtements) *trocknen* *trok*·nénn
second *zweite* *tsvay*·te
seconde *Sekunde* **f** zé·*koun*·de
secret *Geheimnis* **n** gué·*haym*·nis
secrétaire *Sekretär(in)* **m/f** zé·kré·*tér*(inn)
sécurité *Sicherheit* **f** *zi*·cHer·hayt
 • **(en) sécurité** *sicher* *zi*·cHer
sel *Salz* **n** zalts
self-service *Selbstbedienung* **f** *zélpst*·bé·dî·noung
selle (cheval) *Sattel* **m** *za*·tél

semaine *Woche* vo·cHe • **cette semaine** *diese Woche* dî·ze vo·cHe • **la semaine dernière** *letzte Woche* **f** léts·te vo·cHe — **Sainte** *Karwoche* **f** kâr·vo·cHe
sensuel *sinnlich* zin·licH
sentier *Pfad* **m** pfât
— **équestre** *Reitweg* **m** rayt·vék
sentiments *Gefühle* **pl n** gué·fu·le
sentir *fühlen* fu·lénn
séparé *getrennt* gué·trénnt
série *Serie* zér·ri·è
— **télévisée** *Fernsehserie* **f** férn·zé·zér·ri·è
sérieux *ernst* ernst
séropositif HIV *HIV-positiv* hâ·î·fao·pô·zi·tîf
serpent *Schlange* **f** chlang·è
serrure *Schloss* **n** chloss
service de dépannage *Abschleppdienst* **m** ap·chlép·dînst
service militaire *Wehrdienst* **m** ver·dînst
serviette de table *Serviette* **f** zer·vî·yé·te
serviette de bain *Badetuch* **n** bâ·deu·touRch
serviette à mains *Handtuch* **n** hann·touRch
seul (temporaire) *allein* a·layn
seul (toujours) *einsam* ayn·zâm
seulement *nur* nour
sexe *Sex* **m** séks
sexy *sexy* sék·si
sexisme *Sexismus* **m** sék·sis·mous
shampooing *Shampoo* **n** cham·pou
shopping (faire du) *einkaufen gehen* ayn·kao·fénn gué·énn
shorts *Shorts* **pl f** chorts
si *wenn* vénn
SIDA *AIDS* **n** éydz
siège (voiture, parlement) *Sitz* **m** zits
siège (train, cinéma) *Platz* **m** plats
siège côté couloir *Platz am Gang* **m** plats amm ganng
siège enfant *Kindersitz* **m** kinn·der·zits
signature *Unterschrift* **f** oun·ter·chrift
signe astrologique *Sternzeichen* **n** chtérn·tsay·cHénn
s'il te plaît *bitte* bi·te
s'il vous plaît *bitte* bi·te
similaire *ähnlich* ênn·licH
simple *einfach* ayn·faRch
sirop contre la toux *Hustensaft* **m** hous·ténn·zaft
situation *Lage* **f** lâ·gué
skateboard (faire du) *Skateboarden* **n** skét·bor·dénn
ski *Skifahren* **n** chî·fâ·rénn • **faire du ski** *skifahren* chî·fâ·rénn
— **nautique** *Wasserski* **m** va·ser·chî
snorkelling *Schnorcheln* **n** chnor·cHeln
snow-board *Snowboard* **n** snô·bord
socialiste *sozialistisch* zo·tsya·lis·tich
société (hommes) *Gesellschaft* **f** gué·sél·chaft • **(compagnie)** *Firma* **f** fir·ma
sœur *Schwester* **f** chvés·ter
soie *Seide* **f** zay·de
soir *Abend* **m** â·bénnt • **ce soir** *heute Abend* hoy·te â·bénnt
sol *Boden* **m** bô·dénn
solde (compte) *Kontostand* **m** kon·to·chtannt
soldes *(Sonder)Angebot* **n** (zon·der·)an·gué·bôt
soleil *Sonne* **f** zo·ne • **lever du soleil** *Sonnenaufgang* **m** zo·nénn·aof·gang • **lunettes de soleil** *Sonnenbrille* **f** zo·nénn·bri·le • **coucher du soleil** *Sonnenuntergang* **m** zo·nénn·oun·ter·gang • **coup de soleil** *Sonnenbrand* **m** zo·nénn·brant
solide *fest* fest
sommet *Gipfel* **m** gip·fél
somnifères *Schlaftabletten* **pl f** chlâf·ta·blè·ténn
sondage d'opinion *Umfrage* **f** oum·frâ·gué
sonner *klingeln* kling·éln
sorti *aus* aos
sortie *Ausgang* **m** aos·gang • **sortie des bagages** *Gepäckausgabe* **f** gué·pék·aos·gâ·be
sortir *ausgehen* aos·gué·énn • **(avec une personne)** *mit jemandem ausgehen* mit yé·man·démm aos·gué·énn

soucieux *besorgt* be·*zorkt*
souffrance cardiaque *Herzleiden* **n** *hérts*·lay·dénn
souhaiter (vouloir) *wollen* *vo*·lénn • *wünschen* *vun*·chénn
soupe *Suppe* **f** *zou*·pe
sourd *taub* taop
sourire *lächeln* *lè*·cHèln
souris *Maus* **f** maos
sous-titres *Untertitel* **pl m** *oun*·ter·tî·tel
soutien-gorge *BH* **m** bé·*hâ*
souvenir *Souvenir* **n** zou·ve·*nîr*
souvent *oft* oft
spécial *speziell* chpéS·*tsyél*
spécialiste *Spezialist(in)* **m/f** chpé·tsya·*list*(inn)
spectacle *Show* **f** choh • *Aufführung* **f** *aof*·fu·roung
spirale à moustiques *Moskitospirale* **f** mos·*kî*·to·cHpi·râ·le
sport *Sport* **m** chport
sportif *Sportler(in)* **m/f** *chport*·lér/*chport*·lé·rin
stade (étape) *Stadium* **n** *chtâ*·di·oum • **(sport)** *Stadion* **n** *chtâ*·di·on
start (sport) *Start* **m** chtart
station de métro *U-Bahnhof* **m** *ou*·bân·hôf
station de taxi *Taxistand* **m** *tak*·si·chtant
statue *Statue* **f** *chtâ*·tou·euh
steak *Steak* **n** sték
stérilet *Intrauterinpessar* **m** in·tra·ou·te·*rénn*·pe·sâr
stimulateur cardiaque *Herzschrittmacher* **m** *herts*·chrit·ma·cHer
stop *Halt* **m** halt
studio (F1) *Einzimmerwohnung* **f** ayn·*tsi*·mer·vo·noun • **(de musique)** *Studio* **n** *chtou*·di·o
stupide *dumm* doum
style *Stil* **m** chtîl
stylo à bille *Kugelschreiber* **m** *kou*·guél·chray·bér
sucre *Zucker* **m** *tsou*·kér
sucré *süß* zus
sucreries *Süßigkeiten* **pl f** *zu*·sicH·kay·ténn
sud *Süden* **m** *zu*·dénn
Suisse *Schweiz* **f** chvayts
suivre *folgen* *fol*·guénn
supérieur *Chef(in)* **m/f** chéf(inn)
supermarché *Supermarkt* **m** *zou*·per·markt
superstition *Aberglaube* **m** *â*·ber·glao·be
sur (horizontal) *auf* aof
sur (vertical) *an* ann
surfer *surfen* *seuhr*·fénn
surnom *Spitzname* **m** *chpits*·nâ·me
surprise *Überraschung* **f** u·ber·*ra*·choung
sympathique *nett* net
synagogue *Synagoge* **f** zu·na·*gô*·gué
synthétique *synthetisch* zun·*té*·tich

T

tabac *Tabak* **m** *ta*·bak • **(lieu)** *Tabakladen* **m** *ta*·bak·lâ·dénn
table *Tisch* **m** tich
tableau d'affichage *Anzeigetafel* **f** *an*·tsay·gué·tâ·fel
taie d'oreiller *Kissenbezug* **m** *ki*·sénn·bé·tsouk
taille *Größe* **f** *greuh*·se
tailleur (couturier) *Schneider(in)* **m/f** *chnay*·dér(inn) • **(vêtement)** *Kostum* **n** kos·*tumm*
talc pour bébé *Babypuder* **n** *bé*·bi·pou·dér
tampons *Tampons* **pl m** *tam*·pons
tante *Tante* **f** *tann*·teu
tapis *Teppich* **m** *te*·picH
tard *spät* chpét
tasse *Tasse* **f** *ta*·seu
taux de change *Wechselkurs* **m** *vék*·sel·kours
taxe d'aéroport *Flughafengebühr* **f** *flouk*·hâ·fénn·gué·bur
taxi *Taxi* **n** *tak*·si
technique *Technik* **f** *tecH*·nik
teinturerie *Reinigung* **f** *ray*·ni·goung
télécommande *Fernbedienung* **f** *fern*·bé·dî·noung
télégramme *Telegramm* **n** té·le·*gramm*
téléphérique *Seilbahn* **f** *zayl*·bân

téléphone *Telefon* **n** té·le·*fôn*
— **portable** *Handy* **n** *hénn*·di
— **public** *öffentliches Telefon* **n** *euh*·fénnt·li·cHes té·le·*fôn*
téléphoner *telefonieren* té·le·fo·*nî*·rénn
téléscope *Teleskop* **n** té·less·*kôp*
télésiège *Sessellift* **m** *zé*·sél·lift
télévision *Fernseher* **m** *frn*·zé·ér
température (fièvre) *Fieber* **n** *fî*·bér
• **(météo)** *Temperatur* **f** têmm·pé·ra·*tour*
temple (antique) *Tempel* **m** *témm*·pél
• **(protestant)** *Kirche* **f** *kir*·cHeuh
temps *Zeit* **f** tsayt • **(météo)** *Wetter* **n** *vé*·ter • **il y a peu de temps** *vor kurzem* fôr *kour*·tsem
— **complet (à)** *Vollzeit* **f** *fol*·tsayt
— **partiel (à)** *Teilzeit-* **f** *tayl*·tsayt·
tennis *Tennis* **m** *té*·nis
tension *Druck* **m** drouk
— **prémenstruelle** *prämenstruelle Störung* **f** *pré*·ménns·trou·è·le chteuh roung
tente *Zelt* **n** tsélt • **emplacement de tente** *Zeltplatz* **m** *tsélt*·plats • **sardines (tente)** *Heringe* **m** *hé*·ring·e
terminus *Endstation* **f** *énnt*·chta·tsyôn
terrasse *Terrasse* **f** té·*ra*·seuh
terre *Erde* **f** *er*·de
tremblement de terre *Erdbeben* **n** *ért*·bé·bénn
terrible *schrecklich* *chrék*·licH
test *Test* **m** test
— **de grossesse** *Schwangerschaftstest* **m** *chvang*·ér·chafts·test
tête *Kopf* **m** kopf
tétine (pour bébé) *Schnuller* **m** *chnou*·ler
têtu *stur* chtour
thé *Tee* **m** té
théâtre (pièce) *Schauspiel* **n** *chao*·chpîl **(lieu)** *Theater* **n** té·*â*·ter
thermos *Thermosflasche* **f** *ter*·mos·fla·che
thon *Thunfisch* **m** *toun*·fich
ticket (bus, métro, train) *Fahrkarte* **f** *fâr*·kar·te
ticket (cinéma, musée) *Eintrittskarte* **f** *ayn*·trits·kar·te
ticket en stand-by *Standby-Ticket* **n** sténnd·*bay*·ti·ket
timbre *Briefmarke* **f** *brîf*·mar·ke
timide *schüchtern* *chucH*·térn
tirage *Abzug* **m** *ap*·tsouk
tirer *ziehen* *tsî*·énn • **(pistolet)** *schießen* *chî*·sénn
tissu *Gewebe* **n** gué·*vé*·be
tofu *Tofu* **m** *tô*·fou
toile *Netz* **n** néts
toilettes *Toilette* **f** to·a·*le*·te
— **publiques** *öffentliche Toilette* **f** *euh*·fénnt·li·cHeuh to·a·*le*·te
toit *Dach* **n** daRch
tomate *Tomate* **f** to·*mâ*·te
tombe *Grab* **n** grâp
ton/ta *dein/deine/deines* **m/f/n** dayn/ day·neuh/day·nés
tonalité (téléphone) *Wählton* **m** *vêl*·tôn
tonnerre *Donner* **m** *do*·nér
torche *Taschenlampe* **f** *ta*·chénn·lam·pe
tôt *früh* fru
toucher *berühren* be·*ru*·rénn
toujours *immer* *i*·mer
tour (balade) *Tour* **f** tour • **(bâtiment)** *Turm* **m** tourm
touriste *Tourist/in* **m/f** tou·*rist*(inn)
tourné (nourriture) *schlecht* chlécHt
tourner *abbiegen* *ap*·bî·guénn
tournevis *Schraubenzieher* **m** *chrao*·bénn·tsî·ér
tous *alle* *a*·leuh
tousser *husten* *hous*·ténn
tout *alles* *a*·lès
traduire *übersetzen* u·bér·*zét*·sénn
train *Zug* **m** tsouk
tram *Straßenbahn* **f** *chtrâ*·sénn·bân
transport *Transport* **m** trans·*port*
travail *Arbeit* **f** *ar*·bayt
— **ménager** *Hausarbeit* **f** *haos*·ar·bayt
travailler *arbeiten* *ar*·bay·ténn
travailleur *Arbeiter(in)* **m/f** *ar*·bay·ter(inn)
travaux écrits *Schreibarbeit* **f** *chrayp*·ar·bayt
(à) travers *durch* dourcH
très *sehr* zér
tribunal (juridique) *Gericht* **n** gué·*ricHt*

triste *traurig* *trao*·ricH
troisième *dritte* *dri*·te
trop (de) *zu (viele)* tsou (*fî*·le)
trottoir *Gehweg* **m** *gué*·vék
trouver *finden* *fin*·dénn
Tee-shirt *T-Shirt* **n** *tî*·chert
tu *du* dou
tuer *töten* *teuh*·ténn
TVA *Umsatzsteuer* **f** *oum*·zats·chtoy·ér
type *Typ* **m** tup
typique *typisch* *tu*·pich

U

ultrason *Ultraschall* **m** *oul*·tra·chal
un *ein(s)* ayn(s)
uniforme *Uniform* **f** ou·ni·*form*
(à l')unité *einzeln ayn*·*tséln*
univers *Universum* **n** ou·ni·*ver*·zoum
université *Universität* **f** ou·ni·ver·zi·*têt*
urgence *Notfall* **m** *nôt*·fal
urgent *dringend* *dring*·énnt
usine *Fabrik* **f** fa·*brîk*
utile *nützlich* *nuts*·licH

V

vacances *Ferien* **pl** *fér*·ri·énn
vaccination *Schutzimpfung* **f** *chouts*·im·pfoung
vache *Kuh* **f** kou
vagin *Vagina* **f** va·*guî*·na
vainqueur *Sieger(in)* **m/f** *zî*·guér(inn)
valeur (prix) *Wert* **m** vert
valider (billet) *entwerten* énnt·*ver*·ténn
valise *Koffer* **m** *ko*·fer
vallée *Tal* **n** tâl
varappe *Klettern* **n** *klè*·tern
veau *Kalbfleisch* **n** *kalp*·flaych
végétarien *Vegetarier(in)* **m/f** vé·gué·*tâ*·ri·ér(inn)
veine *Vene* **f** *vé*·ne
vélo *Fahrrad* **n** *fâr*·rât • **faire du vélo** *radfahren* *rât*·fâ·ren
— **de course** *Rennrad* **n** *rénn*·rât
vendre *verkaufen* fer·*kao*·fénn
vendredi *Freitag* **m** *fray*·tâk
vendu *ausverkauft* *aos*·fer·kaoft
vénéneux *giftig* *gif*·ticH
venir *kommen* *ko*·ménn
vent *Wind* **m** vint
vente de billets *Fahrkartenverkauf* **m** *fâr*·kar·ténn·fer·kaof
venteux *windig* *vin*·dicH
ventilateur *Ventilator* **m** vénn·ti·*lâ*·tor
vérifier *prüfen* *pru*·fénn
verre *Glas* **n** glâs
vers *hinüber* hi·*nu*·bér • *zu* tsou • *auf ... zu* aof ... tsou
vert *grün* grun
veste *Jacke* **f** *ya*·keuh
vestiaire (salle de sport) *Umkleideraum* **m** *oum*·klay·de·raom • **(théâtre)** *Garderobe* **f** gar·*drô*·beu
vêtement *Kleidung* **f** *klay*·doung
viande *Fleisch* **n** flaych
— **hachée** *Gehacktes* **n** gué·*hak*·tes
vicié *fehlerhaft* *fé*·ler·haft
vide *leer* lér
videur *Türsteher* **m** *tur*·chté·er
vie *Leben* **n** *lé*·bénn
vieux *alt* alt
vignoble *Weinberg* **m** *vayn*·berk
village *Dorf* **n** dorf
ville *Stadt* **f** chtat
vin *Wein* **m** vayn
— **blanc** *Weißwein* **m** *vays*·vayn
— **mousseux** *Schaumwein* **m** *chaom*·vayn
— **rouge** *Rotwein* **m** *rôt*·vayn
vinaigre *Essig* **m** *e*·sicH
violer (une personne) *vergewaltigen* fer·gué·*val*·ti·guénn • **(la loi)** *das Gesetz brechen* das gué·sétss *bré*·chénn
virus *Virus* **m** *vî*·rous
visa *Visum* **n** *vî*·zoum
visage *Gesicht* **n** gué·*zicHt*
visiter *besuchen* be·*zou*·cHénn
vitamines *Vitamin* **n** vi·ta·*mînn*
vitesse *Geschwindigkeit* **f** gué·*chvin*·dicH·kayt
• **boîte de vitesses** *Gänge* **pl m** *guénng*·e
— **d'une pellicule** *Empfindlichkeit* **f** émp·*fint*·licH·kayt • **asa**

vivre *leben* *lé*·bénn
vodka *Wodka* **m** *vot*·ka
voile (faire de la) *Segeln* **n** *zé*·guéln
voir *sehen* *zé*·énn
voiture *Auto* **n** *ao*·to • *Wagen* **m** vâ·*guénn*
voix *Stimme* **f** *chti*·me
vol (aérien) *Flug* **m** flouk
  • **(escroquerie)** *Raub* **m** raop
voler (dans les airs) *fliegen* *flî*·guénn
  • **(quelque-chose)** *berauben* be·*rao*·bénn • *stehlen* *chté*·lénn
voleur *Dieb* **m** dîp
volume (bruit) *Lautstärke* **f** *laot*·chter·ke
  • **(livre)** *Band* **f** bant
  • **(masse)** *Volumen* **n** vo·*lou*·ménn
vomir *brechen* *bre*·cHénn
vomissement (lors de la grossesse) *(Schwangerschafts-) Erbrechen* **n** (*cHvanng*·er·chafts·)er·*bre*·cHénn
voter *wählen* *vé*·lénn
votre pl *euer* oy·ér
votre pol *Ihr* îr
vouloir *wollen* *vo*·lénn
vous pl *ihr* îr
vous pol *Sie* zî
voyage *Reise* **f** *ray*·ze
voyage d'affaires *Geschäftsreise* **f** gué·*chéfts*·ray·zeu
voyager *reisen* *ray*·zénn
vrai *wahr* vâr
vue *Aussicht* **f** *aos*·zicHt
VTT *Mountainbike* **n** *maon*·ténn·bék

W

wagon-restaurant *Speisewagen* **m** *chpay*·ze·vâ·guénn
wagon-lit *Schlafwagen* **m** *chlâf*·vâ·guénn
week-end *Wochenende* **n** *vo*·cHénn·énn·de
whisky *Whisky* **m** *vis*·ki
windsurf (faire du) *Windsurfen* **n** *vint*·ser·fénn

Y

yaourt *Joghurt* **m** *yô*·gourt
yoga *Joga* **n** *yô*·ga

Z

zéro *null* noul
zoo *Zoo* **m** tsô

Les mots et les expressions de ce dictionnaire sont classés par ordre alphabétique. Pour rechercher une expression, rendez-vous au premier mot (par exemple : **Heimweh haben**, avoir le mal du pays, est classée à "Heimweh").

Le genre des mots sera indiqué par **m**, **f** ou **n**. Le pluriel des noms sera désigné par **pl**.

Dans le cas où un mot peut être à la fois un nom ou un verbe, et si le genre n'est pas indiqué, il s'agira d'un verbe. Pour reconnaître s'il s'agit d'un nom ou d'un adjectif, sachez que tous les noms (propres et communs) prennent une majuscule en allemand. Tous les noms de ce dictionnaire sont indiqués au nominatif (voir la rubrique **déclinaison** p. 15).

A

abbiegen *ap*·bî·guénn *tourner*
Abend m *â*·bénnt *soir*
Abendessen n *â*·bénnt·e·sénn *dîner*
aber *â*·bér *mais*
Aberglaube m *â*·ber·glao·be *superstition*
abfahren *ap*·fâ·rénn *partir (en voiture, en train, etc.)*
Abfahrt f *ap*·fârt *départ*
Abfall m *ap*·fal *poubelles*
Abfertigungsschalter m *ap*·fer·ti·goung ks·chal·ter *check-in (aéroport)*
Abflug m *ap*·flouk *décollage*
Abführmittel n *ap*·fur·mi·tél *laxatif*
abgelegen *ap*·gué·lé·guénn *reculé • isolé*
Abgeordneter m *ap*·gué·ord·ne·te *membre du parlement*
abgeschlossen *ap*·gué·chlo·sénn *fermé*
Abholzung f *ap*·hol·tsoung *déforestation*
Abkürzung f *ap*·kur·tsoung *raccourci*
ablehnen *ap*·lé·nénn *refuser*
Abschleppdienst m *ap*·chlép·dînst *service de dépannage*
abseits *ap*·zayts *à l'écart • hors jeu*
Abstrich m *ap*·chtricH *frottis vaginal*
Abtreibung f *ap*·tray·boung *avortement*
abwärts *ap*·verts *vers le bas*
Abzockerei f ap·tso·kè·*ray* *attrape-nigaud*
Adapter m a·*dap*·ter *adaptateur*
Adressanhänger m a·*dres*·an·hénng·ér *étiquette (à bagages)*
Adresse f a·*dré*·seu *adresse*
Aerogramm n é·ro·*gramm* *aérogramme*
Afrika n *a*·fri·kâ *Afrique*
Aftershave n *âf*·ter·chève *après-rasage*
ähnlich *én*·licH *similaire*
AIDS n éydz *sida*
Aktentasche f *ak*·ténn·ta·cheu *attaché-case*
Aktivist(in) m/f ak·ti·*vist*(inn) *activiste*
Aktuelles n ak·tou·è·lés *actualité*
Akupunktur f a·kou·poungk·*tour* *acupuncture*
Alkohol m *al*·ko·hôl *alcool*
alle *a*·le *tous*
Allee f a·*lé* *avenue*
allein a·*layn* *seul*
Allergie f a·lér·*guy* *allergie*
alles *a*·lés *tout*
allgemein al·gué·*mayn* *général*
alltäglich al·*ték*·licH *quotidien (tous les jours)*
alt alt *vieux*
Altar m al·*târ* *autel*
Alter n *al*·ter *âge*

Amateur(in) **m/f** a·ma·*teuhr*(inn) *amateur*
Ameise **f** *â*·may·*ze* *fourmi*
Ampel **f** *am*·pel *feu rouge*
(sich) amüsieren zicH a·mu·*zî*·rénn *s'amuser*
an ann *sur (vertical)*
Ananas **f** *a*·na·nas *ananas*
Anarchist(in) **m/f** a·nar·*cHist*(tinn) *anarchiste*
anbaggern *ann*·ba·guérn *draguer*
andere *an*·dé·re *autre*
anfangen *an*·fang·énn *commencer*
Anführer **m** *an*·fu·rer *leader*
Angel **f** *ang*·él *canne à pêche*
Angestellter/Angestellte **m/f** *an*·gue·chtél·ter/té *employé(e) (personne)*
Angst (haben) **f** anngkst (*hâ*·ben) *(avoir) peur*
anhalten *an*·hal·ténn *s'arrêter*
Anhänger **pl** **m** *an*·hénng·er *remorque*
ankommen *ann*·ko·ménn *arriver*
Ankunft **f** *ann*·kounft *arrivée*
Anti-Atom- *ann*·ti·a·*tôm*· *anti nucléaire*
Antibiotika **pl** **f** ann·ti·bi·*ô*·ti·ka *antibiotiques*
Antiquität **f** ann·ti·kvi·*têt* *antique*
Antiseptikum **n** ann·ti·*zép*·ti·koum *antiseptique*
Antwort **f** *annt*·vort *réponse*
antworten *annt*·vor·ténn *répondre*
Anzahlung **f** *an*·tsâ·loung *acompte*
Anzeige **f** *ann*·tsay·gué *annonce*
Anzeigetafel **f** *an*·tsay·gué·tâ·fél *tableau d'affichage*
Apfel **m** *ap*·fél *pomme*
Apfelmost **m** *ap*·fél·most *cidre*
Apotheke **f** a·po·*té*·keu *pharmacie*
Apotheker(in) **m/f** a·po·*té*·kér(inn) *pharmacien/pharmacienne*
Aprikose **f** a·pri·*kô*·zeu *abricot*
Arbeit **f** *ar*·bayt *travail*
arbeiten *ar*·bay·ténn *travailler*
Arbeiter(in) **m/f** *ar*·bay·ter(rinn) *travailleur*
Arbeitgeber(in) **m/f** ar·bayt·*gué*·bér (inn) *employeur*
Arbeitserlaubnis **f** *ar*·bayts·ér·laop·nis *permis de travail*
arbeitslos *ar*·bayts·lôs *au chômage*
Arbeitslosengeld **n** *ar*·bayts·lô·zénn·guélt *indemnité de chômage*
Arbeitslosigkeit **f** *ar*·bayts·lô·zicH·kayt *chômage*
Arbeitsstelle **f** *ar*·bayts·chté·lè *poste (emploi)*
archäologisch ar·cHé·o·*lô*·gich *archéologique*
Architektur **f** ar·cHi·ték·*tour* *architecture*
Arm **m** arm *bras*
arm arm *pauvre*
Armut **f** *ar*·mout *pauvreté*
Arzt/Ärztin **m/f** artst/*érts*·tin *médecin*
Aschenbecher **m** *a*·chénn·bé·cHer *cendrier*
Asien **n** *â*·zi·énn *Asie*
Asthma **n** *ast*·ma *asthme*
Asylant(in) **m/f** a·zu·*lannt*(inn) *demandeur d'asile*
Atelier **n** a·tél·*yé* *atelier*
atmen *ât*·ménn *respirer*
Atmosphäre **f** at·mos·*fér*·re *atmosphère*
Atomenergie **f** a·*tôm*·è·nér·guî *énergie nucléaire*
Atommüll **m** a·*tôm*·mul *déchets nucléaires*
Atomtest **m** a·*tôm*·test *essais nucléaires*
Aubergine **f** ô·bér·*djî*·ne *aubergine*
auch aoRch *aussi • également*
auch nicht aoRch nicHt *non plus*
auf aof *sur (vertical)*
auf aof *sur (horizontal)*
auf ... zu aof ... tsou *vers...*
Aufführung **f** *aof*·fu·roung *spectacle*
aufheben *aof*·hé·bénn *ramasser*
aufladen *aof*·lâ·dénn *recharger*
Aufnahme **f** *aof*·nâ·me *enregistrement*
aufpassen *aof*·pa·sénn *faire attention*
Auftritt **m** *aof*·trit *spectacle*
aufwärts *aof*·verts *montant*
Auge **n** *ao*·gué *œil*

Augentropfen pl m *ao*·guénn·trop·fénn *gouttes pour les yeux*
aus aos *sorti de (notion d'espace)*
aus (Baumwolle) aos *en (coton)*
aus • von aos • fon *de (lieu)*
Ausbeutung f *aos*·boy·toung *exploitation*
Ausgang m *aos*·gang *sortie*
ausgebucht *aos*·gué·bouRcht *complet*
ausgehen *aos*·gué·énn *sortir*
ausgehen mit *aos*·gué·énn mit *sortir avec quelqu'un*
ausgeschlossen *aos*·gué·chlo·sénn *exclu*
ausgezeichnet aos·gué·*tsaycH*·net *excellent*
Auskunft f *aos*·kounft *information*
(im) Ausland n im *aos*·lannt *à l'étranger*
ausländisch *aos*·lénn·dich *étranger*
Auspuff m *aos*·pouf *pot d'échappement*
Ausrüstung f *aos*·rus·toung *équipement*
Ausschlag m *aos*·chlâk *éruption cutanée*
außer *ao*·sser *exepté • sauf*
Aussicht f *aos*·zicHt *vue*
Aussichtspunkt m *aos*·zicHts·poungkt *point de vue*
Ausstellung f *aos*·chtè·loung *exposition*
austeilen *aos*·tay·lénn *distribuer*
Auster f *aos*·ter *huître*
ausverkauft *aos*·fer·kaoft *vendu*
Ausweis m *aos*·vays *papiers d'identité*
Auszubildende m/f pl *aos*·tsou·bil·dénn·dè *apprenti*
Auto n *ao*·to *voiture*
Autobahn f *ao*·to·bân *autoroute*
Autokennzeichen n *ao*·to·kénn·tsay·cHénn *plaque d'immatriculation*
automatisch ao·to·*mâ*·tich *automatique*
Autor(in) m/f *ao*·tor(inn) *auteur*
Autoverleih m *ao*·to·fer·lay *location de voiture*
Avokado f a·vo·*kâ*·do *avocat (fruit)*
Axt f akst *hache*

B

Baby n *bé*·bi *bébé*
Babynahrung f *bé*·bi·nâ·roung *aliments pour bébé*
Babypuder n *bé*·bi·pou·dér *talc pour bébé*
Babysitter m *bé*·bi·si·ter *babysitter*
Bach m baRch *ruisseau*
Bäckerei f bé·ké·*ray* *boulangerie*
Backpflaume f *bak*·pflao·me *prune*
Bad n bât *bain*
Badeanzug m *bâ*·dè·ann·tsouk *maillot de bain*
Badetuch n *bâ*·deu·touRch *serviette de bain*
Badezimmer n *bâ*·deu·tsi·mer *salle de bains*
Bahn f bân *chemin de fer*
Bahnhof m *bân*·hôf *gare*
Bahnsteig m *bân*·chtayk *plateforme*
bald balt *bientôt*
Balkon m bal·*kôn* *balcon*
Ball m bal *balle*
Ballett n ba·*léte* *ballet*
Band f bénnt *groupe (musique)*
Band f bant *volume (livre)*
Bank f banngk *banque*
Bankauszug m *banngk*·aos·tsouk *relevé bancaire*
Bankkonto n *banngk*·kon·to *compte bancaire*
Bär m bér *ours*
Bargeld n *bâr*·guélt *liquide*
Batterie f ba·té·*rî* *pile*
bauen *bao*·énn *bâtir*
Bauer/Bäuerin m/f *bao*·ér/*boy*·è·rinn *fermier*
Bauernhof m *bao*·érn·hôf *ferme*
Baum m baom *arbre*
Baumwolle f *baom*·vo·le *coton*
Beamter/Beamtin m/f bé·*am*·ter/bé·*am*·tinn *fonctionnaire*
bedrohte (Art) be·*drô*·te *art (espèce) en danger*

beenden bé·*énn*·dénn *finir*
Beginn m be·*guynn* *début*
beginnen bé·*guynn*·nénn *commencer*
Begleiter(in) m/f bé·*glay*·ter(rinn) *accompagnateur*
Begräbnis n be·*grép*·nis *enterrement*
behindert be·*hin*·dert *handicapé(e)*
bei bay *chez*
Beichte f *baycH*·teu *confession (religion)*
beide *bay*·deu *les deux*
Bein n bayn *jambe*
Beispiel n *bay*·chpîl *exemple* • **zum Beispiel** tsoum *bay*·chpîl *par exemple*
Bekleidungsgeschäft n bé·*klay*·doungk·gué·chéft *boutique de vêtements*
Belästigung f bé·*lès*·ti·goung *sumenage*
Belgien n *bél*·guy·énn *Belgique*
Belichtungsmesser m bé·*licH*·toungks·mé·ssér *cellule photographique*
beliebt bé·*lîpt* *populaire*
Benzin n bénn·*tsînn* *essence*
Benzinkanister m bénn·*tsînn*·ka·nis·ter *jerrican à essence*
beobachten bé·*ô*·baRch·ténn *regarder*
bequem bé·*kvêm* *confortable*
berauben bé·*rao*·bénn *voler (escroquerie)* • *dérober*
Berg m berk *montagne*
Berghütte f *berk*·hu·teu *refuge*
Bergsteigen n *berk*·chtay·gouénn *escalade*
Bergweg m *berk*·vék *chemin de montagne*
Beruf m bé·*rouf* *profession*
berühmt bé·*rumt* *célèbre*
berühren bé·*ru*·rénn *toucher*
beschäftigt bé·*chéf*·ticHt *occupé* • *en grande activité (personne)*
beschützen bé·*chu*·tsénn *protéger*
(sich) beschweren (zicH) bé·*chvér*·ren *(se) plaindre*
besetzt bé·*zétst* *occupé (téléphone)*
Besitzer(in) m/f bé·*zi*·tser(rinn) *propriétaire*
besorgt bé·*zorkt* *soucieux*
besser *bé*·ssér *mieux*
bestätigen bé·*chté*·ti·guénn *confirmer*
bester/beste m/f *bés*·ter/teu *meilleur(e)*
bestechen bé·*chté*·cHén *corrompre*
Besteck n bé·*chték* *couverts*
besteigen bé·*chtay*·guénn *embarquer*
bestellen bé·*chtè*·lénn *passer une commande*
Bestellung f bé·*chtè*·loung *commande (restaurant)*
bestrafen bé·*chtrâ*·fénn *punir*
besuchen bé·*zou*·cHénn *visiter*
Betäubung f bé·*toy*·boung *anesthésique*
beteiligen (sich) zicH be·*tay*·li·guénn *participer*
Betrag m bé·*trâk* *montant* • *somme (argent)*
Betrüger(in) m/f bé·*tru*·guér(rinn) *escroc*
betrunken bé·*troung*·kénn *ivre*
Bett n bèt *lit*
zwei Einzelbetten pl tsvay *ayn*·tsèl·bè·ténn *deux lits*
Bettlaken n *bèt*·lâ·kénn *drap*
Bettler(in) m/f *bèt*·ler(rinn) *mendiant*
Bettzeug n *bèt*·tsoyk *draps*
Beutelmelone f *boy*·tél·mé·lô·ne *melon jaune*
bewundern bé·*voun*·dérn *admirer*
bezahlen be·*tsâ*·lénn *payer*
Beziehung f be·*tsî*·oung *relation*
BH m bé·*hâ* *soutien-gorge*
Bibel f *bî*·bel *bible*
Bibliothek f bi·bli·o·*ték* *librairie*
Biene f *bî*·ne *abeille*
Bier n bîr *bière*
Bildschirm m *bilt*·chirm *écran*
Billard n *bil*·yart *billard*
billig *bi*·licH *bon marché*
Birne f *bir*·ne *poire*
bis (Juni) bis (*you*·ni) *jusqu'à (juin)*
bis zu bis tsou *jusqu'à*
Biss m bis *morsure d'animal*
(ein) bisschen *un peu*
bitte *bi*·te *s'il te plaît/s'il vous plaît* • **(um etwas) bitten** oum *et*·vas *bi*·ténn *demander quelque chose*

B

DICTIONNAIRE

bitter *bi*·ter *amer*
Blase f *blâ*·zeu *cloque*
Blasenentzündung f *blâ*·zen·énn·tsunn·doung *cystite*
Blatt n blat *feuille*
blau blao *bleu (couleur)* • *ivre*
bleiben *blay*·bénn *rester*
bleifrei *blay*·fray *sans plomb*
Bleistift m *blay*·chtift *crayon*
blind blinnt *aveugle*
Blinddarm m *blinnt*·darme *appendice*
Blindenhund m *blin*·dénn·hount *chien-guide d'aveugle*
Blindenschrift f *blinn*·dénn·chrift *Braille*
Blinker m *bling*·ker *clignotant*
Blitz m blits *éclair* • *flash*
blockiert blo·*kîrt* *bloqué*
Blume f *blou*·me *fleur*
Blumenhändler(in) m/f *blou*·ménn·hénn·dler(inn) *fleuriste*
Blumenkohl m *blou*·mén·kôl *chou-fleur*
Blut n blout *sang*
Blutdruck m *blout*·drouk *pression sanguine*
Blutgruppe f *blout*·grou·peu *groupe sanguin*
Bluttest m *blout*·test *analyse de sang*
Boden m *bô*·dénn *sol*
Bohne f *bô*·neu *haricot*
Bonbon n bong·*bong* *bonbon*
Boot n bôt *bateau*
(an) Bord m ann bort *à bord*
Bordkarte f *bort*·kar·teu *carte d'embarquement*
Botanischer Garten m bo·*tâ*·ni·chér *guar*·ténn *jardin botanique*
Botschaft f *bôt*·chaft *ambassade*
Botschafter(in) m/f *bôt*·chaf·te(rinn) *ambassadeur*
boxen *bok*·sén *boxer*
braten *brâ*·ténn *frire à la poêle*
Bratpfanne f *brât*·pfa·ne *poêle à frire*
brauchen *brao*·cHénn *avoir besoin*
braun braon *marron*
Bräunungsmilch f *broy*·noungks·milcH *lait de bronzage*
brechen *bre*·cHénn *vomir*
• **(zer)brechen** (tsér·)*bré*·cHénn *casser*
breit brayt *large*
Bremsen pl f *brém*·zen *freins*
Brennholz n *brénn*·holts *bois de chauffage*
Brennstoff m *brénn*·chtof *fuel*
Brett n brét *planche*
Brief m brîf *lettre*
Briefkasten m *brîf*·kas·ténn *boîte à lettres*
Briefmarke f *brîf*·mar·keu *timbre*
Briefumschlag m *brîf*·oum·chlâk *enveloppe*
brillant bril·*yannt* *brillant*
Brille f *bri*·le *lunettes*
bringen *brinng*·énn *apporter*
Brokkoli pl m *bro*·ko·li *brocoli*
Bronchitis f bron·*cHî*·tis *bronchite*
Broschüre f bro·*chu*·reu *brochure*
Brot n brôt *pain*
Brötchen n *breuht*·cHénn *petit pain*
Brücke f *bru*·keu *pont*
Bruder m *brou*·dér *frère*
Brunnen m *brou*·nénn *fontaine*
Brust f broust *poitrine (femme)*
Brustkorb m *broust*·korp *poitrine (terme générique)*
Buch n bouRch *livre*
buchen *bou*·Rchénn *réserver*
Buchhalter(in) m/f *bouRch*·hal·ter(rinn) *comptable*
Buchhandlung f *bouRch*·hannd·loung *librairie*
Bucht f bouRcht *baie*
Buddhist(in) m/f bou·*dist*(inn) *Bouddhiste*
Buffet n bu·*fé* *buffet*
bügeln n *bu*·guéln *repasser (vêtements)*
Bühne f *bu*·ne *scène (théâtre)*
Bundeskanzler(in) m/f *boun*·des·kants·ler(rinn) *Premier ministre (en Allemagne et en Autriche)*
Burg f bourk *château fort*
Bürgermeister(in) m/f *bur*·guér·mays·ter(rinn) *maire*
Bürgerrechte pl n *bur*·guér·recH·teu *droits civiques*

B

Büro n bu·*rô* *bureau*
Büroangestellte m/f pl bu·*rô*·an·gué·chtèl·teu *employés de bureau*
Bus m bouss *bus*
Busbahnhof m *bouss*·bân·hôf *gare routière*
Bushaltestelle f *bouss*·hal·te·chté·le *arrêt de bus*
Business Class f *biz*·néss klâss *classe affaires*
Butter f *bou*·ter *beurre*

C

Café n ka·*fé* *café (lieu)*
Campingplatz m *kém*·pinng·plats *camping*
Cashewnuss f *kech*·ou·nouss *noix de cajou*
CD f tsé·*dé* *CD*
Chancengleichheit f *châng*·sénn·glaycH·hayt *égalité des chances*
charmant char·*mannt* *charmant*
Chef(in) m/f chéf(inn) *supérieur*
Chili n *chi*·li *chili*
Christ(in) m/f krist(tinn) *chrétien*
College n *ko*·lèdj *collège*
Computer m kom·*pyou*·tér *ordinateur*
Computerspiel n kom·*pyou*·tér·chpîl *jeu sur ordinateur*
Cornflakes pl m *korn*·fléks *cornflakes*
Coupon m kou·*pong* *coupon (billet, tissu, etc.)*
Couscous m *kous*·kous *couscous*
Cousin(e) m/f kou·*zeng*/kou·*zî*·neu *cousin(e)*
Curry(pulver) n *keuh*·ri(·poul·ver) *curry (poudre de)*

D

Dach n daRch *toit*
Dachboden m *daRch*·bô·dénn *combles*
Dachs m daks *blaireau (animal)*
Damenbinden pl f *dâ*·ménn·bin·dénn *protection périodique*
Dämmerung f *dé*·me·roung *crépuscule*
danken *dang*·kénn *remercier*
Datum n *dâ*·toum *date*
Decke f *dé*·keu *couverture*
dein/deine/deines m/f/n dayn *ton/ta*
Demokratie f dé·mo·kra·*tî* *démocratie*
Demonstration f dé·mons·tra·*tsyôn* *manifestation*
denken *dénng*·kénn *penser*
Denkmal m *dénngk*·mâl *monument*
Deo n *dé*·o *déodorant*
Detail n de·*tay* *détail*
deutsch doytch *allemand*
Deutscher/Deutsche m/f doytch·ér/doytch·euh *Allemand(e)*
Deutschland n *doytch*·lant *Allemagne*
Dia n *dî*·a *diapositive*
Diabetis f di·a·*bé*·tis *diabète*
Diät f di·*êt* *régime (alimentaire)*
Dichtung f *dicH*·toung *poésie*
dick dik *épais • gras*
Dieb m dîp *voleur*
Dienstag m *dînns*·tâk *mardi*
diese Woche (*dî*·ze) *cette semaine*
diesen (Monat) *dî*·zénn (*mô*·nat) *ce (mois)-ci*
dieser/diese/dieses m/f/n *dî*·zer/*dî*·ze/*dî*·zes *celui-là/celle-là*
direkt di·*rekt* *direct*
Disko(thek) f *dis*·ko(·*ték*) *boîte • discothèque*
Diskriminierung f dis·kri·mi·*nî*·roung *discrimination*
Doktor(in) m/f *dok*·tor(rinn) *Docteur (titre)*
Dokumentation f do·kou·ménn·ta·*tsyôn* *documentaire*
Dolmetscher(in) m/f *dol*·mét·chér(rinn) *interprète*
Dom m dôm *cathédrale*
Donner m *do*·ner *tonnerre*
Donnerstag m *do*·nérs·tâk *jeudi*
Doppelbett n *do*·pél·bét *grand lit*
doppelt *do*·pélt *double*
Dorf n dorf *village*
dort dort *là-bas*
Dose f *dô*·zeu *boîte de conserve*
Dosenöffner m *dô*·zénn·euhf·nér *ouvre-boîte*
Dozent(in) m/f do·*tsénnt*(tinn) *maître de conférence*
Drachenfliegen n *dra*·cHénn·flî·guénn faire du *deltaplane*

Draht m drât *fil de fer*
draußen *drao*·sénn *dehors*
Drehbuch n *dré*·bouRch *script*
dringend *dring*·énnt *urgent*
dritter *dri*·te *troisième*
Druck m drouk *impression • tension*
Drüsenfieber n *dru*·zénn·fi·ber *fièvre glandulaire*
du dou *tu*
dumm doum *stupide*
dunkel *doung*·kél *foncé*
dünn dun *mince*
durch dourcH *à travers*
Durchfall m *dourcH*·fal *diarrhée*
Durchwahl f *dourcH*·vâl *numéro direct (téléphone)*
durstig *dours*·ticH *assoiffé(e)*
Dusche f *dou*·cheu *douche*
Dutzend n *dou*·tsénnt *douzaine*

E

Ebene f *é*·be·ne *plaine*
Echse f *ek*·se *lézard*
Ecke f *e*·keu *coin • angle*
egoistisch é·go·*is*·tich *égoïste*
Ehe f *é*·euh *mariage*
Ehefrau f *é*·euh·frao *épouse*
Ehemann m *é*·euh·mann *mari*
ehrlich *ér*·licH *honnête*
Ei n ay *œuf*
Eierstockzyste f *ay*·ér·chtok·tsus·te *kyste ovarien*
eifersüchtig *ay*·fer·zucH·ticH *jaloux*
(in) Eile sein f in *ay*·le *pressé (être)*
Eimer m *ay*·mer *seau*
ein(e) ayn(ne) *un/une (article défini)*
einfach *ayn*·faRch *simple*
einige *ay*·ni·gue *plusieurs • quelques*
einkaufen gehen *ayn*·kao·fénn *gué*·énn *faire les courses/du shopping*
Einkaufszentrum n *ayn*·kaofs·tsénn·troum *centre commercial*
Einkommensteuer f *ayn*·ko·ménn·chtoy·ér *impôt sur le revenu*
einladen *ayn*·lâ·dénn *inviter*
einlassen *ayn*·la·sèn *laisser entrer*
einlösen (einen Scheck) (*ay*·nénn chék) *ayn*·leuh·zen *encaisser (un chèque)*
einmal *ayn*·mâl *une fois*
einsam *ayn*·zâm *seul(e)*
Einschreiben n *ayn*·chray·bénn *en recommandé (lettre)*
Einspritzung f *ayn*·chpri·tsoung *à injection (moteur)*
eintreten *ayn*·tré·ténn *entrer*
Eintrittsgeld n *ayn*·trits·guélt *droit d'entrée*
Eintrittskarte f *ayn*·trits·kar·te *billet (cinéma, musée, etc.)*
Eintrittspreis m *ayn*·trits·prays *prix d'entrée*
einzeln *ayn*·tséln *à l'unité*
Einzelzimmer n *ayn*·tsél·tsi·mer *chambre simple*
Einzimmerwohnung f *ayn*·tsi·mer·vô·noung *studio (F1)*
Eiscreme f *ays*·krém *glace (à manger)*
Eisdiele f *ays*·dî·le *glacier (commerce)*
Eisenwarengeschäft n *ay*·zénn·vâ·rénn·gué·cheft *quincaillerie*
Eishockey n *ays*·ho·ki *hockey sur glace*
Eislaufen n *ays*·lao·fénn *patinage sur glace*
eislaufen *ays*·lao·fénn *patiner*
Eispickel m *ays*·pi·kél *pic à glace*
Eiwürfel n ays·vur·fél *glaçon*
Ekzem n ék·*tsém* *eczéma*
Elektriker(in) m/f é·*lek*·tri·ker(rinn) *électricien*
Elektrizität f é·lek·tri·tsi·*tét* *électricité*
Elektrogeschäft n é·*lek*·tro·gué·chéft *magasin d'électroménager*
Eltern pl *él*·tern *parents*
emotional é·mo·tsyo·*nâl* *émotionnel*
empfehlen émmp·*fé*·lénn *recommander*
Empfindlichkeit f émmp·*fint*·licH·kayt *vitesse d'une pellicule • susceptibilité*
Ende n *énn*·de *fin*
Endstation f *énnt*·chta·tsyôn *terminus*
Energie f é·ner·*guî* *énergie*
eng énng *étroit*
Enkelkind n *énng*·kél·kint *petit-fils/ petite-fille*
Ente f *énn*·te *canard*
entscheiden énnt·*chay*·dénn *décider*

(sich) entspannen zicH énnt·*chpa*·nénn *(se) relaxer*
entwerfen énnt·*ver*·fénn *concevoir (élaborer un plan)*
entwerten énnt·*ver*·ténn *valider (billet)*
Entzündung f énn·*tsun*·doung *infection • inflammation*
Epilepsie f é·pi·lèp·*sî* *épilepsie*
er ér *il*
Erbse f *érp*·se *petits pois*
Erdbeben n *ért*·bé·bénn *tremblement de terre*
Erdbeere f *ért*·bér·re *fraise*
Erde f *ér*·de *terre*
Erdnüsse pl f *ért*·nu·se *arachide*
Erfahrung f ér·*fâ*·roung *expérience*
erhalten ér·*hal*·ténn *recevoir*
erkältet (sein) ér·*kél*·tét (zayn) *(être) enrhumé*
erlauben ér·*lao*·ben *permettre*
Erlaubnis f ér·*laop*·nis *permission*
ermüden ér·*mu*·dénn *fatiguer*
ernst érnst *sérieux*
erstaunlich ér·*chtaon*·licH *étonnant*
erster/erste m/f *érs*·te *premier/première*
Erwachsene m ér·*vak*·sé·ne *adulte*
erzählen ér·*tsé*·lénn *raconter*
Erziehung f er·*tsî*·oung *éducation*
essen *è*·sénn *manger*
Essen n *è*·sénn *nourriture*
Essig m *è*·sicH *vinaigre*
etwas *èt*·vas *quelque chose*
euer pl oy·ér *votre*
Euro m *oy*·ro *euro*
Europa n *oy*·rô·pa *Europe*
Euthanasie f oy·ta·na·*zî* *euthanasie*
Express- m eks·*press*· *express*
Expresspost f eks·*press*·post *poste express*

F

Fabrik f fa·*brîk* *usine*
Fabrikarbeiter(in) m/f fa·*brîk*·ar·bay·ter(rinn) *ouvrier/ouvrière*
fahren *fâ*·rénn *aller (en voiture, en train, etc.) • conduire*
Fahrgast m *fâr*·gast *passager (bus, taxi)*
Fahrkarte f *fâr*·kar·te *ticket (bus, métro, train)*
Fahrkartenautomat m *fâr*·kar·ténn·-ao·to·mât *distributeur de billets (billetterie)*
Fahrkartenkontrolleur/in m/f *fâr*·kar·tén n·kon·tro·leur(rinn) *contrôleur*
Fahrkartenverkauf m *fâr*·kar·ténn·fer·kaof *vente de billets*
Fahrplan m *fâr*·plân *horaires (train, bus)*
Fahrrad n *fâr*·rât *cycle • vélo*
Fahrradkette f *fâr*·rât·ké·teu *chaîne de vélo*
Fahrzeugpapiere pl f *fâr*·tsoyk·pa·pî·re *papiers (voiture)*
Fallschirmspringen n *fal*·chirm·chpring·énn *parachutisme*
falsch falch *faux*
Familie f fa·*mî*·li·e *famille*
Familienname m fa·*mî*·li·énn·nâ·me *nom de famille*
Familienstand m fa·*mî*·li·énn·chtant *état civil*
Fan m fénn *fan (sport)*
Farbe f *far*·beu *couleur*
Farben pl f *far*·bénn *peinture (couleurs)*
fast fasst *presque*
Fastenzeit f *fas*·ténn·tsayt *Jeûne (période)*
faul faol *paresseux*
Fax n faks *fax*
Fechten n *fecH*·ténn *escrime*
Feder f *fé*·dèr *ressort (spirale) • plume*
Fehler m *fé*·lèr *erreur*
fehlerhaft *fé*·lèr·haft *vicié*
Fehlgeburt f *fél*·gué·bourt *fausse-couche*
Feier f *fay*·ér *célébration*
Feige f *fay*·gue *figue*
Feinkostgeschäft n *fayn*·kost·gué·cheft *épicerie fine*
Feld n fèlt *champs*
Feldfrucht f *felt*·frouRcht *moisson*
Fels m fèls *rocher*
Fenster n *fénns*·ter *fenêtre*
Ferien pl *fér*·ri·énn *vacances*
Fernbedienung f *férn*·be·dî·noung *télécommande*
Fernbus m *férn*·bouss *car*
Fernglas n *fern*·glâs *jumelles*

fernsehen fern·zé·énn *regarder la télévision*
Fernseher m fern·zé·er *télévision*
Fernsehserie f fern·zé·zayr·ri·e *série télévisée*
fertig fer·ticH *prêt*
Fest n fest *fête*
fest fest *solide • dur*
feucht foycHt *humide*
Feuchtigkeitscreme f foycH·ticH·kayts·-krém *crème hydratante*
Feuer n foy·er *feu*
Feuerzeug n foy·er·tsoyk *briquet*
Fieber n fî·ber *fièvre*
Filet n fi·lé *filet (alimentation)*
Film m film *film (cinéma) • pellicule*
finden fin·dénn *trouver*
Finger m fing·er *doigt*
Firma f fir·ma *société (compagnie)*
Fisch m fich *poisson*
Fischen n fi·chénn *pêche (poisson)*
Fischgeschäft n fich·gué·cheft *poissonnier*
Fitness-Studio n fit·nes·chtou·di·o *salle de gym*
flach flaRch *plat*
Flagge f fla·gué *drapeau*
Flasche f flé·cheu *bouteille*
Flaschenöffner m fla·chénn·euhf·ner *décapsuleur*
Fleisch n flaych *viande*
Fliege f flî·gué *mouche*
fliegen flî·gouénn *aller (en avion) • voler (dans les airs)*
Flitterwochen pl f fli·ter·vo·cHénn *lune de miel*
Floh m flô *puce*
Flohmarkt m flô·markt *marché aux puces*
Flüchtling m flucHt·ling *réfugié*
Flug m flouk *vol (dans les airs)*
Flügel m flu·guél *ailes*
Fluggast m flouk·gast *passager (avion)*
Flughafen m flouk·hâ·fénn *aéroport*
Flughafengebühr f flouk·hâ·fénn·gué·bur *taxe d'aéroport*
Fluglinie f flouk·lî·ni·euh *ligne aérienne*
Flugticket n flouk·ti·kèt *billet d'avion*
Flugzeug n flouk·tsoyk *avion*
Fluss m flouss *fleuve*
folgen fol·guénn *suivre*
Forderung f for·de·roung *demande (réclamation)*
Form f form *forme*
formell for·mél *formel*
Foto n fô·to *photo*
Fotografie f fo·to·gra·fî *photographie*
fotografieren fo·to·gra·fî·rénn *photographier*
Foyer n fo·a·yé *foyer*
Frage f frâ·gué *question*
(eine) Frage stellen ay·ne frâ·gué chté·lénn *poser une question*
Frankreich n frangk·raycH *France*
Franzose/Französin m/f frann·zô·se/frann·zeuh·sinn *Français/Française*
französisch frann·zeuh·sich *français(e)*
Frau f frao *femme*
frei fray *libre*
Freibad n fray·bât *piscine découverte*
Freigepäck n fray·gué·pek *franchise de bagages*
Freitag m fray·tâk *vendredi*
fremd fremt *étranger*
Fremde m/f pl frem·de *étrangers (personnes)*
Fremdenverkehrsbüro n frem·dénn·fer·kayrs·bu·rô *office du tourisme*
Freund m froynt *ami • petit ami*
Freundin f froyn·dinn *amie • petite amie*
freundlich froynt·licH *aimable*
Frieden m frî·dénn *paix*
Friedhof m frît·hôf *cimetière*
frisch frich *frais*
Frischkäse m frich·ké·zeu *fromage frais*
Friseur(in) m fri·zeuhr(rinn) *coiffeur*
Frosch m froch *grenouille*
Frost m frost *gel (froid)*
Frucht f froucHt *fruit*
früh fru *tôt*
Frühling m fru·ling *printemps*
Frühstück n fru·chtuk *petit-déjeuner*
Frühstücksflocke f fru·chtuks·flo·keu *céréales*

Frühstücksspeck m *fru*·chtuks·chpèk *bacon*
fühlen *fu*·lénn *sentir*
Führer m *fu*·rer *guide (personne, audio-guide)*
Führerschein m *fu*·rer·chayn *permis de conduire*
Führung f *fu*·roung *circuit organisé*
füllen *fu*·lénn *remplir*
Fundbüro n *fount*·bu·rô *bureau des objets trouvés*
für fur *pour*
Fuß m fouss *pied*
Fußball m *fouss*·bal *football*
Fußgänger(in) m/f *fous*·guénng·er/*fouss*·guénng·e·rin *piéton*
füttern *fu*·tern *nourrir*

G

Gabel f *gâ*·bel *fourchette*
Gang m ganng *couloir*
Gänge pl m *guénng*·e *(boîte de) vitesses*
ganz gants *entier*
Garage f ga·*râ*·je *garage*
Garderobe f gar·*drô*·be *garde-robe • vestiaire*
Garnele f gar·*né*·le *crevettes*
Garten m *gar*·ténn *jardin*
Gas n gâs *gaz*
Gasflasche f *gâs*·fla·che *bouteille de gaz*
Gastfreundschaft f *gast*·froynt·chaft *hospitalité*
Gebäude n gué·*boy*·de *bâtiment*
geben *gué*·bénn *donner*
Gebet n gué·*bêt* *prière*
Gebirgszug m gué·*birks*·tsouk *chaîne de montagnes*
gebraucht gué·*braoRcht* *de deuxième main*
Geburtsdatum n gué·*bourts*·dâ·toum *date de naissance*
Geburtsort m gué·*bourts*·ort *lieu de naissance*
Geburtstag m gué·*bourts*·tâk *anniversaire*
Geburtsurkunde f gué·*bourts*·our·koun·deu *certificat de naissance*
gefährlich gué·*fér*·licH *dangereux*
Gefangener m gué·*fang*·e·nér *prisonnier*
Gefängnis n gué·*fénng*·nis *prison*
gefiltert gué·*fil*·tert *filtré*
gefrieren gué·*frî*·rénn *congeler*
Gefühle pl n gué·*fu*·le *sentiments*
gegen *gué*·génn *contre*
gegenüber gué·guénn·*u*·bér *en face*
Gegenwart f *gué*·guénn·vart *présent*
Gehacktes n gué·*hak*·tes *viande hachée*
Gehalt n gué·*halt* *salaire*
Geheimnis n gué·*haym*·nis *secret*
gehen *gué*·énn *aller (à pied) • marcher*
Gehweg m *gué*·vék *trottoir*
Geisteswissenschaften pl f *gays*·tes·vi·sé nn·chaf·ténn *sciences humaines*
geizig *gay*·tsicH *pingre*
gelangweilt gué·*lanng*·vaylt *ennuyé*
gelb guélp *jaune*
Geld n guélt *argent*
Geldautomat m *guélt*·ao·to·mât *distributeur de billets (argent)*
Geldbuße f *guélt*·bou·se *amende*
Geldschein m *guélt*·chayn *billet (monnaie)*
Geldwechsel m *guélt*·vék·sel *bureau de change*
Gelegenheitsarbeit f gué·*lé*·guén·hayts·ar·bayt *petit boulot*
Gemüse n gué·*mu*·ze *légumes*
Genehmigung f gué·*né*·mi·goung *permis*
genug gué·*nouk* *assez*
Gepäck n gué·*pek* *bagage*
Gepäckaufbewahrung f gué·*pek*·aof·be·vâ·roung *consigne à bagages*
Gepäckausgabe f gué·*pék*·aos·gâ·be *sortie des bagages (tapis roulant)*
gerade gué·*râ*·de *droit (ligne)*
Gerechtigkeit f gué·*recH*·ticH·kayt *justice*
Gericht n gué·*ricHt* *tribunal (juridique)*
Geruch m gué·*rouRch* *odeur*
Geschäft n gué·*chéft* *affaires • magasin*
Geschäftsmann/Geschäftsfrau m/f gué·*chéfts*·mann/gué·*chéfts*·frao *homme/femme d'affaires*
Geschäftsreise f gué·*chefts*·ray·zeu *voyage d'affaires*

Geschenk n gué·*chénngk* *cadeau*
Geschichte f gué·*chicH*·te *histoire*
Geschlechtskrankheit f gué·*chlecHts*·krangk·hayt *MST*
geschlossen gué·*chlo*·sénn *fermé*
geschützte gué·*chuts*·te *protégé(e)*
Geschwindigkeit f gué·*chvin*·dicH·kayt *vitesse*
Geschwindigkeitsbegrenzung f gué·*chvin*·dicH·kayts·be·grénn·tsoung *limitation de vitesse*
Gesetz n gué·*zets* *droit (loi)*
Gesetzgebung f gué·*zets*·gué·boung *législation*
Gesicht n gué·*zicHt* *visage*
gestern *gués*·tern *hier*
Gesundheit f gué·*zount*·hayt *santé*
Getränk n gué·*trénngk* *boisson*
(alkoholfreies) Getränk n al·ko·*hôl*·fray·es gué·*trénngk* *boisson sans alcool*
Getränkehandel m gué·*trénng*·ke·han·del *caviste*
getrennt gué·*trénnt* *séparé(e)*
Gewebe n gué·*vé*·be *tissu*
Gewicht n gué·*vicHt* *poids*
Gewinn m gué·*vin* *profit*
gewinnen gué·*vi*·nénn *gagner*
Gewürznelke f gué·*vurts*·nél·keu *clou de girofle*
Gezeiten pl gué·*tsay*·ténn *marées*
giftig *gif*·ticH *vénéneux*
Giftmüll m *gift*·mul *déchets toxiques*
Gin m djin *gin*
Gipfel m *gip*·fel *sommet*
Gitarre f gui·*ta*·re *guitare*
Glas n glâs *verre*
glatt glât *glissant*
gleich dort glaycH dort *juste là*
gleiche *glay*·cHe *même*
Gleichheit f *glaycH*·hayt *égalité*
Gleitschirmfliegen n *glayt*·chirm·flî·guénn *parapente*
Gletscher m *glet*·cher *glacier (montagne)*
Glück n gluk *bonheur* • *chance*
glücklich *gluk*·licH *heureux*
Glühbirne f *glu*·bir·ne *ampoule (lumière)*
Gold n golt *or (métal)*
Golfball m *golf*·bal *balle de golf*
Golfplatz m *golf*·plats *parcours de golf*
Gott m got *Dieu*
(einen) Gottesdienst besuchen m *ay*·nénn *go*·tes·dînnst bé·*zou*·cHénn *aller à la messe*
Grab n grâp *tombe*
Grad m grât *degré*
Gramm n gram *gramme*
Gras n grâs *pelouse*
gratis *grâ*·tis *gratuit*
grau grao *gris*
Grenze f *grénn*·tseu *frontière*
Grippe f *gri*·peu *grippe*
groß grôss *grand*
Größe f *greuh*·sse *taille*
Großeltern pl *grôs*·el·tern *grands-parents*
Großmutter f *grôs*·mou·ter *grand-mère*
Großvater m *grôs*·fâ·ter•*ô*·pa *grand-père*
grün grun *vert*
Grund m grount *raison*
Gruppe f grou·peu *groupe*
Gurke f *gour*·keu *concombre*
Gürtel m *gur*·tél *ceinture*
gut gout *bien*
gutaussehend *gout*·aos·zé·énnt *beau/belle (personne)*
Gymnastik f gum·*nas*·tik *gymnastique*
Gynäkologe/Gynäkologin m/f gu·né·ko·*lô*·gué/gu·né·ko·*lô*·guinn *gynécologue*

H

Haar n hâr *cheveu* • **Haare n pl** hâr euh *cheveux*
Haarbürste f *hâr*·burs·te *brosse à cheveux*
haben *hâ*·bénn *avoir*
Hafen m *hâ*·fénn *port*
Hafer(flocken) pl f *hâ*·fer (flo·kénn) *avoine*

Hähnchenschenkel m *hén*·cHénn·chéng·kél *cuisse de poulet*
Halal- ha·*lal*· *halal*
(ein) halber Liter ayn *hal*·ber *lî*·ter *demi-litre*
Hälfte f *helf*·te *moitié*
Hallenbad n *ha*·lénn·bât *piscine publique couverte*
Hallo *ha*·lo *allô*
halluzinieren ha·lou·tsi·*nî*·rénn *halluciner*
Hals m hals *gorge (corps)*
Halskette f *hals*·ke·te *collier*
Halsschmerzen pl m *hals*·chmér·tsénn *mal à la gorge*
Halt m halt *stop*
Hammer m *ha*·mer *marteau*
Hamster m *hams*·ter *hamster*
Hand f hant *main*
Handel m *han*·dél *commerce*
handgemacht *hant*·gué·maRcht *fait main*
Handtasche f *hant*·ta·cheu *sac à main*
Handtuch n *hant*·touRch *serviette à mains*
Handwerk n *hannt*·vérk *artisanat*
Handy n *hénn*·di *téléphone portable*
Hang m hang *piste*
Hängematte f *hénng*·e·ma·teu *hamac*
hart hart *dur*
Haschee n ha·*ché* *hachis (Parmentier)*
hassen *ha*·sénn *haïr*
Haupt- *haopt*· *principal*
Haus n haos *maison* • **nach Hause** naRch *hao*·ze *rentrer à la maison* • **zu Hause n** tsou *hao*·ze *être à la maison*
Hausarbeit f *haos*·ar·bayt *travail ménager*
Hausmann/Hausfrau m/f *haos*·man/ *haos*·frao *homme/femme au foyer*
Haut f haot *peau*
heilig *hay*·licH *sacré(e)*
Heiligabend m hay·licH·*â*·bént *réveillon de Noël*
Heiliger/Heilige m/f *hay*·li·guér/gué *saint(e)*
Heim n haym *chez soi*
Heimweh haben n *haym*·vé *hâ*·bénn *avoir le mal du pays*
heiraten *hay*·râ·ténn *se marier*
heiß hays *chaud* • *brûlant*
Heizgerät n *hayts*·gué·rét *chauffage*
helfen *hel*·fénn *aider*
hell hél *clair*
Helm hélm *casque*
Hemd n hémmt *chemise*
heute Abend *hoy*·te *â*·bénnt *ce soir*
Hepatitis f hé·pa·*tî*·tis *hépatite*
Herausgeber(in) m/f he·*raos*·gué·bér/ hé·*raos*·gué·bé·rinn *éditeur*
Herbst m herpst *automne*
Herd m hért *foyer (four)*
Hering m *hé*·ring *hareng*
Heringe pl m *hé*·ring·e *sardines (tente)*
Herz n herts *cœur*
Herzleiden n *herts*·lay·dénn *douleur cardiaque*
Herzschrittmacher m *herts*·chrit·ma·cHer *stimulateur cardiaque*
Heuschnupfen m *hoy*·chnoup·fénn *rhume des foins*
heute *hoy*·te *aujourd'hui*
hier hîr *ici*
Himbeere f *him*·bér·reu *framboise*
Himmel m *hi*·mel *ciel*
Hindu m *hin*·dou *hindouiste*
hinter *hinn*·ter *derrière*
hinüber hi·*nu*·bér *vers*
historisch his·*tô*·rich *historique*
Hitze f *hi*·tse *chaleur*
HIV-positiv *hâ*·î·fao·*pô*·zi·tîf *séropositif*
hoch hôcH *haut*
Hochebene f *hôcH*·é·be·ne *plateau (géographie)*
Hochzeit f *hoRch*·tsayt *mariage*
Hochzeitsgeschenk n *hoRch*·tsayts·gué·chénngk *cadeau de mariage*
Hochzeitstorte f *hoRch*·tsayts·tor·te *gâteau de mariage*
Hockey n *ho*·ki *hockey*
Höhe f *heuh*·e *altitude*
Höhle f *heuh*·le *caverne*
Holz n holts *bois*
homöopathisches Mittel n hô·meuh·o·*pâ*·ti·ches *mi*·tel *médicament homéopathique*
homosexuel! hô·mo·zek·sou·*el* *homosexuel*

Honig m hô·nicH *miel*
hören heuhr·rénn *entendre*
Hörgerät n heuhr·gué·rét *aide auditive*
Horoskop n ho·ros·kôp *horoscope*
Hose f hô·ze *pantalon*
Hotel n ho·tél *hôtel*
hübsch hupch *joli(e)*
Hüfttasche f huft·ta·cheu *banane*
Hügel m hu·guél *colline*
Huhn n houn *poulet*
Hühnerbrust f hu·nér·broust *blanc de poulet*
Hülsenfrucht f hul·zénn·froucHt *légume sec*
Hund m hount *chien*
hundert houn·dert *cent*
hungrig houng·ricH *affamé*
husten hous·ténn *tousser*
Hustensaft m hous·ténn·zaft *sirop contre la toux*
Hut m hout *chapeau*
Hütte f hu·teu *niche • cabane*

I

ich icH *je*
Idee f i·dé *idée*
Idiot m i·di·ôt *idiot*
ihr îr *à elle • à eux • vous* **pl**
Ihr îr *votre (forme de politesse)*
illegal i·lé·gâl *illégal*
immer i·mer *toujours*
Immigration f i·mi·gra·tsyôn *immigration*
in inn *dans*
inbegriffen in·bé·gri·fénn *inclus(e)*
Indien n in·di·énn *Inde*
Industrie f in·dous·trî *industrie*
Informationstechnologie f in·for·ma·tsyôns·técH·no·lo·guî *informatique*
Ingenieuer(in) m/f in·djé·nyeuhr/in·djé·nyeuhr·rinn *ingénieur*
Ingenieurwesen n in·djé·nyeuhr·vé·zénn *ingénierie*
Ingwer m ing·ver *gingembre*
Injektion f in·yék·tsyôn *injection (médecine)*
injizieren in·yi·tsî·rénn *injecter*
innen i·nénn *dedans*
Innenstadt f i·nénn·chtat *centre-ville*
innerhalb (einer Stunde) i·ner·halp *durant (1 heure)*
Insekt n inn·zékt *insecte*
Insektenschutzmittel n in·zek·ténn·chouts·mi·tél *anti-moustique*
Insel f in·zel *île*
interessant in·tré·sannt *intéressant*
international in·ter·na·tsyo·nâl *international*
Internet n in·ter·nét *Internet*
Internetcafé n in·ter·net·ka·fé *cybercafé*
Interview n in·ter·vyou *interview*
Intrauterinpessar m in·tra·ou·te·rînn·pe·sâr *diaphragme*
irgendein ir·guénnt·ayn *peu importe lequel/le*
irgendetwas ir·guénnt·et·vas *peu importe quoi*
irgendwo ir·guénnt·vô *quelque part*
Irland ir·lannt *Irlande*

J

ja yâ *oui*
Jacke f ya·keu *veste*
Jagd f yâkt *chasse*
Jahr (dieses) n yâr (dî·zes) *année (cette)*
Jahreszeit f yâ·rés·tsayt *saison*
Japan n yâ·pân *Japon*
Jeans pl djînns *jeans*
jeder/jede/jedes m/f/n yé·der/yé·de/yé·des *chacun/chacune/chaque*
Jeep m djîp *jeep*
jemand yé·mannt *quelqu'un*
Jetlag m djét·lég *décalage horaire*
jetzt yétst *maintenant*
Jockey m djo·ki *jockey*
Joga n yô·ga *yoga*
Joggen n djo·guénn *jogging*
Joghurt m yô·gourt *yaourt*
Journalist(in) m/f djour·na·list(inn) *journaliste*
Juckreiz m youk·rayts *démangeaison*
jüdisch yu·dich *juif/juive*
Jugendherberge f you·guénnt·her·ber·gué *auberge de jeunesse*

jung young *jeune*
Junge m *young*·euh *garçon*
Jura n *you*·ra *droit (études)*

K

Kabel n *kâ*·bel *câblage*
Kaffee m *ka*·fé *café (boisson)*
Kakao m ka·*kao* *cacao*
Kakerlake f *kâ*·ker·lâ·keu *cafard*
Kalbfleisch n *kalp*·flaych *veau*
Kalender m ka·*lénn*·dér *calendrier*
kalt kalt *froid*
Kamera f *ka*·mé·ra *appareil photo*
Kamm m kam *peigne*
Kampf m kampf *bataille*
Kampfsport m *kampf*·chport *arts martiaux*
Kanada n *ka*·na·dâ *Canada*
Kanarienvogel m ka·*nâ*·ri·énn·fô·guél *canari*
Kaninchen n ka·*nînn*·cHénn *lapin*
Kantine f kann·*tî*·ne *cantine*
Kap n kap *cap*
Kapelle f ka·*pé*·le *chapelle*
Kapitalismus m ka·pi·ta·*lis*·mouss *capitalisme*
kaputt ka·*pout* *cassé*
Karte f *kar*·te *carte (plan)*
Karten pl f *kar*·ténn *cartes*
Kartoffel f kar·*to*·fél *pomme de terre*
Karton m kar·*tong* *boîte • carton*
Karwoche f *kâr*·vo·cHe *semaine sainte*
Käse m *ké*·zeu *fromage*
Kasino n ka·*zî*·no *casino*
Kasse f *ka*·sseu *caisse*
Kassette f ka·*sé*·teu *cassette*
Kassierer(in) m/f ka·*sî*·rér(rinn) *caissier*
Katholik(in) m/f ka·to·*lîk*(inn) *catholique*
Kätzchen n *kéts*·cHénn *chaton*
Katze f *ka*·tseu *chat*
kaufen *kao*·fénn *acheter*
Kaugummi n *kao*·gou·mi *chewing-gum*
Kaviar m *kâ*·vi·âr *caviar*
Keilriemen m *kayl*·rî·ménn *courroie de transmission*
kein(e) *kay*·ne *pas de*
Keks m kéks *biscuit*
Keller m *ké*·lér *cave*
Kellner(in) m/f *kél*·nér(rinn) *garçon de café*
kennen *ke*·nénn *connaître*
Keramik f ké·*râ*·mik *céramique*
Kerze f *kér*·tseu *bougie*
Kessel m *kè*·sel *bouilloire*
Ketchup m *kèt*·chap *ketchup*
Kette f *kè*·teu *chaîne*
Kichererbse f *ki*·cHér·érp·se *pois chiches*
Kiefer m *kî*·fer *mâchoire*
Kilogramm n *kî*·lo·gram *kilogramme*
Kilometer m ki·lo·*mé*·ter *kilomètre*
Kind n kinnt *enfant*
Kinder pl n *kinn*·dér *enfants*
Kinderbetreuung f *kinn*·der·bé·troy·oung *garde d'enfants*
Kindergarten m *kin*·der·gar·ténn *jardin d'enfants*
Kinderkrippe f *kinn*·dér·kri·peu *crèche*
Kindersitz m *kinn*·der·zits *siège enfant*
Kino n *kî*·no *cinéma*
Kiosk m *kî*·osk *épicerie*
Kirche f *kir*·cHeu *église • temple*
Kissen n *ki*·sénn *oreiller*
Kissenbezug m *ki*·sénn·be·tsouk *taie d'oreiller*
Kiwifrucht f *kî*·vi·froucHt *kiwi*
Klasse f *kla*·seu *classe* • **(erste) Klasse f** *ers*·te *kla*·se *première classe*
klassisch *kla*·sich *classique*
Klavier n kla·*vîr* *piano*
Kleid n klayt *robe*
Kleidung f *klay*·doung *vêtement*
klein klayn *petit*
Kleingeld n *klayn*·guélt *petite monnaie*
Klempner(in) m/f klémmp·né(rin) *plombier*
klettern *klè*·tern *escalader*
Klettern n *kle*·tern *varappe*
Klima n *klî*·ma *climat*
Klimaanlage f *klî*·ma·ann·lâ·gué *air conditionné*
klingeln *kling*·éln *sonner*
Klippe f *kli*·peu *falaise*
Kloster n *klôs*·ter *couvent • monastère*
Knappheit f *knap*·hayt *pénurie*
Knie n knî *genou*

Knoblauch m *knôp*·laoRch *ail*
Knöchel m *kneuh*·cHél *cheville*
Knochen m *kno*·cHénn *os*
Knopf m knopf *bouton*
Knoten m *knô*·ténn *nœud*
Koch/Köchin m/f koRch/*keuh*·cHinn *cuisinier/cuisinière*
kochen *ko*·Rchénn *cuisiner*
Kocher m *ko*·cHér *réchaud*
Köder m *keuh*·dér *appât*
Koffer m *ko*·fer *valise*
Kofferraum m *ko*·fer·raom *coffre (voiture)*
Kohl m kôl *chou*
Kollege/Kollegin m/f ko·*lé*·gué/ ko·*lé*·ginn *collègue*
kommen *ko*·ménn *venir*
Kommunion f ko·moun·*yôn* *communion*
Komödie f ko·*meuh*·di·è *comédie*
Kompass m *kom*·pas *boussole*
Konditorei f konn·dî·to·*ray* *pâtisserie*
Kondom n kon·*dôm* *préservatif*
König m *keuh*·nicH *roi*
Königin f *keuh*·ni·gin *reine*
können *keuh*·nénn *(être) capable • avoir la permission • pouvoir*
konservativ *konn*·zér·va·tîf *conservateur*
Konsulat n kon·zou·*lât* *consulat*
Kontaktlinsen pl f kon·*takt*·lin·ze *lentilles de contact*
Kontostand m *kon*·to·chtannt *solde (banque)*
Konzert n kon·*tsért* *concert*
Konzerthalle f kon·*tsért*·ha·le *salle de concert*
Kopf m kopf *tête*
Kopfsalat m *kopf*·za·lât *salade verte*
Kopfschmerzen pl f *kopf*·chmer·tsénn *mal de tête*
Kopfschmerztablette f *kopf*·chmérts·ta·blé·teu *cachet contre les maux de tête*
Korb m korp *corbeille*
Körper m *keuhr*·pér *corps*
korrupt ko·*roupt* *corrompu*
koscher *kô*·cher *kasher*
kosten *kos*·ténn *coûter*
köstlich *keuhst*·licH *délicieux*
Kraft f kraft *puissance*
Krampf m krampf *crampe*
krank krangk *malade*
Krankenhaus n *krang*·kénn·haos *hôpital*
Krankenpfleger/Krankenschwester m/f *krang*·kénn·pflé·guér/*krang*·kénn·chves·ter *infirmier/infirmière*
Krankenwagen m *kranng*·kénn·vâ·guén *ambulance*
Krankheit f *krangk*·hayt *maladie*
Kräuter pl n *kroy*·ter *herbes*
Kräutertee m *kroy*·ter·té *infusion*
Krebs m kréps *cancer*
Kreditkarte f kre·*dît*·kar·teu *carte de crédit*
Kreisverkehr m *krays*·fer·kér *rond-point*
Kreuz n kroyts *croix*
Krieg m krîk *guerre*
Kritik f kri·*tîk* *critique*
Küche f *ku*·cHe *cuisine*
Kuchen m *kou*·cHénn *gâteau*
Kuckucksuhr f *kou*·kouks·our *horloge coucou*
Kugelschreiber m *kou*·guél·chray·ber *stylo à billes*
Kuh f kou *vache*
Kühler m *ku*·ler *radiateur (voiture)*
Kühlschrank m *kul*·chrangk *réfrigérateur*
(sich) kümmern um zicH *ku*·mern oum *s'occuper de*
Kunde/Kundin m/f *koun*·de/*koun*·dinn *client(e)*
kündigen *kun*·di·guénn *démissionner • licencier*
Kunst f kounst *art*
grafische Kunst f *grâ*·fi·che kounst *arts graphiques*
Kunstgalerie f *kounst*·ga·lé·rî *galerie d'art*
Kunstgewerbe n *kounst*·gué·ver·beu *artisanat*
Künstler(in) m/f *kounst*·lèr/*kounst*·lè·rinn *artiste*
Kunstsammlung f *kounst*·zamm·loung *collection d'art*
Kupplung f *koup*·loung *boîte de vitesses*
Kürbis m *kur*·bis *potiron*
kurz kourts *court*
kurzärmelig *kourts*·ér·me·licH *à manches courtes*

Kuss m kous *baiser*
küssen *ku*·sénn *donner un baiser*
Küste f *kus*·teu *côte*

L

lächeln *lè*·cHéln *sourire*
lachen *la*·cHénn *rire*
Lachs m laks *saumon*
Lage f *lâ*·gué *situation*
Lamm n lam *agneau*
Land n lannt *pays • campagne*
Landschaft f *lant*·chaft *paysage*
Landwirtschaft f *lannt*·virt·chaft *agriculture*
lang lang *long*
langärmelig *lang*·ér·me·licH *à manches longues*
langsam *lang*·zâm *doucement • lentement*
langweilig *lanng*·vay·licH *ennuyeux*
Laptop n *lép*·top *ordinateur portable*
Lastwagen m *last*·vâ·guénn *camion*
Lauch m laoRch *poireau*
laufen *lao*·fénn *courir*
Läuse pl f *loy*·ze *poux*
laut laot *bruyant*
Lautstärke f *laot*·chter·ke *volume (bruit)*
Lawine f la·*vî*·neu *avalanche*
Leben n *lé*·bénn *vie*
leben *lé*·bénn *vivre*
Lebenslauf m *lé*·bénns·laof *curriculum vitae (CV)*
Lebensmittelhändler m *lé*·bénns·mi·tel·h énn·dler *épicier*
Lebensmittelladen m *lé*·bénns·mi·tel·lâ·dénn *épicerie*
Lebensmittelvergiftung f *lé*·bénns·mi·tel·fer·*gif*·toung *intoxication alimentaire*
Leber f *lé*·ber *foie*
Leder n *lé*·der *cuir*
ledig *lé*·dicH *célibataire*
leer lér *vide*
legal le·*gâl* *légal*
legen *lé*·guénn *poser (horizontal)*
Lehrer(in) m/f *lér*·rer(inn) *instructeur • professeur (école) • instituteur*
leicht laycHt *facile (à faire) • léger*
Leichtathletik f *laycHt*·at·lé·tik *athlétisme*
(aus)leihen (*aos*·)*lay*·énn *emprunter*
Leinen n *lay*·nénn *lin*
Leitungswasser n *lay*·toungks·va·ser *eau du robinet*
Lenker m *lénng*·ker *guidon*
lernen *ler*·nénn *apprendre*
Lesbierin f *les*·bi·e·rin *lesbienne*
lesen *lé*·zénn *lire*
Lesung f *lé*·zoung *lecture*
Licht n licHt *lumière*
lieben *lî*·bénn *aimer*
liebevoll *lî*·bé·fol *aimant*
Liebhaber(in) m/f *lîp*·hâ·be(rinn) *amant/maîtresse • amateur*
Lied n lît *chanson*
(aus)liefern (*aos*·)*lî*·fern *livrer*
Lieferwagen m *lî*·fer·vâ·guénn *camion de livraison*
liegen *lî*·guénn *être allongé*
Lift m lift *ascenseur*
lila *lî*·la *pourpre*
Limonade f li·mo·*nâ*·de *limonade*
Limone f li·*mô*·ne *citron vert*
Linie f *lî*·ni·e *ligne*
links lingks *gauche*
Linse f *lin*·ze *lentille*
Lippen pl f *li*·pénn *lèvres*
Lippenbalsam n *li*·pénn·bal·zâm *baume pour les lèvres*
Lippenstift m *li*·pénn·chtift *rouge à lèvres*
Löffel m *leuh*·fél *cuillère*
Lohn m *lôn* *salaire d'ouvrier*
Lokal n lo·*kâl* *bar*
Luft f louft *air*
Luftkrankheit f *luft*·kranngk·hayt *mal de l'air*
Luftpost f *louft*·poste *poste aérienne*
Luftpumpe f (*louft*·)*poum*·pe *pompe*
Luftverschmutzung f *louft*·fer·chmou·tsoung *pollution de l'air*
Lügner(in) m/f *lug*·ner(rinn) *menteur*
Lunge f *loung*·euh *poumon*
lustig *lous*·ticH *drôle*
luxuriös louk·sou·ri·*euhs* *luxueux*

M

machen *ma*·cHénn *faire*
Mädchen n *mét*·cHénn *fille*
Magen m *mâ*·guénn *estomac*
Magen-Darm-Katarrh m *mâ*·guénn·*darm*·ka·*tar* *gastroentérite*
Magenschmerzen pl f *mâ*·guénn·chmer·tsénn *mal au cœur (avoir)*
Magenverstimmung f *mâ*·guénn·fer·chti·moung *indigestion*
Majonnaise f ma·yo·*né*·ze *mayonnaise*
Makler(in) m/f *mâk*·ler(rinn) *agent immobilier*
Maler(in) m/f mâ·ler(inn) *peintre*
Malerei f mâ·le·*ray* *peinture (art)*
Mama f ma·*ma* *maman*
Mammogramm n ma·mo·*gramm* *mammographie*
Manager(in) m/f *mé*·né·djér(inn) *manager*
manchmal *mancH*·mâl *parfois*
Mandarine f man·da·*rî*·ne *mandarine*
Mandel f *mann*·dél *amande*
Mango f *mang*·go *mangue*
Mann m mann *homme*
Mannschaft f *mann*·chaft *équipe*
Mantel m *mann*·tél *manteau*
Margarine f mar·ga·*rî*·ne *margarine*
Markt m markt *marché*
Marktplatz m *markt*·plats *place du marché*
Marmelade f mar·me·*lâ*·de *confiture*
Maschine f ma·*chî*·ne *machine*
Masern pl *mâ*·zérn *rougeole*
Massage f ma·*sâ*·je *massage*
Masseur m ma·*seuhr* *masseur*
Masseurin f ma·*seuh*·rinn *masseuse*
Material n ma·té·ri·*âl* *matériel*
Matratze f ma·*tra*·tseu *matelas*
Matte f *ma*·teu *mat*
Mauer f *mao*·ér *mur*
Maurer(in) m/f *mao*·rér(inn) *maçon*
Maus f maos *souris*
Mechaniker(in) m/f mé·*cHâ*·ni·ker(inn) *mécanicien*
Medien pl *mé*·di·énn *médias*
Medikament n mé·di·kâ·*ménnt* *médicament*
Meditation f mé·di·ta·*tsyôn* *méditation*
Medizin f mé·di·*tsînn* *médecine*
Meer n mêr *mer*
Meeresküste f *mêr*·rès·kus·te *côte*
Meerrettich m *mêr*·rè·ticH *raifort*
Mehl n mêl *farine*
mehr mêr *plus (d'avantage)*
mein m/n mayn *mon*
meine f *may*·ne *ma*
Meinung f *may*·noung *opinion*
Meisterschaften pl f *mays*·ter·chaf·ténn *championnat*
Melodie f mé·lo·*dî* *mélodie*
Melone f mé·*lô*·ne *melon*
Mensch m ménnch *homme (être humain)*
Menschen pl m *ménn*·chénn *gens*
Menschenrechte pl n *ménn*·chénn·recH·te *droits de l'homme*
menschlich *ménnch*·licH *humain*
Menstruation f ménns·trou·a·*tsyôn* *menstruation*
Menstruationsbeschwerden pl f ménn s·trou·a·*tsyôns*·bé·chvér·dénn *douleurs menstruelles*
Messe f *mè*·seu *messe* • *salon professionnel*
Messer n *mé*·ssér *couteau*
Metall n mé·*tal* *métal*
Meter m *mé*·ter *mètre*
Metzgerei f méts·gué·*ray* *boucherie-charcuterie*
mieten *mî*·ténn *louer*
Mietvertrag m *mît*·fer·trâk *contrat de location*
Migräne f mi·*gré*·ne *migraine*
Mikrowelle f *mî*·kro·vé·le *micro-ondes*
Milch f milcH *lait* • **(fettarme) Milch f** *fét*·ar·me milcH *lait (écrémé)*
Milchprodukte pl n *milcH*·pro·douk·teu *produits laitiers*
Militär n mi·li·*tér* *militaire*
Millimeter m mi·li·*mé*·ter *millimètre*
Million f mi·*lî*·yôn *million*
Mineralwasser n mi·né·*râl*·va·ser *eau gazeuse*
Minute f mi·*nou*·te *minute*
mischen *mi*·chénn *mélanger*
mit mit *avec*

mit jemandem ausgehen mit *yé*·man·dem *aos*·gué·énn *sortir (avec quelqu'un)*
Mitglied n *mit*·glît *membre*
Mittag m *mi*·tâk *midi*
Mittagessen n *mi*·tâk·è·sénn *déjeuner*
Mitteilung f *mi*·tay·loung *message*
Mitternacht f *mi*·ter·naRcht *minuit*
Mittwoch m *mit*·voRch *mercredi*
Möbel pl n *meuh*·bel *meubles*
Modem n *mô*·démm *modem*
mögen *meuh*·guénn *aimer • apprécier*
möglich *meuhk*·licH *possible*
Mohrrübe f *môr*·ru·be *carotte*
Monat m *mô*·nat *mois*
Mond m mônt *lune*
Montag m *môn*·tâk *lundi*
morgen *mor*·guénn *demain*
Morgen m *mor*·gouénn *matin*
morgen früh *mor*·guénn *fru demain matin*
Moschee f mo·*ché mosquée*
Moskitospirale f mos·*kî*·to·cHpi·râ·le *spirale anti-moustiques*
Moslem/Moslimin m/f *mos*·lémm/ mos·*lî*·minn *musulman(e)*
Motor m *mô*·tor/mo·*tôr moteur*
Motorboot n *mô*·tor·bôt *bateau à moteur*
Motorrad n *mô*·tor·rât *motocycle*
Mountainbike n *maon*·ténn·bayk *VVT*
Möwe f *meuh*·ve *mouette*
MP3-Player m émm·pé·dray *pléy*·ér *lecteur MP3*
müde *mu*·de *fatigué(e)*
Müll m mul *poubelles (contenu)*
Mülleimer m *mul*·ay·mer *poubelle (objet)*
Mund m mount *bouche*
Mundfäule f *mount*·foy·le *aphte*
Münzen pl f *mun*·tsén *pièces de monnaie*
Münztelefon n *munts*·te·le·fôn *cabine téléphonique à pièces*
Muschel f *mou*·chél *moule*
Museum n mou·*zé*·oum *musée*
Musik f mou·*zîk musique*
Musiker(in) m/f *mou*·zi·ker(inn) *musicien*
Muskel m *mous*·kel *muscle*
Muskelzerrung f *mous*·kél·tser·roung *froissement d'un muscle*
Müsli n *mus*·li *muesli*
mutig *mou*·ticH *brave*
Mutter f *mou*·ter *mère*

N

nach nâRch *après*
nach oben naRch *ô*·bénn *vers le haut*
Nachkomme m *naRch*·ko·me *descendant*
(heute) Nachmittag m (*hoy*·te) *naRch*·mi·tâk *(cet) après-midi*
Nachname m *naRch*·nâ·me *nom de famille*
Nachrichten pl f *naRch*·ricH·ténn *nouvelles (actualité)*
nächste *nécHs*·te *prochain • le/la plus proche*
Nacht f naRcht *nuit* • **über Nacht f** u·bér naRcht *toute la nuit*
Nadel f *nâ*·del *aiguille*
Nagelknipser pl m *nâ*·guél·knip·ser *coupe-ongles*
nahe *nâ*·euh *proche* • **in der Nähe** in dér *né*·euh *dans les environs*
Naher Osten m *nâ*·ér *oss*·ténn *Moyen-Orient*
nähen *né*·énn *coudre*
Name m *nâ*·me *nom*
Nase f *nâ*·ze *nez*
nass nas *mouillé*
Nationalpark m na·tsyo·*nâl*·park *parc national*
Natur f na·*tour nature*
Naturheilkunde f na·*tour*·hayl·koun·de *médicine naturelle*
Naturreservat n na·*tour*·ré·zer·vât *réserve naturelle*
neben *né*·bénn *à côté de*
neblig *né*·blicH *brumeux*
Neffe m *ne*·feu *neveu*
nehmen *né*·ménn *prendre*
nein nayn *non*
nett net *aimable • sympathique*
neu noy *nouveau*
Neujahrstag m *noy*·yârs·tâk *jour de l'An*
nicht nicHt *ne … pas*
Nichte f *nicH*·teu *nièce*
Nichtraucher- m *nicHt*·rao·cHér· *non-fumeur*
nichts nicHts *rien*

nie nî *jamais*
Niederlage f *nî*·der·la·gué *échec (défaite)*
Niederlande pl f *nî*·der·lann·de *Pays-Bas*
niedrig *nî*·dricH *bas*
noch nicht noRch nicHt *pas encore*
Nonne f *no*·ne *religieuse*
Norden m *nor*·dénn *nord*
normal nor·*mâl* *ordinaire*
Notfall m *nôt*·fal *urgence*
Notizbuch n no·*tîts*·bouRch *carnet de notes*
notwendig *nôt*·vénn·dicH *nécessaire*
Nudeln pl f *nou*·déln *pâtes*
null noul *zéro*
Nummer f *nou*·mer *numéro*
nur nour *seulement*
Nuss f nouss *noix*
nützlich *nuts*·licH *utile*

O

obdachlos *op*·daRch·lôs *sans-abri*
oben *ô*·bénn *en haut*
Objektiv n op·yék·*tîf* *lentille (photographique)*
oder *ô*·der *ou*
Ofen m *ô*·fénn *four*
offen *o*·fénn *ouvert*
offensichtlich o·fénn·*zicHt*·licH *évident*
öffnen *euhf*·nénn *ouvrir*
Öffnungszeiten pl f *euhf*·noungks·tsay·ténn *heures d'ouverture*
oft oft *souvent*
ohne *ô*·ne *sans*
Ohr n ôr *oreille*
Ohrenstöpsel m *ô*·rénn·chteuhrp·sel *bouchons d'oreilles*
Ohrringe pl m *ôr*·ring·e *boucles d'oreilles*
Öl n euhl *huile*
Olive f o·*lî*·ve *olive*
Olympische Spiele pl f o·*lum*·pi·che chpî·leu *jeux Olympiques*
Onkel m *ong*·kél *oncle*
Oper f *ô*·per *opéra*
Operation f o·pé·ra·*tsyôn* *opération*
Opernhaus n *ô*·pérn·haos *opéra (lieu)*
Optiker(in) m/f *op*·ti·ker(rinn) *opticien(ne)*
orange o·*rângzh* *orange (couleur)*
Orange f o·*râng*·zhe *orange (fruit)*
Orangensaft m o·*râng*·jénn·zaft *jus d'orange*
Orchester n or·*kés*·ter *orchestre*
organisieren or·ga·ni·*zî*·rénn *organiser*
Orgasmus m or·*gas*·mous *orgasme*
Orgel f *or*·guél *orgue*
Original- n o·ri·guy·*nâl*· *original*
örtlich *euhrt*·licH *régional*
Osten m *os*·ténn *est*
Ostern n *ôs*·terne *Pâques*
Österreich n *euhs*·ter·raycH *Autriche*
Ozean m *ô*·tse·ânn *océan*
Ozonschicht f *ozôn*·chicHt *couche d'ozone*

P

Paar n pâr *paire (couple)*
Packung f *pa*·koung *emballage*
Paket n pa·*két* *paquet*
Pampelmuse f pam·pel·*mou*·ze *pamplemousse*
Panne f *pa*·neu *panne*
Papagei m pa·pa·*gay* *perroquet*
Papier n pa·*pîr* *papier*
Papiertaschentücher pl n pa·*pîr*·ta·chénn·tu·cHer *mouchoir en papier*
Paprika m *pap*·ri·kâ *poivron*
Parfüm n par·*fum* *parfum*
Park m park *parc*
Parkplatz m *park*·plats *place de parking*
Parlament f par·la·*ménnt* *parlement*
Partei f par·*tay* *parti (politique)*
(Reise)Pass m (*ray*·ze) pas *passeport*
Passnummer f *pas*·nou·mer *numéro de passeport*
Pastete f pas·*té*·te *pâté en croûte*
Pause f *pao*·ze *pause* • **eine Pause machen f** *ay*·ne *pao*·ze *ma*·cHénn *faire une pause*
Pedal n pe·*dâl* *pédale*
Penis m *pé*·nis *pénis*
Pension f pâng·*zyôn* *chambre d'hôte* • *pension*
pensioniert pâng·zyo·*nîrt* *retraité(e)*
Person f per·*zôn* *personne*
Personalausweis m per·zo·*nâl*·aos·vays *carte d'identité*

persönlich per·*zeuhn*·licH *personnellement*
Petersilie f pé·ter·*zî*·li·e *persil*
Petition f pe·ti·*tsyôn* *pétition*
Pfad m pfât *chemin • sentier*
Pfanne f *pfa*·ne *poêle*
Pfeffer m *pfe*·fer *poivre*
Pfefferminzbonbons pl n pfe·fer·*mints*·bong·bongs *bonbons à la menthe*
Pfeife f *pfay*·fe *pipe*
Pferd n pfért *cheval*
Pfirsich m *pfir*·zicH *pêche*
Pflanze f *pflan*·tse *plante*
Pflaster n *pflas*·ter *pansement • pavement*
Pflaume f *pflao*·me *prune*
pflücken *pflu*·kénn *cueillir*
Pfund n pfount *livre (poids)*
Phantasie f fan·ta·*zî* *imagination*
Physik f fu·*zîk* *physique*
Picknick n *pik*·nik *pique-nique*
Pilgerfahrt f *pil*·guér·fârt *pèlerinage*
Pille f *pi*·le *cachet (médicament)*
(die) Pille f dî *pi*·le la *pilule*
Pils n *pilss* *bière blonde*
Pilz m pilts *champignon*
Pinzette f pin·*tse*·te *pince à épiler*
Pistazie f pis·*tâ*·tsi·e *pistache*
Plakat n pla·*kât* *poster*
Planet m pla·*nét* *planète*
plastik *plas*·tik *plastique*
Platz m plats *court (tennis) • place (train, cinéma) • siège*
Platz am Gang m plats amm gang *siège côté couloir*
Poker n *pô*·ker *pocker*
Politik f po·li·*tîk* *politique*
Politiker(in) m/f po·*lî*·ti·ke(rinn) *politicien*
Polizei f po·li·*tsay* *police*
Polizeirevier n po·li·*tsay*·re·vîr *commissariat*
Pollen m *po*·lénn *pollen*
Pony n *po*·ni *poney*
Porto n *por*·to *affranchissement*
Post f post *courrier*
Post (normale) f nor·*mâ*·le post *courrier (ordinaire)*
Postamt n *post*·amt *bureau de poste*
Postkarte f *post*·kar·te *carte postale*
postlagernd *post*·lâ·guérnt *poste restante*
Postleitzahl f *post*·lay·tsâl *code postal*
praktisch *prak*·tich *pratique*
Präsident(in) m/f pre·zi·*dénnt(inn)* *président*
Preis m prays *prix*
Premierminister(in) m/f prem·*yé*·mi·nis·ter/(·te·rin) *Premier ministre*
Priester m *prîs*·ter *prêtre*
privat pri·*vât* *privé*
pro prô *par*
produzieren pro·dou·*tsî*·rénn *produire*
Programm n pro·*gram* *programme*
Projektor m pro·*yék*·tor *projecteur*
Prosa f *prô*·za *prose*
Prostituierte f pros·ti·tou·*îr*·te *prostituée*
Protest m pro·*test* *protestation*
protestieren pro·tés·*tî*·rénn *protester*
Prozent m pro·*tsénnt* *pourcentage*
prüfen *pru*·fénn *vérifier*
Psychologie f psu·cHo·lo·*guy* *psychologie*
Pullover m pou·*lô*·ver *chandail • pull*
Punkt m poungkt *point*
Puppe f *pou*·pe *poupée*

Q

Qualifikationen pl f kva·li·fi·ka·*tsyô*·nénn *qualifications*
Qualität f kva·li·*tét* *qualité*
Querschnittsgelähmte m/f *kvér*·chnits·gué·lêm·te *paraplégique*
Quittung f *kvi*·toung *quittance*

R

Rabatt m ra·*bat* *rabais*
Rad n rât *roue*
radfahren *rât*·fâ·rénn *vélo (faire du)*
Radfahrer(in) m/f *rât*·fâ·rer/*rât*·fâ·re·rinn *cycliste*
Radio n *râ*·di·o *radio*
Radsport m *rât*·chport *cyclisme*
Radweg m *rât*·vék *piste cyclable (ville)*
Rahmen m *râ*·ménn *cadre*
Rasiercreme ra·*zîr*·krém *crème de rasage*
rasieren ra·*zî*·rénn *raser (se)*
Rasierer m ra·*zî*·rer *rasoir*
Rasierklingen pl f ra·*zîr*·kling·énn *lames de rasoir*

Rassismus m ra·*sis*·mous *racisme*
Rat m rât *conseil*
raten *râ*·ténn *conseiller • deviner*
Ratte f *ra*·te *rat*
Raub m raop *vol (escroquerie)*
rauchen *rao*·cHénn *fumer*
Raum m raom *espace*
realistisch ré·a·*lis*·tich *réaliste*
Rebe f *ré*·be *grappe*
Rechnung f *recH*·noung *addition*
rechts rècHts *droite (direction)*
Rechtsanwalt/Rechtsanwältin m/f *rècHts*·an·valt/*rècHts*·an·vél·tinn) *avocat/avocate (loi)*
recyceln ri·*say*·kéln *recycler*
Regal n ré·*gâl* *étagère*
Regeln pl f *ré*·guéln *règles (jeu)*
Regen m *ré*·guénn *pluie*
Regenmantel m *ré*·guénn·man·tél *imperméable*
Regenschirm m *ré*·guénn·chirm *parapluie*
Regierung f re·*guî*·roung *gouvernement*
Region f ré·*gyôn* *région*
Regisseur(in) m/f ré·ji·*seuhr*(inn) *metteur en scène*
reich raycH *riche*
Reifen m *ray*·fénn *pneu*
Reifenpanne f *ray*·fénn·pa·neu *crevaison (pneu)*
rein rayn *pur*
Reinigung f *ray*·ni·goung *teinturerie*
Reinigung (chemische) f *cHé*·mi·che *ray*·ni·goung *pressing*
Reis m rays *riz*
Reise f *ray*·ze *voyage*
Reisebüro n *ray*·ze·bu·rô *agence de voyages*
Reiseführer m *ray*·ze·fu·rer *guide (livre)*
Reisekrankheit f *ray*·ze·krangk·hayt *mal des transports*
reisen *ray*·zénn *voyager*
Reisende(r) m/f *ray*·zénn·de *passager*
Reiseroute f *ray*·ze·rou·te *itinéraire*
Reisescheck m *ray*·ze·chèk *chèque de voyage*
Reiseziel n (*ray*·ze) tsîl *destination*
Reißverschluss m *rays*·fer·chlous *fermeture Éclair*
Reiten n *ray*·ténn *balade à cheval*
reiten *ray*·ténn *monter à cheval*
Reitschule f *rayt*·chou·le *centre équestre*
Reitweg m *rayt*·vék *sentier équestre*
Religion f ré·li·*gyôn* *religion*
religiös ré·li·*gyeuhs* *pratiquant • croyant*
Reliquie f ré·*lî*·kvi·e *relique (réligion)*
Rennbahn f *rénn*·bân *circuit*
Rennen n *ré*·nénn *course (sport)*
Rennrad n *rénn*·rât *vélo de course*
Rentner(in) m/f *rénnt*·ne(rinn) *retraité(e)*
reparieren ré·pa·*rî*·rénn *réparer*
Republik f ré·pou·*blîk* *république*
Reservereifen m ré·*zer*·ve·ray·fénn *roue de secours*
reservieren ré·zer·*vî*·rénn *réserver*
Reservierung f ré·zer·*vî*·roung *réservation*
Restaurant n res·to·*râng* *restaurant*
retten *rè*·ténn *sauver*
Rettich m *rè*·ticH *raifort*
R-Gespräch n *ér*·gué·chprècH *en PCV (appel)*
Rhythmus m *rut*·mous *rythme*
Richter(in) m/f *ricH*·ter(inn) *juge*
richtig *ricH*·ticH *correct*
riesig *rî*·zicH *énorme*
Rindfleisch n *rinnt*·flaych *bœuf*
Ring m ring *bague*
Risiko n *rî*·zi·ko *risque*
Ritt m rit *chevauchée*
Rock m rok *jupe*
Rockgruppe f *rok*·grou·peu *groupe de rock*
Rockmusik f *rok*·mou·zîk *rock*
Rodeln n *rô*·deln *faire de la luge*
roh rô *cru*
Rollschuhfahren n *rol*·chou·fâ·rénn *faire du roller*
Rollstuhl m *rol*·chtoul *chaise roulante*
Rolltreppe f *rol*·trè·pe *escalier roulant*
romantisch ro·*man*·tich *romantique*
rosa *rô*·za *rose*
Rosenkohl m *rô*·zen·kôl *choux de Bruxelles*
Rosine f ro·*zî*·ne *raisin*
rot rôt *rouge*
rote Beete f *rô*·teu *bé*·te *betterave*
Rotwein m *rôt*·vayn *vin rouge*
Route f *rou*·te *route*

Rücken m *ru*·kénn *dos*
Rückfahrkarte f *ruk*·fâr·kar·te *retour (billet)*
Rucksack m *rouk*·zak *sac à dos*
Rückzahlung f *ruk*·tsâ·loung *remboursement*
Rudern n *rou*·dérn *aviron*
ruhig *rou*·icH *calme*
Ruinen pl f rou·*î*·nénn *ruine*
Rum m roum *rhum*
rund rount *rond*

S

Sabbat m *za*·bat *chabbat*
Safe m séjf *coffre-fort*
Safe Sex m séjf séks *rapports sexuels protégés*
Saft m zaft *jus*
sagen *zâ*·guénn *dire*
Sahne f *zâ*·neu *crème Chantilly*
Salami f za·*lâ*·mi *salami*
Salat m za·*lât* *salade*
Salz n zalts *sel*
Samstag m *zams*·tâk *samedi*
Sand m zant *sable*
Sandalen pl f zan·*dâ*·lénn *sandales*
Sänger(in) m/f *zénng*·er(inn) *chanteur*
Sardine f zar·*dî*·ne *sardine*
Sattel m *za*·tél *selle (équitation)*
sauber *zao*·bér *propre*
Sauce f *zô*·se *sauce*
Sauerstoff m *zao*·er·chtof *oxygène*
Sauna f *zao*·na *sauna*
Schach n chaRch *échec (jeu)*
Schaf n châf *mouton*
Schaffner(in) m/f *chaf*·nér(rinn) *conducteur*
Schal m châl *écharpe*
Schatten m *cha*·ténn *ombre*
Schaumwein m *chaom*·vayn *vin mousseux*
Schauspiel n *chao*·chpîl *pièce de théâtre*
Schauspieler(in) m/f *chao*·chpî·ler(inn) *acteur*
Scheck m chèk *chèque*
Scheinwerfer pl m *chayn*·ver·fer *phares • projecteurs*
Schere f *chér*·re *ciseaux*
schieben *chî*·bénn *pousser*
Schiedsrichter(in) m/f *chîts*·ricH·ter(inn) *arbitre*
schießen *chî*·sénn *tirer (pistolet)*
Schiff n chif *bateau*
Schild n chilt *panneau*
Schinken m *ching*·kénn *jambon*
schlafen *chlâ*·fénn *dormir*
schläfrig *chléf*·ricH *endormi*
Schlafsack m *chlâf*·zak *sac de couchage*
Schlaftabletten pl f *chlâf*·ta·blè·ténn *somnifères*
Schlafwagen m *chlâf*·vâ·guénn *wagon-lit*
Schlafzimmer n *chlâf*·tsi·mer *chambre à coucher*
Schläger m *chlé*·guér *raquette*
Schlamm m chlam *boue*
Schlange f *chlang*·euh *serpent*
Schlange stehen *chlang*·euh chté·énn *faire la queue*
Schlauch m chlaoRch *chambre à air*
schlecht chlécHt *mauvais • tourné (nourriture)*
schlechter *chlecH*·ter *pire*
schließen *chlî*·sénn *fermer*
Schließfächer pl n *chlîs*·fé·cHér *consigne à bagages*
Schloss n chloss *château • serrure*
Schlucht f chloucHt *gorge*
Schlüssel m *chlu*·sel *clé*
Schlussverkauf m *chlouss*·vér·kaou *soldes*
schmackhaft *chmak*·haft *savoureux*
Schmalz n chmalts *saindoux*
Schmand m chmant *crème fraîche*
Schmerz m chmérts *douleur*
schmerzhaft *chmérts*·haft *douloureux*
Schmerzmittel n *chmerts*·mi·tel *anti-douleur*
Schmetterling *chmé*·ter·linng *papillon*
Schmiermittel n *chmîr*·mi·tel *lubrifiant*
Schminke f *chming*·keu *maquillage*
Schmuck m chmouk *bijoux*
schmutzig *chmou*·tsicH *sale*
Schnecke f *chné*·ke *escargot*
Schnee m chné *neige*
schneiden *chnay*·dénn *couper*
Schneider(in) m/f *chnay*·dér(inn) *tailleur*
schnell chnél *rapide*

Schnorcheln n *chnor*·cHéln *faire du snorkelling (plongée avec masque et tuba)*
Schnuller m *chnou*·lér *tétine pour bébé*
Schnur f chnour *ficelle*
Schokolade f cho·ko·*lâ*·deu *chocolat*
schon chôn *déjà*
schön cheuhn *beau/belle*
Schönheitssalon m *cheuhn*·hayts·za·long *salon de beauté*
Schramme f *chra*·meu *égratignure*
Schrank m chranngk *armoire*
Schraubenzieher m *chrao*·bénn·tsî·er *tournevis*
schrecklich *chrék*·licH *terrible*
Schreibarbeit f *chrayp*·ar·bayt *paperasserie*
schreiben *chray*·bénn *écrire*
Schreibwarenhandlung f *chrayp*·vâ·rénn ·han·dloung *papeterie*
schreien *chray*·énn *crier*
Schrein m chrayn *reliquaire*
Schriftsteller(in) m/f *chrift*·chte·ler(inn) *écrivain*
schüchtern *chucH*·térn *timide*
Schuhe pl m *chou*·euh *chaussures*
Schuhgeschäft n *chou*·gué·chéft *magasin de chaussures*
Schuld f choult *faute*
schulden *choul*·dénn *devoir (quelque chose à quelqu'un)*
schuldig *choul*·dicH *fautif*
Schule f *chou*·le *école*
Schulter f *choul*·ter *épaule*
Schüssel f *chu*·sel *jatte • saladier*
Schutzimpfung f *chouts*·im·pfoung *vaccination*
schwach chvaRch *faible*
schwanger *chvang*·er *enceinte*
Schwangerschaftstest m *chvang*·er·chafts·test *test de grossesse*
Schwanz m chvants *queue (animal)*
schwarz chvarts *noir*
schwarzweiß chvarts·*vays* *noir et blanc (pellicule)*
Schwein n chvayn *cochon*
Schweinefleisch n *chvay*·ne·flaych *porc*
Schweiz f chvayts *Suisse*
schwer chvér *dur (difficile) • lourd*
Schwester f *chvés*·ter *sœur*
Schwiegermutter f *chvî*·guér·mou·ter *belle-mère*
Schwiegersohn m *chvî*·guér·zôn *beau-fils*
Schwiegertochter f *chvî*·guér·toRch·ter *belle-fille*
Schwiegervater m *chvî*·guér·fâ·ter *beau-père*
schwierig *chvî*·ricH *difficile*
schwimmen *chvi*·ménn *nager*
Schwimmweste f *chvim*·ves·te *gilet de sauvetage*
schwindelig *chvin*·de·licH *étourdi (se sentir)*
schwul chvoul *gay • homosexuel*
schwül chvul *lourd (temps)*
Secondhandgeschäft n se·kénnd·*hénnd*·gué·chéft *dépôt-vente*
See f zé *lac*
seekrank *zé*·krangk *avoir le mal de mer*
Segeln n *zé*·guéln *faire de la voile*
segnen *zég*·nénn *bénir*
sehen *zé*·énn *voir*
(an)sehen (*an*) *zé*·énn *regarder*
sehr zayr *très*
Seide f *zay*·de *soie*
Seife f *zay*·fe *savon*
Seifenoper f *zay*·fénn·ô·per *feuilleton télévisé*
Seil n zayl *corde*
Seilbahn f *zayl*·bân *téléphérique*
sein zayn *être*
sein zayn *à lui*
seit (Mai) zayt (may) *depuis (mai)*
Seite f *zay*·te *page*
Sekretär(in) m/f zé·kré·*têr*(inn) *secrétaire*
Sekundarschule f zé·koun·*dâr*·chou·le *cycle secondaire*
Sekunde f zé·*koun*·de *seconde*
Selbstbedienung f *zelpst*·be·dî·noung *self-service*
selbstständig *zelpst*·chténn·dicH *profession libérale*
selten *zél*·ténn *rare*
senden *zénn*·dénn *envoyer*
Senf m zénnf *moutarde*
Serie *zayr*·ri·e *série*
Serviette f zerv·*yé*·te *serviette (de table)*

Sessellift m *zé*·sél·lift *télésiège*
Sex m séks *sexe*
Sexismus m sék·*sis*·mous *sexisme*
sexy *sek*·si *sexy*
Shampoo n *cham*·pou *shampooing*
Show f chô *spectacle*
sicher *zi*·cHér *en sécurité*
Sicherheit f *zi*·cHér·hayt *sécurité*
Sicherheitsgurt m *zi*·cHer·hayts·gourt *ceinture de sécurité*
Sicherung f *zi*·cHé·roung *fusible*
sie zî *elle • elles • ils*
Sie zî *vous (forme de politesse)*
Sieger(in) m/f *zî*·guér(rinn) *vainqueur*
silbern *zil*·bèrn *argenté*
Silvester zil·*vés*·ter *réveillon (Nouvel An)*
singen *zing*·énn *chanter*
Single m/f singl *célibataire (personne)*
sinnlich *zin*·licH *sensuel*
Sitz m zits *siège (auto, au parlement)*
sitzen *zi*·tsénn *être assis*
Skibrille f *chî*·bri·le *lunettes de ski*
Skifahren n *chî*·fâ·rénn *ski (sport)*
skifahren *chî*·fâ·rénn *faire du ski*
Skulptur f skoulp·*tour* *sculpture*
Slipeinlage f *slip*·ayn·lâ·gué *protège-slip*
Snack m snék *en-cas*
Snowboarden n *snô*·bor·dénn *faire du snowboard*
Socken pl f *zo*·kénn *chaussettes*
sofort zo·*fort* *immédiatement*
Sohn m zôn *fils*
Sojamilch f *zô*·ya·milcH *lait de soja*
Sojasauce f *zô*·ya·zô·se *sauce soja*
Sommer m *zo*·mer *été*
Sonne f *zo*·ne *soleil*
Sonnenaufgang m *zo*·nénn·aof·gang *lever du soleil*
Sonnenbrand m *zo*·nénn·brant *coup de soleil*
Sonnenbrille f *zo*·nénn·bri·le *lunettes de soleil*
Sonnencreme f *zo*·nénn·krém *crème solaire*
Sonnenuntergang m *zo*·nénn·oun·ter·gang *coucher du soleil*
sonnig *zo*·nicH *ensoleillé*
Sonntag m *zon*·tâk *dimanche*
Soße f *zô*·se *sauce*
Souvenir n zou·ve·*nîr* *souvenir*
Souvenirladen m zou·ve·*nîr*·lâ·dénn *boutique de souvenirs*
Sozialhilfe f zo·*tsyâl*·hil·fe *allocations sociales*
sozialistisch zo·tsya·*lis*·tich *socialiste*
Sozialstaat m zo·*tsyâl*·chtât *État social*
Spanien n *chpâ*·ni·énn *Espagne*
sparen *chpâ*·rénn *économiser*
Spargel m *chpar*·guél *asperges*
Spaß m chpâs *amusement*
spät chpét *tard*
Spaten m *chpâ*·ténn *pelle*
Speichen pl f *chpay*·cHénn *rayons (vélo)*
Speisekarte f *chpay*·ze·kar·te *carte (menu)*
Speisewagen m *chpay*·ze·vâ·guénn *wagon restaurant*
Spezialist(in) m/f chpé·tsya·*list*(inn) *spécialiste*
speziell chpe·*tsyel* *spécial*
Spiegel m *chpî*·guél *miroir*
Spiel n chpîl *jeu • match (sport)*
spielen *chpî*·lénn *jouer*
Spielzeug n *chpîl*·tsoyk *jouet*
Spinat m chpi·*nât* *épinards*
Spinne f *chpi*·ne *araignée*
Spitze f *chpi*·tse *dentelle • pointe*
Spitzhacke f *chpits*·ha·ke *piolet*
Spitzname m *chpits*·nâ·me *surnom*
Sport m chport *sport*
Sportler(in) m/f *chport*·ler(inn) *sportif(e)*
Sprache f *chprâ*·cHe *lange*
Sprachführer m *chpraRch*·fu·rér *guide de conversation*
sprechen *chprè*·cHénn *parler*
springen *chpring*·énn *sauter*
Spülung f *chpu*·loung *démêlant (cheveux)*
Staat m chtât *état*
Staatsangehörigkeit f *chtâts*·an·gué·heuh·ricH·kayt *nationalité* • **Staatsbürgerschaft f** *chtâts*·bur·guér·chaft
Stadion n *chtâ*·di·on *stade (sport)*
Stadium n *chtâ*·di·oum *stade (étape)*
Stadt f chtat *ville*
Standby-Ticket n sténnd·*bay*·ti·ket *ticket en stand-by*

S

DICTIONNAIRE

stark chtark *fort*
Start m chtart *start (sport)*
(an)statt (an)*chtat* *à la place de*
Statue f *chtâ*·tou·euh *statue*
Steak n chtêk *steak (bœuf)*
Stechmücke f *cHtécH*·mu·keu *moustique*
Stecker m *chtè*·ker *prise mâle*
stehlen *chtè*·lénn *voler (crime)*
Stehplatz m *chté*·plats *place debout*
steil chtayl *escarpé*
Stein m chtayn *pierre*
stellen *chte*·lénn *poser (vertical)*
sterben *chtèr*·bénn *mourir*
Stereoanlage f *chtér*·ré·o·ann·lâ·gué *chaîne hifi*
Stern m chtèrn *étoile*
(Vier-)Sterne- (*fîr*·)*chtèr*·ne· *(quatre-) étoiles*
Sternzeichen n *chtèrn*·tsay·cHénn *signe astrologique*
Steuer f *chtoy*·ér *impôts*
Stich m chticH *piqûre (insecte)*
Stickerei f chti·keu·*ray* *broderie*
Stiefel m *chtî*·fél *botte*
Stil m chtîl *style*
Stimme f *chti*·me *voix*
Stock m chtok *étage*
Stöpsel m *chteuhp*·sel *bouchon*
stornieren chtor·*nî*·ren *annuler*
Strand m chtrannt *plage*
Straße f *chtrâ*·se *rue*
Straßenbahn f *chtrâ*·sénn·bân *tram*
Straßenkarte f *chtrâ*·sénn·kar·te *carte routière*
Straßenkinder pl n *chtrâ*·sénn·kin·der *enfants de rue*
Straßenmusiker(in) m/f *chtrâ*·ssén·mou·zi·ker/*chtrâ*·ssén·mou·z i·ke·rinn *musicien de rue*
Streichhölzer pl n *chtraycH*·heuhl·tsér *allumettes*
streiken *chtray*·kénn *faire la grève*
Streit m chtrayt *dispute*
streiten *chtray*·ténn *disputer (se)*
Strom m chtrôm *courant*
Stromschnellen pl f *chtrôm*·chnè·lénn *rapides (courant)*
Strümpfe pl m *chtrump*·fe *bas*
Strumpfhose f *chtroumpf*·hô·ze *bas (collant)*
Stück n chtuk *pièce (morceau)*
Student(in) m/f chtou·*dénnt*(inn) *étudiant(e)*
Studentenausweis m chtou·*dénn*·-ténn·aos·vays *carte d'étudiant*
studieren chtou·*dî*·rénn *étudier*
Studio n *chtou*·di·o *studio (musique)*
Stufe f *chtou*·fe *marche (escalier)*
Stuhl m chtoul *chaise*
stumm chtoum *muet*
stur chtour *têtu*
Sturm m chtourm *orage*
suchen (nach) *zou*·cHénn naRch *chercher*
Süden m *zu*·dénn *sud*
Supermarkt m *zou*·per·markt *supermarché*
Suppe f *zou*·peu *soupe*
Surfbrett n *serf*·bret *planche de surf*
surfen *ser*·fénn *surfer*
süß zus *doux • sucré • mignon*
Süßigkeiten pl f *zu*·sicH·kay·ténn *sucreries*
Synagoge f zu·na·*gô*·gue *synagogue*
synthetisch zun·*té*·tich *synthétique*

T

Tabak m *ta*·bak *tabac*
Tabakladen m *ta*·bak·lâ·dénn *tabac (lieu)*
Tag m tâk *jour* • **vierzehn Tage pl m** *fîr*·tsén *tâ*·gue *15 jours*
Tagebuch n *tâ*·gue·bouRch *journal intime*
täglich *ték*·licH *tous les jours*
Tal n tâl *vallée*
Tampons pl m *tam*·pons *tampons*
Tankstelle f *tangk*·chté·le *pompe à essence*
Tante f *tann*·teu *tante*
tanzen *tan*·tsénn *danser*
Tasche f *ta*·cheuh *poche • sac*
Taschenbuch n *ta*·chénn·bouRch *livre de poche*
Taschenlampe f *ta*·chénn·lam·pe *torche*
Taschenmesser n *ta*·chénn·mé·ssér *couteau suisse*
Taschenrechner m *ta*·chénn·réch·nér *calculatrice*
Tasse f *ta*·seu *tasse*

Tastatur f tas·ta·*tour* *clavier (ordinateur)*
taub taop *sourd*
tauchen *tao*·cHénn *plonger*
Taufe f *tao*·feu *baptême*
tausend *tao*·zénnt *mille*
Taxi n *tak*·si *taxi*
Taxistand m *tak*·si·chtant *station de taxi*
Technik f *tecH*·nik *technique*
Tee m té *thé*
Teelöffel m *té*·leuh·fél *petite cuillère*
Teil m tayl *partie • morceau • part*
teilen (mit) *tay*·lénn (mit) *partager (avec)*
Teilzeit- f *tayl*·tsayt· *temps partiel*
Telefon n té·le·*fôn* *téléphone*
öffentliches Telefon n *euh*·fénnt·li·cHes te·le·*fôn* *téléphone public*
Telefonauskunft f té·le·*fôn*·aos·kounft *renseignements téléphoniques*
Telefonbuch n té·le·*fôn*·bouRch *annuaire téléphonique*
telefonieren té·le·fo·*nî*·rénn *téléphoner*
Telefonkarte f té·le·*fôn*·kar·te *carte téléphonique*
Telefonzelle f té·le·*fôn*·tse·le *cabine téléphonique*
Teleskop n té·lés·*kôp* *télescope*
Teller m *tè*·lér *assiette*
Tempel m *témm*·pel *temple (antique)*
Temperatur f témm·pé·ra·*tour* *température (météo)*
Tennis m *tè*·nis *tennis*
Tennisplatz m *tè*·nis·plats *court de tennis*
Teppich m *tè*·picH *tapis*
Termin m ter·*mîn* *rendez-vous*
Terminkalender m ter·*mînn*·ka·lénn·der *agenda*
Terrasse f ter·*ra*·se *terrasse*
Test m test *test*
teuer *toy*·ér *cher*
Theater n té·*â*·ter *théâtre*
Theaterkasse f té·*â*·ter·ka·se *billetterie d'un théâtre*
Theke f *té*·keu *comptoir*
Thermosflasche f *ter*·mos·fla·che *thermos*
Thunfisch m *toun*·fich *thon*
tief tîf *profond*
Tier n tîr *animal*
Tisch m tich *table*
Tischdecke f *tich*·dé·ke *nappe*
Tischtennis n *tich*·te·nis *ping-pong*
Toast m tôst *pain grillé*
Toaster m *tôs*·ter *grille-pain*
Tochter f *toRch*·ter *fille*
Tofu m *tô*·fou *tofu*
Toilette f to·a·*le*·te *toilettes*
öffentliche Toilette f *euh*·fénnt·li·cHe to·a·*le*·te *toilettes publiques*
Toilettenpapier n to·a·*le*·ténn·pa·pîr *papier toilette*
Tomate f to·*mâ*·te *tomate*
Tomatensauce f to·*mâ*·ténn·zô·se *sauce tomate*
Topf m topf *casserole*
Töpferwaren pl f *teuhp*·fer·vâ·rénn *poterie*
Tor n tôr *but* • **ein Tor schießen** n ayn tôr *chî*·sénn *marquer un but*
Tor n tôr *portail*
Torwart/Torhüterin m/f *tôr*·vart/ *tôr*·hu·te·rin *gardien de but*
tot tôt *mort*
töten *teuh*·ténn *tuer*
Tour f tour *tour*
Tourist/in m/f tou·*rist*(inn) *touriste*
Touristenklasse f tou·*ris*·ténn·kla·se *classe économique*
tragen *trâ*·guénn *porter*
Trainer(in) m/f *tré*·nér(inn) *entraîneur*
Training n *tré*·ning *entraînement*
trampen *trem*·pénn *faire de l'autostop*
Transitraum m tran·*zît*·raom *salle de transit*
Transport m trans·*port* *transport*
trauen *trao*·énn *faire confiance*
träumen *troy*·ménn *rêver*
traurig *trao*·ricH *triste*
treffen *trè*·fénn *se rencontrer*
Treppe f *trè*·pe *escalier*
treten *tré*·ténn *donner un coup de pied*
trinken *tring*·kénn *boire*
Trinkgeld n *tringk*·guélt *pourboire*
trocken *tro*·kénn *sec (vin)*
Trockenobst n *tro*·kénn·ôpst *fruits secs*
trocknen *trok*·nénn *sécher (vêtements)*
Truthahn m *trout*·hân *dindon*
T-Shirt n *tî*·cheuhrt *tee-shirt*

tun toun *faire*
Tür f tur *porte*
Turm m tourm *tour*
Türsteher m *tur*·chté·ér *videur*
Tüte f *tu*·te *sac en plastique*
Typ m tup *type*
typisch *tu*·pich *typique*

U

U-Bahn f *ou*·bân *métro*
U-Bahnhof m *ou*·bân·hôf *station de métro*
Übelkeit f *u*·bel·kayt *nausée*
über *u*·bér *au-dessus*
Überbrückungskabel n u·bér·*bru*·koungks·kâ·bel *câble de démarrage*
überfüllt u·bér·*fult* *bondé*
Übergepäck n *u*·bér·gué·pek *excédent de bagage*
übermorgen *u*·bér·mor·guénn *après-demain*
übernachten u·bér·*naRch*·ténn *passer la nuit (hôtel)*
Überraschung f u·bér·*ra*·choung *surprise*
Überschwemmung f u·bér·*chve*·moung *innondation*
übersetzen u·bér·*ze*·tsénn *traduire*
Uhr f our *heure • montre*
Ultraschall m *oul*·tra·chal *ultrason*
umarmen oum·*ar*·ménn *s'embrasser*
Umfrage f *oum*·frâ·gue *sondage d'opinion*
Umkleideraum m *oum*·klay·de·raom *vestiaire*
Umsatzsteuer f *oum*·zats·chtoy·er *TVA*
umsteigen *oum*·chtay·guén *changer (train)*
Umtausch m *oum*·taoch *change (monnaie)*
Umwelt f *oum*·vélt *environnement*
Umweltverschmutzung f *oum*·vé lt·fer·chmou·tsoung *pollution de l'environnement*
unbequem *oun*·bé·kvêmm *inconfortable*
und ount *et*
unfair *oun*·fér *injuste*
Unfall m *oun*·fal *accident*
ungefähr oun·gue·*fér* *approximatif*
ungewöhnlich *oun*·gue·veuhn·licH *inhabituel*
Ungleichheit f *oun*·glaycH·hayt *inégalité*
Uniform f ou·ni·*form* *uniforme*
Universität f ou·ni·ver·zi·*têt* *université*
Universum n ou·ni·*vér*·zoum *univers*
unmöglich oun·*meuhk*·licH *impossible*
unschuldig *oun*·choul·dicH *innocent*
unser *oun*·zer *notre*
unten *oun*·ténn *en bas • dessous*
unter *oun*·ter *en-dessous • parmi*
Unterhemd n *oun*·ter·hemt *maillot de corps*
Unterkunft f *oun*·ter·kounft *hébergement*
Unterschrift f *oun*·ter·chrift *signature*
Untertitel pl m *oun*·ter·tî·tél *sous-titres*
Unterwäsche f *oun*·ter·vè·cheu *tous les vêtements qui se portent à même le corps (sous-vêtements et maillots de corps)*
Urlaub m *our*·laop *congés payés*

V

Vagina f va·*guy*·na *vagin*
Vater m *fâ*·ter *père*
Vegetarier(in) m/f ve·gué·*tâ*·ri·ér/ ve·gué·*tâ*·ri·e·rin *végétarien*
Vene f *vé*·ne *veine*
Ventilator m vénn·ti·*lâ*·tor *ventilateur*
Verabredung f fer·*ap*·ré·doung *rendez-vous (galant)*
Veranstaltungskalender m fer·*an*·chtal·to ungks·ka·lénn·der *programme des sorties*
Veranstaltungsort m fer·*an*·chtal·toungks·ort *lieu de spectacle*
Verband m fer·*bannt* *bandage*
Verbandskasten m fer·*bants*·kas·ténn *kit de secours*
Verbindung f fer·*binn*·doung *liaison*
verbrennen fer·*bré*·nénn *brûler*
verdienen fer·*dî*·nénn *gagner*
Vergangenheit f fer·*gang*·énn·hayt *passé*
Vergaser m fer·*gâ*·zér *carburateur*
vergessen fer·*gué*·sénn *oublier*
vergewaltigen fer·gué·*val*·ti·guénn *violer*
Verhaftung f fer·*haf*·toung *arrestation*
verhindern fer·*hin*·dern *empêcher*
Verhütungsmittel n fer·*hu*·toungks·mi·tél *contraceptif*
verkaufen fer·*kao*·fénn *vendre*

Verkehr m fer·*kér* *circulation*
Verlängerung f fer·*lénng*·e·roung *prolongation (visa)*
verlegen fer·*lé*·guénn *embarrassé(e)*
verletzen fer·*lè*·tsénn *blesser*
Verletzung f fer·*lè*·tsoung *blessure*
verlieren fer·*lî*·rénn *perdre*
Verlobte(r) m/f fer·*lôp*·te/ter *fiancé/fiancée*
Verlobung f fer·*lô*·boung *fiançailles*
verloren fer·*lô*·rénn *perdu*
Vermieter/in m/f fer·*mî*·ter(inn) *propriétaire • bailleur*
vermissen fer·*mi*·sénn *sentir un manque*
Vermittlung f fer·*mit*·loung *mise en relation*
vernünftig fer·*nunf*·ticH *raisonnable*
verpassen fer·*pa*·sénn *rater (bus)*
Verpflegung f fer·*pflé*·goung *provisions*
verrückt fé·*rukt* *fou*
Versicherung f fer·*zi*·cHe·roung *assurance*
Verspätung f fer·*chpé*·toung *retard*
versprechen fer·*chprè*·cHénn *promettre*
verstehen fer·*chté*·énn *comprendre*
Verstopfung f fer·*chtop*·foung *constipation*
versuchen fer·*zou*·cHénn *essayer*
Vertrag m fer·*trâk* *contrat*
Verwaltung f fer·*val*·toung *administration*
Verwandte m/pl fer·*van*·te *proches (famille)*
verzeihen fer·*tsay*·énn *pardonner*
viel fîl *beaucoup*
vielleicht fi·*laycHt* *peut-être*
Viertel n *fir*·tél *quartier*
Virus m *vî*·rous *virus*
Visum n *vî*·zoum *visa*
Vitamin n vi·ta·*mînn* *vitamines*
Vogel m *fô*·guél *oiseau*
Volksentscheid m *folks*·énnt·chayt *référendum*
voll fol *plein*
Vollmond m *fol*·mônt *pleine lune*
Vollzeit f *fol*·tsayt *temps complet*
Volumen n vo·*lou*·ménn *volume (masse)*
vor fôr *avant • devant* • **vor (drei Tagen)** fôr (dray *tâ*·guénn) *il y a (3) jours* • **vor kurzem** fôr *kour*·tsèm *il y a peu de temps* • **vor uns** fôr ouns *devant nous*
vorbereiten *fôr*·be·ray·ténn *préparer*
vorgestern *fôr*·gués·tern *avant-hier*
Vorhängeschloss n *fôr*·hénng·e·chlos *cadenas*
Vormittag m *fôr*·mi·tâk *matinée*
Vorname m *fôr*·nâ·meu *prénom*
Vorort m *fôr*·ort *banlieue*
Vorrat m *fôr*·rât *provision*
Vorschlag m *fôr*·chlâk *proposition*
Vorschrift f *fôr*·chrift *règle*
vorsichtig *fôr*·zicH·ticH *précautionneux*
Vorwahl f *fôr*·vâl *indicatif téléphonique d'une ville*
vorziehen *fôr*·tsî·énn *préférer*

W

wachsen *vak*·sénn *pousser*
Waffe f *va*·fe *arme*
Wagen m vâ·*guén* *voiture*
wählen *vé*·lénn *voter*
(aus)wählen (*aos*·)*vé*·lénn *choisir*
Wahlen pl *vâ*·lénn *élections*
Wähltón m *vél*·tôn *tonalité (téléphone)*
wahr vâr *vrai*
während *vér*·rénnt *pendant*
Währung f *vér*·roung *devise*
Wald m valt *forêt*
Wandern n *van*·dern *randonnée*
wandern *van*·dern *randonner*
Wanderstiefel pl m *van*·der·chtî·fel *chaussures de randonnée*
Wanderweg m *van*·der·vék *sentier de randonnée*
wann vann *quand (à quel moment)* • **wann immer** vann *i*·mer *peu importe quand*
Warenhaus n *vâ*·rénn·haos *grand magasin*
warm varm *chaud*
warnen *var*·nénn *avertir*
warten *var*·ténn *attendre*
Wartesaal m *var*·te·zâl *salle d'attente (gare)*
Wartezimmer n *var*·te·tsi·mer *salle d'attente (médecin)*
warum va·*roum* *pourquoi*
was vas *quoi*
Wäscheleine f *vé*·cheu·lay·neu *fil à linge*
waschen (sich) zicH *va*·chénn *laver (se)*
Wäscherei f vè·cheu·*ray* *lavomatique*

Waschküche f *vach*·ku·cHe *buanderie*
Waschlappen m *vach*·la·pénn *gant de toilette*
Waschmaschine f *vach*·ma·chî·ne *machine à laver*
Waschpulver n *vach*·poul·ver *poudre à laver*
Wasser n *va*·ser *eau*
warmes/kaltes Wasser *var*·mes/kal·tés *va*·ser *eau chaude/froide*
wasserdicht *va*·ser·dicHt *étanche*
Wasserfall m *va*·ser·fal *chute d'eau*
Wasserflasche f *va*·ser·fla·che *bouteille d'eau*
Wasserhahn m *va*·ser·hân *robinet*
Wassermelone f *va*·ser·me·lô·ne *pastèque*
Wasserskifahren n *va*·ser·chî·fâ·rénn *ski nautique*
Watte-Pads pl f *va*·te·padz *boules de coton*
Wechselgeld n *vék*·sel·guélt *monnaie*
Wechselkurs m *vek*·sel·kours *taux de change*
wechseln *vek*·seln *changer*
Wecker m *vé*·ker *réveil*
Weg m vék *chemin*
wegen *vé*·guén *à cause de*
Wegweiser m *vék*·vay·zer *panneau indicateur*
weh tun (sich) zicH vé toun *se blesser*
Wehrdienst m *vér*·dînnst *service militaire*
Weihnachten n *vay*·naRch·ténn *Noël*
Weihnachtsbaum m *vay*·naRchts·baom *arbre de Noël*
Weihnachtsfeiertag (erster) m (*ers*·ter) *vay*·naRchts·fay·er·tâk *jour de Noël*
weil vayl *parce que*
Wein m vayn *vin*
Weinberg m *vayn*·berk *vignoble*
Weinbrand m *vayn*·brannt *cognac*
Weintrauben pl f *vayn*·trao·bénn *raisin*
weiß vays *blanc*
Weißwein m *vays*·vayn *vin blanc*
weit vayt *loin*
Welle f *ve*·le *onde*
Welt f vélt *monde*
Weltmeisterschaft f *vèlt*·mays·ter·chaft *championnat du monde*
wenig *vé*·ni·gue *peu*
weniger *vé*·ni·guér *moins*
wenn vénn *quand • si*
wer vér *qui*
Werkstatt f *vérk*·chtat *atelier • garage (réparation)*
Werkzeug n *verk*·tsoyk *outils*
Wert m vert *valeur (prix)*
wertvoll *vert*·fol *précieux*
Wespe f *ves*·pe *guêpe*
Westen m *ves*·ténn *ouest*
Wette f *vé*·teu *pari*
Wetter n *ve*·ter *temps (météo)*
Whisky m *vis*·ki *whisky*
wichtig *vicH*·ticH *important*
wie vî *comment*
wieder *vî*·dér *encore*
wiederholen vî·der·*hô*·lénn *répeter*
wiederverwertbar *vî*·der·fer·vert·bâr *recyclable*
wiegen *vî*·guénn *peser*
wild vilt *sauvage*
Wildschwein n *vilt*·chvayn *sanglier*
willkommen vil·*ko*·ménn *bienvenu*
Wind m vinnt *vent*
Windel f *vinn*·dèl *couche (bébé)*
Windeldermatitis f *vin*·del·der·ma·tî·tis *érythème fessier*
windig *vin*·dicH *venteux*
Windschutzscheibe f *vint*·chouts·chay·beu *pare-brise*
Winter m *vin*·ter *hiver*
winzig *vin*·tsicH *minuscule*
wir vîr *nous*
wissen *vi*·sénn *savoir*
Wissenschaft f *vi*·sénn·chaft *science*
Wissenschaftler(in) m/f *vi*·sénn·chaft·ler(inn) *scientifique*
Witz m vits *blague*
wo vô *où*
(letzte) Woche f (*lets*·te) *vo*·cHeuh *semaine (dernière)*
Wochenende n *vo*·cHénn·énn·de *week-end*
Wodka m *vot*·ka *vodka*
Wohlfahrt f *vôl*·fârt *assistance publique*
wohnen *vô*·nénn *habiter*
Wohnung f *vô*·noung *appartement*
Wohnwagen m *vôn*·vâ·guén *camping-car*

Wolke f *vol*·keu *nuage*
wolkig *vol*·kicH *nuageux*
Wolle f *vo*·le *laine*
wollen *vo*·lénn *souhaiter • vouloir*
Wort n vort *mot*
Wörterbuch n *veuhr*·ter·bouRch *dictionnaire*
wunderbar *voun*·der·bâr *merveilleux*
wünschen *vun*·chénn *souhaiter*
Würfel m *vur*·fél *dés (jeu)*
Würmer pl m *vur*·mer *asticots*
Wurst f vourst *charcuterie • saucisse*
würzig *vur*·tsicH *épicé*
Wüste f *vus*·te *désert*
wütend *vu*·ténnt *furieux*

Z

Zahl f tsâl *chiffre*
zählen *tsé*·lénn *conter*
Zahlung f *tsâ*·loung *paiement*
Zahn m tsân *dent*
Zahnarzt/Zahnärztin m/f *tsân*·artst/ *tsân*·erts·tin *dentiste*
Zahnbürste f *tsân*·burs·te *brosse à dents*
Zähne pl m *tsé*·ne *dents*
Zahnfleisch n *tsân*·flaych *gencives*
Zahnpasta f *tsân*·pas·ta *dentifrice*
Zahnschmerzen pl f *tsân*·chmér·tsénn *mal de dents*
Zahnseide f *tsân*·zay·de *fil dentaire*
Zahnstocher m *tsân*·chto·cHèr *cure-dent*
Zauberer(in) m/f *tsao*·be·re(rinn) *magicien*
Zaun m tsaon *palissade*
Zehe f *tsé*·euh *orteil • gousse d'ail*
zehn tsén *dix*
zeigen *tsay*·guénn *montrer*
Zeit f tsayt *temps*
Zeitschrift f *tsayt*·chrift *magazine*
Zeitung f *tsay*·toung *journal*
Zeitungshändler m *tsay*·toungks·hénn·dler *marchand de journaux*
Zeitungskiosk m *tsay*·toungks·kî·osk *kiosque à journaux*
Zeitunterschied m *tsayt*·oun·ter·chît *décalage horaire*
Zelt n tselt *tente*
zelten *tsél*·ténn *camping (faire du)*
Zeltplatz m *tsélt*·plats *emplacement de tente*
Zentimeter m tsénn·ti·*mé*·ter *centimètre*
Zentralheizung f tsénn·*trâl*·hay·tsoung *chauffage central*
Zentrum n *tsénn*·troum *centre*
zerbrechlich tser·*brecH*·licH *fragile*
Zertifikat n tsér·ti·fi·*kât* *certificat*
Ziege f *tsî*·gué *chèvre*
ziehen *tsî*·énn *tirer*
Ziel n tsîl *but*
Zigarette f tsi·gua·*rè*·teu *cigarette*
Zigarre f tsi·*gua*·reu *cigare*
Zimmer n *tsi*·mer *chambre*
Zirkus m *tsir*·kous *cirque*
Zitrone f tsi·*trô*·ne *citron*
Zoll m tsol *douane*
Zoo m tsô *zoo*
zu tsou *vers*
zu (viele) tsou (*fî*·le) *trop (de)*
Zucchini f tsou·*kî*·ni *courgette*
Zucker m *tsou*·ker *sucre*
Zuckererbse f *tsou*·ker·erp·se *pois gourmands*
Zufall m *tsou*·fal *hasard*
Zug m tsouk *train*
zugeben *tsou*·gué·ben *avouer*
zuhören *zou*·heuh·rénn *écouter*
Zukunft f *tsou*·kounft *futur*
(PKW-)Zulassung f (*pé*·kâ·vé·)*tsou*·la·ssoung *immatriculation*
Zündung f *tsun*·doung *ignition (voiture)*
zurück tsou·*ruk* *retour*
zurückkommen tsou·*ruk*·ko·ménn *retourner*
zusammen tsou·*za*·ménn *ensemble*
Zusammenstoß m tsou·*za*·mén·stôss *carambolage*
zustimmen *tsou*·chti·ménn *être d'accord*
Zutat f *tsou*·tât *ingrédient*
zweimal *tsvay*·mâl *deux fois*
zweite *tsvay*·te *second*
Zwerchfell n *tsvercH*·fel *diaphragme (corps)*
Zwiebel f *tsvî*·bel *oignon*
Zwillinge pl *tsvi*·ling·euh *jumeaux*
zwischen *tsvi*·chénn *entre*

A

abréviations 8
accentuation 11
accès Internet 51
achats (général) 33, 61
achats (nourriture) 156
activités de plein air 133
addition (restaurant) 143, 155
addition (hébergement) 55
adieux 95
adjectifs (grammaire) 13
adresses 49, 60, 95
adverbes interrogatifs 24
affaires 75
âge 92
air conditionné 53
aliments (lexique culinaire) 163
allaitement 86
Allemagne (pays) 6, 7
allergies 182
allergies alimentaires 161
amour 117
animaux 137
annulation (billets) 37
appareil photo 66
appartement 57
appellations (personnes) 88
argent 33
arrêt (bus) 39
art 121
articles (grammaire) 13
ascenseur 51
athlétisme 123
au revoir 95
auberge 49
auberge de jeunesse 49
Autriche 7
avion 38
avoir (verbe) 14

B

baby-sitting 85
bagages 38
banque 77
bar 148
bas allemand (langue) 8
basket-ball 123
bateau 35, 41
bébé, voyager avec un 85
Belgique 7
bicyclette 45, 127
bière 150, 152, 153
billets (transport) 36
blanchisserie 51
blessures 177-178
boissons alcoolisées 149
boissons non alcoolisées 149
boîte de vitesses (voiture) 42
bus 35, 39

C

cabine téléphonique 71
calendrier 30
camping 49, 55
caravane 56
carrefour (schéma) 60
carte (des langues) 6
carte de crédit 61
carte, lire une 60, 79
carte SIM 73
cas (grammaire) 14
CD 66
centres d'intérêt 97
chambre (location) 57
chambre (hôtel) 50
chambre d'hôte 49
chambre d'hôtel (schéma) 53

change (argent) 52, 77, 78
chèques de voyage 61, 77
chien d'aveugle 84
cinéma 99
circulation 35
clé (hébergement) 52
climatisation 53
code (carte bancaire) 77
coiffeur 64
commander (restaurant) 141, 159
commission (banque) 78
communications 69
compliments (cuisine) 143, 145
compliments (hébergement) 55
compteur (taxi) 41
concerts 98
condiments 147
condition physique 180
conférence 75
confirmation (billets) 37
consigne automatique 38
consonnes 10
contrôle (douanes) 47
conversation 89
corps humain (schéma) 183
correspondance (train) 40
courrier 69
courses (alimentation) 156
croyances 119
cuisine 155
cuisine (lexique culinaire) 163
cuisine (ustensiles) 158
cuisson, modes de 147
culture 119, 120
cyclisme 128
cybercafé 73

D

DAB 77
danse 98, 108
date 30
déclaration (douane) 48
déclinaison (grammaire) 15
dentiste 185
destinations 36
diction, excercices de 122
dictionnaire allemand-français 219
dictionnaire français-allemand 187
différences (culture et religion) 119, 120
discothèques 107, 108
distributeur automatique de billets 77
docteur 178
douanes (frontières) 48
douches (camping) 55
droit d'entrée 80

E

e-mail 73
eau (potable) 56
écriture 12
émotions 101
en-cas 146
enfants (menu) 140
enfants, parler aux 95
enfants (réduction) 86
enfants, voyager avec des 85
enregistrement (aéroport) 38
environnement 105
envoi à l'étranger 62
essence 44
étiquette (à table) 155
être (verbe) 16
études 93
Europe de l'Est 8
excuses 87
excursions 52, 81

F

famille 94
faune 137
fax 69, 95

féminin (grammaire) 18
femmes (santé) 181
fermeture (horaires) 80
fête 108
films 99
flore 137
football 130, 132
fractions 28
frontières 47
fumeur (restaurant) 140
fumeur (transports) 35
futur (grammaire) 17

G

garantie (achats) 62
gare 40
gastronomie 143
gays 107
genre (grammaire) 18
gilet de sauvetage 41
gîte 49
grammaire 13
grossesse 181
groupe (musique) 98
guide (randonnée) 134
guide (visites) 79
guide de voyages 65, 79

H

habitant, loger chez l' 58
halal, viande 159
handball 123
handicapés 83
haut allemand (langue) 8
hébergement 49
heure 29
histoire 7
hockey sur glace 123
homosexuel 107
hospitalité 58
hôtel 49

I

indicatifs téléphoniques 71
Internet (café) 73
intimité 114
intonation 11
introduction 7
invitations 108, 111

J

jeu, aire de 85
jours de la semaine 29

K

kasher (nourriture) 159

L

langue germanique 8
lecture 12
lessive 51
lexique culinaire 163
Liechtenstein 7
limitation de vitesse 43
lire l'allemand 12
littérature allemande 7
livres 65
location (hébergement) 57
location (vélo) 45
location (voiture et moto) 42
loisirs 97
Luxembourg 7

M

maladies 180
marchander 63
marche (randonnée) 133
masculin (grammaire) 18
match, assister à un 124
médecin 177
médicaments 177-182

menu 141
messages 52, 71
météo 137
métro 46
mois 30
monnaie 34
moto 42
musique 66, 98

N

natation 138
nationalité 92
nature 105
négation (grammaire) 18
neutre (grammaire) 13
nombres 27
noms 88
non alcoolisé (boissons) 149
non fumeur (restaurant) 140
non fumeur (transports) 35
note (hébergement) 55
nourriture (faire les courses) 156
nourriture (général) 139
nourriture (lexique culinaire) 163

O

opinion 102
ordre des mots 20
ordinateur 74
ordonnance 176, 178
orientation 49, 59, 60, 95

P

paiement (modes de) 51, 61
panne (voiture) 44
panneaux 82
  enfants 86
  hôtel 52
  plage 135
  transports 43, 46
  signalisation routière 43
  urgences 173
paquets 69
parachutisme 129
parapente 129
parking 44
passé (grammaire) 20
passé (temps) 31
passe-temps 97
passeport 47
pays 92
PCV , appel en 71
pellicule (photographie) 66
perte (bagages) 174
petit-déjeuner 51, 145
pharmacie 184
photo 66
phrases-clés 25
plage 135
plantes 137
pluriel (grammaire) 21
poignée de main 76
police 174
politesse 76, 155
politique 103
pollution 105
portable (téléphone) 73, 95
possessifs (grammaire) 22
poste 69, 70
pratiquer un sport 125
présent (grammaire) 14, 16, 21
présent (temps) 31
présentations 88
prix 61
problèmes (voiture) 44
pronoms (grammaire) 22
prononciation 9

Q

4x4 42
quantités 28
quantités (alimentation) 156
questions (grammaire) 23

R

rafting ... 129
rappel ... 129
randonnée ... 133
réclamations (hébergement) ... 52
recommandations (hébergement) ... 49
reçu (hébergement) ... 52
réductions (visites) ... 80
refus (séduction) ... 112
régimes spéciaux ... 159, 161
réligion ... 119
remboursements (achats) ... 62
remerciements ... 87
rencontres ... 87
rendez-vous (affaires) ... 75
rendez-vous (amitié/séduction) ... 109, 111
renseignements (hébergement) 51
réparations ... 63
réservation (billets) ... 36
réservation (hébergement) ... 49
réservation (taxi) ... 41
restaurant ... 139
retard (être en) ... 41
retard (transports) ... 35
rue (schéma) ... 60

S

s'adresser à quelqu'un ... 88
sacs (achats) ... 62, 156
saisons ... 30
salutations ... 87
santé ... 177
santé au féminin ... 181
saucisse ... 144
savoir-vivre ... 76, 155
schéma
- chambre d'hôtel ... 53
- corps humain ... 183
- rue ... 60
- table ... 143
- voiture ... 42

sécurité ... 173
séduction ... 112
seniors ... 83
sentiments ... 101, 102
séparation ... 117
sexe ... 114
shopping ... 33, 61
siège ... 35
signalisation routière ... 43
ski ... 130
société ... 103
sortir (général) ... 107
sortir (au restaurant) ... 139
sortir (séduction) ... 111
sourd (mal entendants) ... 84
sous-titres (cinéma) ... 99
souvenirs ... 67, 68
spécialités (cuisine) ... 141, 156
sport ... 123
sports extrêmes ... 129
station (métro) ... 46
Suisse ... 7
supermarché ... 61
symptômes (santé) ... 180
système d'écriture ... 12

T

table (schéma) ... 143
taille (vêtements) ... 63
tarif ... 61
tarif (communications) ... 73
tarif (visites) ... 80
taux de change ... 78
taxi ... 41
téléphone ... 51, 70
téléphone portable ... 73, 95
tennis ... 131
tente ... 55
théâtre ... 99
toilettes ... 59
tourisme ... 79
tout-terrain (véhicule) ... 42
train ... 35, 40
transports ... 35

travail 93
tutoiement 25

W

urgences 173
ustensiles de cuisine 158

V

vaccinations 178
varape 129
végétariens 159
vélo 45, 127
vêtement 63
vie amoureuse 111
villa 57
vin 150, 151
visa 47
visite touristique 79
vitesse, limitation de 43
voiture 42
voiture (schéma) 42
vol (aérien) 38
vol (objets) 38, 174
vouvoiement 25
voyelles 9
VTT 129

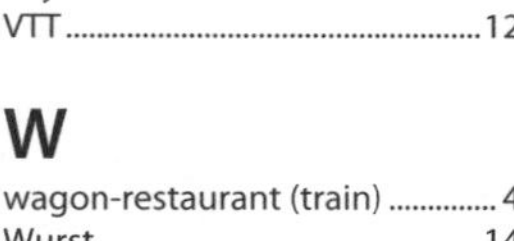

W

wagon-restaurant (train) 40
Wurst 144